Historia del Arte español

Historia del Arte español

Jesús Espino Nuño y Miguel Morán Turina

sociedad general española de librería, s. a.

Primera edición en 1996
Segunda edición en el 2000

Avda. Valdelaparra, 29, 28108 Alcobendas (Madrid)

Autores textos: Jesús Espino Nuño y Miguel Morán Turina

Diseño y realización: EDIPROYECTOS
Coordinación editorial: Pilar Rubio
Fotografías: Ministerio de Cultura (I.C.R.B.C.), Santos Cid, Archivo Historia 16, Isidro Bango y Javier Villalba
Ilustraciones de cubierta. Portada: *La infanta Margarita*, por Diego Velázquez, Madrid, Colección Casa de Alba
Contraportada: *La familia de los duques de Osuna*, por Francisco de Goya, Madrid. Museo del Prado

ISBN: 84-7143-585-3
Depósito Legal M-9.526-2000
Impreso en España. *Printed in Spain*
Preimpresión: AMORETTI, S.F., S.L.
Impresión: PEÑALARA, S.A.
Encuaderna: RÚSTICA HILO, S.L.

ÍNDICE

ARTE ANTIGUO

Los albores del Arte español

La España prerromana

La civilización romana

La España visigoda

LOS ALBORES DEL ARTE ESPAÑOL

"¡Mira, papá, bueyes!"

Danza ritual en una *pintura rupestre de Cogull*, Lérida.

María no acababa de entender qué hacía su padre agachado en el suelo de la cueva. Antes de salir de casa aquella mañana de 1879, le había dicho que iban a buscar restos de hombres que habían vivido allí hacía muchos, muchos años. A ella, la verdad, le excitaba más la silenciosa oscuridad que les rodeaba y que a duras penas rompía el haz de luz del farol que habían llevado consigo. Sus ojos, movidos por una curiosidad propia de su edad, deambulaban por aquel espacio subterráneo imaginando quién sabe qué aventuras y misterios. Fue entonces cuando levantó la vista hacia el techo y dijo: "¡Mira, papá, bueyes!".

Así descubrió la pequeña hija de Marcelino Sáez de Sautuola las pinturas que cubrían *el gran techo de la cueva de Altamira*. Desde entonces, a este hallazgo se han unido otros muchos, que poco a poco han ido configurando el punto de partida con el que se inicia nuestro recorrido por la Historia del Arte español. Aquellos primitivos grupos de cazadores del Paleolítico Superior convirtieron el interior de las cuevas no sólo en vivienda, sino también en santuarios cuyas paredes cubrieron con pinturas y grabados. Como es lógico en una sociedad basada en la caza, el principal protagonista era el animal: ciervos, caballos, cabras, bisontes, peces, aves. Junto a éstos, unos pocos antropomorfos (como el grabado en *Hornos de la Peña*, Cantabria) y, sobre todo, manos y una amplia serie de figuras abstractas a base de líneas, puntos o dibujos geométricos de oscuro significado.

A través de estas representaciones, en las que todo parece indicar una función mágico-religiosa, aquellos hombres buscaban reflejar un mundo interior en el que no es fácil penetrar. Para ello utilizaron un estilo realista que tiene su punto de partida en grabados o pinturas de cuevas como las de *Hornos de la Peña* (Santander), del *Conde* o de la *Peña de Candamo* (Asturias). A partir de estas figuras de contornos simples y siluetas no siempre completas se inicia un proceso en el que poco a poco se advierten importantes avances en el dominio de la línea, en el entendimiento de las proporciones, en la representación del volumen, la anatomía y el movimiento, y en la superación de los convencionalismos que impone la vista de perfil. Este proceso culminará en las grandes creaciones polícromas (de varios colores) de *Tito Bustillo* (Asturias), *Ekain* (Vizcaya) y *Altamira* (Cantabria). El gran techo de esta última es probablemente la obra cumbre del Paleolítico español. El o los artistas que trabajaron allí utilizaron y prepararon los salientes naturales de la cueva para acomodarlos al volumen y posición de las figuras (fundamentalmente bisontes); a ello unieron una gran capacidad técnica, como demuestra su habilidad a la hora de utilizar el grabado y los distintos colores para dar forma a la anatomía de los animales. El resultado fue un conjunto que diecisiete mil años después sigue sorprendiendo por su marcado realismo.

Una temática similar encontramos en las producciones del arte mueble, obras de pequeño formato en las que, sin olvidar posibles significados mágico-religiosos, parece predominar una función decorativa. Hechas tanto en hueso como en piedra, en su realización se utilizan el grabado y la pintura. Si exceptuamos las cinco mil placas de piedra encontradas en la cueva alicantina del *Parpalló*, su área de expansión se limita prácticamente a la cornisa cantábrica, donde destacan piezas como los llamados *"bastones de mando" de las cuevas del Pendo y del Castillo*.

Nuevas formas de vida, nuevas formas artísticas

Pero este brillante primer capítulo del arte español no sobrevivió al cambio climático que trajo consigo el final de las glaciaciones. Cuando, una vez superada la crisis, hagan su aparición las culturas neolíticas primero y, sobre todo, las del Bronce después, no sólo fue el ecosistema, sino las formas de vida y las estructuras sociales las que habían cambiado. Los nuevos pueblos conocen la agricultura y la ganadería, saben trabajar los metales, han abandonado las cuevas para vivir en poblados y, favorecidos por un importante desarrollo demográfico, se lanzan a ocupar los antes inhóspitos o inhabitables territorios del interior de la Península.

Vista general de las pinturas de la bóveda de *Altamira* (página derecha, arriba). Cerámica neolítica (abajo).

También su producción artística es muy diferente a la de sus antepasados paleolíticos. Si consideramos el caso de la pintura, las diferencias saltan a la vista. En primer lugar por el sitio elegido para realizarlas, pues se sacan de la oscuridad de las cuevas a la luz de los abrigos o refugios naturales, manteniendo, eso sí, el carácter de espacios más o menos sagrados. En segundo lugar, por la temática, pues aunque los animales no desaparecen y siguen jugando un papel importante (por ejemplo, el ciervo o la cabra), es la figura humana la que pasa a ocupar el centro de atención; y además no lo hace aislada, sino componiendo pequeñas escenas. Sin embargo, para pintar estas figuras no se siguió el antiguo camino realista, sino que optaron por un *arte fuertemente esquemático*, rudo, seco, estático, monocromo, cuyos orígenes pueden rastrearse en las pinturas del mundo de siglos atrás. En él el hombre queda reducido a una línea recta cruzada por dos arcos (brazos y piernas) o a una figura parecida a la letra griega "phi", mientras que el ciervo es una simple horizontal con cuatro pequeños trazos verticales (las patas) y dos diagonales (los cuernos).

De difícil cronología y asignación a grupos concretos, los ejemplos se extienden por todo el territorio peninsular, con la excepción de una zona que queda al margen de su influencia. Se trata de la franja montañosa que va de Lérida a Almería, en las paredes de cuyos abrigos se desarrolló otro tipo de arte rupestre, al que se ha dado el nombre de *levantino*. Como en el caso de aquél, su origen y datación sigue siendo objeto de debate, aunque es bastante probable que ambos se desarrollasen a partir del tercer milenio a.C., llegando su producción hasta el primero, ya dentro de lo que son las civilizaciones de los pueblos prerromanos.

Como también ocurre en el esquemático, el protagonismo le corresponde a la figura humana, que aparece formando escenas (de caza, de guerra, rituales, vida cotidiana) en las que impera el carácter narrativo. Pero los artistas levantinos crearon un arte que se aleja del esquematismo de sus vecinos occidentales: mientras se adopta para los animales (fundamentalmente ciervos, toros y cabras) un estilo naturalista

a base de siluetas conseguidas mediante la utilización de tintas planas, la figura humana pierde rigidez al estilizarse, darle movimiento y una cierta configuración anatómica. A esto habría que añadir el interés por los complementos (adornos, tocados) y un mayor cuidado a la hora de componer las escenas; en ellas, por ejemplo, es frecuente ver cómo, recurriendo a la perspectiva jerárquica*, se ha dado un tamaño más grande a las figuras de mayor importancia; pero, sobre todo, conviene destacar cómo en algunas se advierte una voluntad de colocar a las figuras en el espacio, aunque sea de forma muy elemental, mediante lo que algunos han llamado "línea oblicua de fuga".

Todo ello da como resultado un arte de fuerte personalidad y calidad, lleno de vida y energía, dinámico y expresivo, del que son fiel reflejo obras como el espléndido *friso de las danzantes de Cogull* (Lérida), las *cacerías de la Valltorta* (Castellón) o *Alpera* (Albacete), o las *escenas de guerra del Barranco de Gasulla* (Castellón).

Los inicios de la arquitectura y de la escultura

Durante estos siete mil años la actividad artística no se limitó a estas manifestaciones pictóricas. Junto a la aparición de la cerámica (de cuya producción destaca sobre todo la vinculada a la llamada cultura campaniforme), también se dan en este período los primeros pasos en el terreno de la arquitectura y de la escultura.

Todas las palabras o expresiones destacadas con asterisco aparecen definidas en un glosario al final del libro.

En el primero de ellos asistimos a la aparición de poblados más o menos definidos, cuyas viviendas evolucionan de la casa neolítica de planta redonda a la rectangular que hace su aparición durante la cultura argárica*. Pero las expresiones arquitectónicas más importantes se dan en dos campos. Por una parte, hacen su aparición los elementos fortificados, tal como muestran el sistema defensivo del enclave de *Los Millares* (Almería), con su muralla de torreones semicirculares, o las construcciones defensivas del segundo milenio situadas en lo alto de numerosas *motillas de la Mancha*, como la de los *Palacios* (Almagro, Ciudad Real) o la del *Acequión* (Albacete).

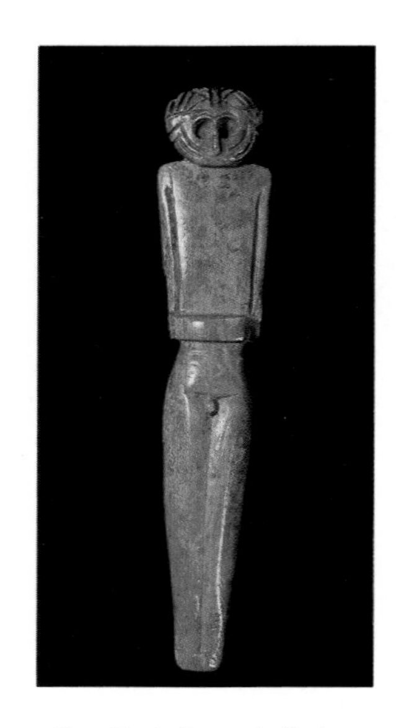

Figurita de hueso hallada en el dolmen de Valenciana de la Concepción, Sevilla.

Por otra, entra en escena la cultura megalítica*, que alcanzará su apogeo a lo largo del III milenio a.C. y que tiene su principal manifestación en las grandes tumbas colectivas que adoptan la forma de dólmenes o de sepulcros llamados de corredor o de galería. Los primeros, formados por piedras verticales sobre las que se disponen otra u otras horizontales, se encuentran sobre todo en la franja cantábrica y en el noroeste peninsular. Los segundos, sin duda los más importantes y vinculados fundamentalmente al ámbito meridional, constan de un corredor de entrada y de una cámara sepulcral cuya forma más característica es la circular, esquema que se puede complicar con la presencia de cámaras laterales; al exterior se cubren con un montículo de tierra que se suele rodear en su base por una hilera de pequeñas piedras. En su construcción, junto a ejemplos realizados de forma similar a los dólmenes (*Cueva de Menga* en Antequera, Málaga), se suelen utilizar piedras de menor tamaño que cubren estos espacios con falsas bóvedas y cúpulas (*Los Millares*, Almería; *Cueva del Romeral* en Antequera, Málaga; *Cueva de la Pastora*, Sevilla).

Por lo que respecta a la escultura, destacan los numerosos ídolos que se han encontrado en los ajuares funerarios de las tumbas y que, al parecer, son representaciones de una antigua deidad femenina. Sus formas son variadas, predominando aquellas que, como *los ídolos cilíndricos o los ídolos-placa*, están marcadas por una fuerte tendencia a la abstracción. Su decoración se caracteriza por el uso de elementos geométricos o indicaciones esquemáticas del sexo, aunque su rasgo más representativo son unos grandes ojos circulares que dominan claramente el resto de la composición y la vinculan con otras figuras del mundo mediterráneo.

No obstante, el hecho más importante que se produce en este campo probablemente sea la aparición de la figura humana en una serie de *ídolos antropomorfos* realizados con mayor o menor grado de abstracción, entre los que destacan, por su calidad, los encontrados en *La Pijotilla* (Badajoz). Son figuras frontales, rígidas, estáticas, con los brazos pegados al cuerpo y rasgos muy esquemáticos, como los cabellos representados mediante líneas en zig-zag.

Aún habría que mencionar otras manifestaciones, como las *estelas-ídolo* o los *petroglifos del área galaico-portuguesa*, que se han puesto en relación con el mundo atlántico y el megalítico europeo. O la cultura que desde el segundo milenio se desarrolla en las islas Baleares y que tiene su expresión más característica en las construcciones conocidas con el nombre de *talayots, navetas y taulas*. Buenos ejemplos, en suma, de la riqueza y variedad que presenta el arte español en sus comienzos.

LA ESPAÑA PRERROMANA

La llegada de los colonos

Jarra tartésica hallada en Niebla, Huelva (Madrid, Instituto Valencia de Don Juan).

Con la entrada del I milenio a.C. empezamos a encontrar en los textos antiguos las primeras noticias que hacen referencia a los pueblos que habitaban la Península Ibérica. Es lo que los historiadores han denominado culturas protohistóricas.

A lo largo de este período, las costas del levante y el mediodía español van a ser testigos de la llegada de gentes procedentes de la otra punta del Mediterráneo. Primero serán los fenicios y, luego, los griegos quienes, atraídos por la riqueza en materias primas de estos territorios (agrícolas, ganaderas y, sobre todo, metales, con ricos yacimientos de oro, plata, cobre y estaño), decidan establecer en ellos colonias, como la fenicia de *Gadir* (Cádiz) o la griega de *Emporion* (Ampurias, Gerona), desde las que poder llevar a cabo una importante actividad comercial. Más tarde cartagineses y romanos convertirán España en escenario de sus luchas por el control no sólo económico, sino también militar, de todo el Mare Nostrum.

De esta manera la Península Ibérica, y fundamentalmente los territorios del litoral sur y este, quedarán incorporados a la gran comunidad cultural que, partiendo del extremo oriental del Mediterráneo, va a incorporar progresivamente al resto de los pueblos ribereños. En el campo del que nos estamos ocupando en este libro, el del arte, es fundamental el papel jugado por estos colonos como intermediarios y transmisores de nuevas formas artísticas que van a ayudar a formar las principales culturas de los pueblos prerromanos hispánicos. Y así, Tartesos no se puede entender sin la aportación fenicia, ni el arte ibérico sin la griega.

TARTESOS

En el suroeste peninsular se desarrolló a principios del primer milenio una cultura a la que los griegos dieron el nombre de Tartesos y que ya en la época antigua adquirió caracteres casi míticos en lo que se refiere a su riqueza y poder. Esta imagen de un pueblo muy próspero y desarrollado en todos los órdenes, al que debía corresponder una elevada cultura material, ha llegado prácticamente hasta nuestros días. Hasta hace no muchos años era frecuente que, con motivo de las campañas arqueológicas estivales, saltasen a las páginas de los medios de comunicación noticias que hacían referencia al "definitivo" descubrimiento de la legendaria ciudad y a las consiguientes expectativas de grandes tesoros que este hecho conllevaba. Sin embargo, aunque los descubrimientos se multiplicaban en la zona de Huelva y del Valle del Guadalquivir, nada en ellos hacía pensar en esa mezcla de Eldorado y Atlántida que se esperaba encontrar.

Hoy, a la luz de lo aportado por las excavaciones, sabemos que, en efecto, existió en estos territorios un alto grado de desarrollo social, económico y político, y se tiende a pensar que la brillante civilización tartésica fue el resultado de una influencia extranjera ejercida sobre la base de una tradición que enlaza con las grandes culturas que florecieron en el sur peninsular durante el tercer y segundo milenios. Por lo que respecta a su arte, ese elemento exterior (que últimamente se ha concretado en dos grupos culturales distintos) contribuiría a formar, a imagen y semejanza de lo que ocurre en otras culturas mediterráneas, dos etapas bien diferenciadas: el período geométrico y el orientalizante.

El período geométrico

Esta primera fase del arte tartésico estaría comprendida entre el año 1000 y el siglo VIII a.C., y en su formación tendría gran importancia la llegada de gentes procedentes del ámbito egeo propiciada por la confusa situación que vivía aquella región.

Por lo que respecta al campo de la arquitectura, sólo al final del período se detectan indicios de empresas de una cierta envergadura, como parecen mostrar *las partes más antiguas de las murallas de Tejada la Vieja* (Escacena del Campo, Huelva), de finales del siglo VIII.

Vista parcial de la *muralla de Ullastret*, Gerona.

Pero las dos principales manifestaciones de este período se dan en los campos de la escultura, si así se puede calificar a las estelas*, y la *cerámica*.

Recientemente se ha atribuido al ámbito tartésico un grupo de *estelas funerarias* del suroeste que hasta ahora se venían incluyendo dentro del Bronce final, sin clasificarlas en una cultura o pueblo concretos. Caracterizadas por una cierta rudeza de la talla y un marcado geometrismo de sus imágenes, se nos muestra en ellas un mundo cuyo gran protagonista es un escudo redondo con corte angular. En sus ejemplos más sencillos se acompaña de lanza y espada, y en los más complejos de un amplio ajuar militar (cascos, arcos, carros, espejos) y de la propia figura del guerrero (*estela de Solana de Cabañas*, Logrosán, Cáceres), que en algunos casos se convierte en centro de la composición. Así ocurre en la espléndida *estela de Ategua* (Córdoba), en la que se ha representado una escena funeraria con un completo cortejo, que trae a la memoria representaciones similares de sarcófagos micénicos y de los grandes vasos cerámicos del arte geométrico griego.

También se ha señalado una influencia similar para explicar la renovación de la producción local de cerámica, que tiene su expresión en dos grandes familias: la oscura de motivos bruñidos y la llamada de *El Carambolo,* de fondos más claros a los que se superpone una decoración pintada en rojo, que destaca sobre la primera por la calidad del dibujo y de su composición. En ambos casos, y al margen de diferencias técnicas, el repertorio ornamental que cubre sus superficies es de carácter estrictamente geométrico, incluyéndose de vez en cuando figuras vegetales o animales estilizadas.

Los fenicios y la renovación orientalizante

Si la llegada de los fenicios a las costas españolas y el establecimiento en ellas de colonias como *Abdera* (Adra, Almería), *Sexi* (Almuñécar, Granada) y, sobre todo, *Gadir* (Cádiz), tuvo un papel fundamental a la hora de configurar el auge político y económico de la sociedad tartésica, sin su presencia en estos territorios sería muy difícil entender el cambio que se produce en las manifestaciones artísticas. En este sentido hay que tener en cuenta el doble papel que jugaron en este proceso. Por un lado, como intermediarios, al introducir en la Península obras procedentes de las culturas del otro extremo del Mediterráneo, de lo que pueden servir como ejemplo la *Astarté de alabastro de Tutugi* (Galera, Granada), probable obra chipriota del siglo VII, *los vasos de alabastro de tradición egipcia* o *las cerámicas griegas* encontradas en la necrópolis de Almuñécar. Por otro, a través de los talleres que tenían en sus propias factorías para abastecer la gran demanda local de productos suntuarios. Unos y otros servirán como modelo para la renovación de los artesanos locales, quienes, además de adoptar motivos decorativos extranjeros, irán sustituyendo poco a poco el geometrismo de la primera etapa por el nuevo naturalismo oriental, hasta que llegue un momento en que resulte difícil distinguir la producción de estos talleres tartésicos de la de los fenicios.

Esta renovación se advierte claramente en la cerámica —que va a conocer importantes mejoras técnicas—; por ejemplo, en la típica fenicia de engobe rojo o, sobre todo, en la decorada con motivos pintados orientalizantes, como los frisos* de animales o las flores de papiro y loto. En cuanto a la arquitectura, no sabemos hasta qué punto la llevada a cabo por los colonos en la Península, de la que apenas nos ha llegado algún resto (*capitel protojónico de Cádiz, muralla de Toscanos, tumbas de cámara de Trayamar*), influyó en los poblados tartésicos. Se producen algunas mejoras respecto al período precedente, tanto en el ámbito militar como en el doméstico, con la generalización de las casas de planta rectangular, pero el conjunto, en general, sigue siendo bastante modesto —con la excepción del supuesto santuario de *Cancho Roano* (Badajoz), probable obra del siglo VI a.C.

Astarté hallada en El Carambolo.

Pero donde mejor se manifiesta el nivel alcanzado por Tartesos es en las artes suntuarias. En las excavaciones de tumbas y poblados se pone de manifiesto una sociedad próspera que gusta de los objetos de lujo realizados en bronce (los tartesios ya tenían fama en la Antigüedad de trabajar excelentemente este material), marfil y, especialmente, oro. En este apartado destacan los espléndidos *tesoros de El Carambolo* (Sevilla) y *Aliseda* (Cáceres), a los que hay que añadir otros conjuntos como el de *los "candelabros" de Lebrija*. En ellos la técnica (granulado*, filigrana*), la decoración (rosetas, palmetas, el llamado "hombre del león") y los tipos (con la excepción de los brazaletes cilíndricos de *El Carambolo*), tienen sus precedentes en el mundo chipriota, fenicio, egipcio, griego, etc., lo que ha hecho pensar que sean más bien obra de alguno de los talleres fenicios establecidos en España.

Esta segunda fase del arte tartésico se corresponde, aproximadamente, con los siglos VII y VI a.C. A finales del período su civilización, arrastrada, entre otras causas, por la crisis fenicia, va a desaparecer. Durante su apogeo, su área de influencia se extendió hacia el occidente peninsular, siguiendo la ruta del estaño —como testimonian el mencionado *Tesoro de Aliseda* (Cáceres), *los bronces del Berrueco* (Salamanca) o el edificio de *Cancho Roano* (Badajoz)—, y también hacia el sudeste, por la cuenca del alto Guadalquivir. Y será precisamente en estos últimos territorios donde surgirá la cultura que, a partir del s. VI a.C., tome el relevo de Tartesos.

LOS IBEROS

Bajo la denominación de arte ibérico se agrupan las creaciones de una serie de pueblos que ocupan el levante y el sudeste peninsular, y que, a pesar de sus diferencias, desarrollan una cultura con una serie de características comunes que hacen que parezca homogénea. Cuando esta producción artística alcance su madurez, la mitad suroriental de la Península Ibérica se habrá incorporado definitivamente a esa gran comunidad cultural de signo helenista en que poco a poco se fue convirtiendo la cuenca del Mediterráneo.

La recepción de lo griego

Aunque no debemos olvidar la huella dejada por culturas anteriores como la tartésica, nadie pone en duda la decisiva influencia ejercida por el mundo griego en la configuración del arte ibérico. Y probablemente el mejor ejemplo de la presencia de aquella civilización en España son las *ruinas de Ampurias* (Gerona), la antigua *Emporion* fundada alrededor del año 580 a.C. por colonos focenses*. Sin embargo, esto no deja de ser engañoso. Los restos ampuritanos son mayoritariamente de época helenística y romana, incluida la *estatua de Asklepios*, obra importada de finales del siglo III a.C. Del resto de colonias, como *Hemeroskopeion* o *Mainake*, no se sabe nada. Así pues, más que buscar en estos enclaves las obras que sirvieron de modelo a los artistas locales, debemos pensar que la recepción del estilo se hizo por otro tipo de cauces.

Esfinge ibérica de Agost, Alicante.

En primer lugar, a través de obras griegas que comerciantes helenos, fenicios y cartagineses venían introduciendo en la Península con anterioridad al establecimiento de las mencionadas colonias. Es el caso de las cerámicas pintadas, muy demandadas por las clases dirigentes indígenas, o de pequeñas estatuillas de bronce como el *centauro de Rollos* (Murcia), procedentes tanto de la Grecia propia como de los talleres del sur de Italia. Aunque de signo distinto, también conviene citar aquí los dos *sarcófagos antropomorfos de Cádiz*, obra de artistas griegos o chipriotas que trabajaban en los talleres de Sidón, de donde probablemente se importaron en la primera mitad del siglo V a.C.

En segundo, la presencia y actividad de artistas venidos de Grecia, a quienes se ha querido relacionar con una serie de obras ibéricas que, como la *cabeza de kore del Museo de Barcelona* o la *esfinge de Agost* (Alicante), siguen fielmente el estilo griego contemporáneo.

Por último, la influencia de otras culturas mediterráneas fuertemente helenizadas como la etrusca o, más directamente, la cartaginesa, que, bien a través de sus productos o de su presencia en territorios hispanos, también actuaron como intermediarios entre Grecia y la Península.

Pero no consideremos al arte ibérico como una simple copia del mundo helénico. Como ocurre en tantos otros momentos a lo largo de la historia artística de España, los pueblos que la habitan se apropian de las novedades estilísticas que vienen de fuera y las transforman hasta dotar a sus obras de una personalidad propia que las diferencia claramente del modelo original.

Templo de Asklepios en Ampurias, Gerona.

El marco arquitectónico

No es mucho lo que conocemos del escenario en que se desarrolló la vida cotidiana de los iberos. Sus poblaciones emplazadas en zonas llanas tenían un trazado urbano de cierta regularidad, algo que la propia geografía dificultaba en aquellos lugares situados en lo alto de riscos y promontorios. En las excavaciones arqueológicas, junto a casas bastante modestas, han salido a la luz restos de templos y otros edificios importantes, a cuya decoración debían pertenecer piezas tan diferentes como el capitel* *de Linares* (Jaén), que recuerda el modelo jónico griego, o el del *Cortijo del Ahorcado* (Jaén), de marcado carácter geométrico tanto en su decoración como en su sencilla forma prismática.

Pero no es en el interior de las ciudades, sino en su exterior, donde debemos buscar las principales manifestaciones de la arquitectura ibérica. Nos referimos, en primer lugar, a sus *murallas*, de las que han llegado a nuestros días unos cuantos ejemplos en buen estado de conservación. Presentan distintas soluciones, tanto en el alzado —muros de adobe o de piedra, sobre una base de este último material— como en el tipo de paramento*. Este puede ser: ciclópeo, como en las murallas de *Ibros* (Jaén); poligonal, con sillares irregulares que encajan unos con otros, como en *Sagunto* (Valencia) u *Olérdola* (Barcelona); sillares* o mampostería* más o menos regular, como en *Ullastret* (Gerona) o *Puente de Tablas* (Jaén). En estas murallas, en general, se observa un buen conocimiento de las novedades y avances en sistemas defensivos que se producían en el ámbito mediterráneo, y, en este sentido, tanto los griegos

Dama ibérica hallada en Galera, Granada (izquierda). *Jinete ibérico* (derecha).

como los cartagineses debieron jugar un papel fundamental. Si la huella de los primeros se ha señalado en el recinto de *Ullastret* antes mencionado, con sus torreones redondeados y los entrantes de su muro, a los segundos se atribuye la espléndida *Puerta de Sevilla de Carmona* (Sevilla), con su frente dominado por un gran bastión* rectangular.

El otro gran apartado lo constituyen las construcciones destinadas al mundo de los muertos. Y también en este campo encontramos bastante diversidad. Si dejamos a un lado los sencillos túmulos* de piedras, las obras más importantes de la arquitectura funeraria de los iberos se agrupan en torno a dos grandes familias. La primera la constituyen las *cámaras sepulcrales* cubiertas por túmulos de tierra, cuyos principales ejemplos se encuentran en la necrópolis de la antigua *Tutugi* (Galera, Granada), de los siglos V-III a.C., o en *La Toya* (Jaén), del siglo IV. Estas construcciones, herederas de las tumbas de corredor del sur peninsular a las que hemos hecho referencia al hablar del mundo megalítico, se han relacionado con obras similares del ámbito fenicio y cartaginés, y muestran bastantes puntos de contacto con las tumbas de algunas necrópolis etruscas. La cámara, que es de planta rectangular y a veces tiene nichos y un banco corrido alrededor para colocar los restos del difunto y su ajuar funerario, está oculta por un túmulo circular. En su realización se emplean sillares trabajados con mucho esmero, y se cubre con falsa bóveda* o mediante grandes losas de piedra. A veces, como ocurre con sus parientes etruscos, estaba decorada con pinturas murales, cuyos ejemplos más importan-

Dama de Elche, detalle, Alicante.

tes, hoy perdidos, con representaciones de cacerías y batallas, los ofrecían algunas de las tumbas de *Tutugi*.

El segundo grupo está formado por una serie de monumentos exentos*, entre los que destaca el de *Pozo Moro* (Albacete), cuyos precedentes hay que buscarlos en construcciones funerarias del Próximo Oriente. Realizado con grandes sillares, tiene forma de torre cuadrada que se levanta sobre un basamento de tres gradas. A juzgar por sus proporciones y la rica decoración escultórica que lo adornaba, debía tratarse de la tumba de un personaje de alto rango, y su fecha, aunque es objeto de discusión, se viene situando en torno al año 500 a.C. A esto hay que añadir un conjunto de pilares* levantados también sobre un basamento escalonado y coronados por un gran capitel sobre el que se coloca la estatua de bulto de un animal; suele tratarse de un toro, como vemos en el monumento de *Monforte del Cid* (Alicante), del siglo V a.C., aunque en otros ejemplos (*Los Nietos*, Murcia) el animal representado sea un león.

La aparición de la escultura monumental

En algunos de los casos recién mencionados nos encontramos ante obras que están a medio camino entre lo arquitectónico y lo escultórico. Y así entramos en el que probablemente sea el capítulo más importante y la gran aportación del arte ibérico, pues, en efecto, se trata de la primera ocasión que en la historia de los pueblos de la Península encontramos una producción escultórica de carácter monumental, cuyos principales focos se sitúan en la zona del Alto Guadalquivir y en la región del sudeste, en las actuales provincias de Murcia, Albacete y Alicante. Su cronología es amplia, y abarca desde el año 500 a.C., en cuyo entorno se vienen fechando obras como las *esculturas de Pozo Moro* o los *leones de Nueva Carteya* (Córdoba), hasta el siglo I a.C., cuando los talleres ya han asumido la influencia del mundo romano (algunas de las *esculturas del Cerro de los Santos*, *relieves de Osuna*), si bien es en los dos primeros siglos cuando se documentan las principales realizaciones de la escultura ibérica.

En cuanto a la temática y dejando al margen los abundantes exvotos* de pequeño tamaño hechos en piedra o bronce para santuarios como los de *El Cigarralejo* (Murcia) o el *Collado de los Jardines* (Jaén), que, en general, son productos de carácter más popular, la mayor parte de las obras que han llegado hasta nosotros, procedentes de tumbas y sepulcros, parece que están relacionadas con el mundo de ultratumba. Como diosas del reino de los muertos se han interpretado la *Dama de Elche y la de Baza*, mientras que en las numerosas representaciones de animales reales y fantásticos —leones, toros, grifos, esfinges— se ha querido ver a seres o divinidades protectoras del difunto.

En la evolución y desarrollo de la escultura ibérica hay que tener en cuenta dos corrientes, que han contribuido a configurar su estilo característico. La más antigua proviene del Próximo Oriente —se habla con frecuencia del mundo neohitita de los siglos IX-VIII a.C.— y está representada por obras como los *relieves de Pozo Moro* (el ajuar funerario encontrado en él da una fecha en torno al año 500 a.C.), de estilo algo tosco, o *los leones* de este mismo monumento, *de Baena y de Nueva Carteya* (Córdoba; fines s. VI-principios s. V a.C.), trabajados en un estilo duro, de planos muy marcados por aristas y biseles*, que ha hecho pensar en la posibilidad de que hubiese una etapa anterior de escultura en madera que pasó sus características a la talla en piedra. Se suele señalar a los fenicios como los principales transmisores de los modelos que inspiraron estas realizaciones. Sin embargo, en los últimos años ha surgido una hipótesis que coloca a Tartessos como paso intermedio en este proceso, y que incluso sitúa en su órbita una obra como la de *Pozo Moro*, lo que probaría la existencia en la civilización tartésica de una escultura monumental de la que hasta ahora no se había encontrado ningún resto.

Dama de Baza, Granada.

Al retrasar de esta manera su cronología, se explicaría mejor la gran diferencia estilística que hay con otro grupo de obras, supuestamente contemporáneas, en las que se pone de manifiesto la segunda y más importante influencia que conforma la plástica ibérica: el mundo griego. En páginas anteriores ya hablamos de las posibles vías de entrada de lo griego en la Península Ibérica. Incluso hicimos referencia a un grupo de esculturas hechas probablemente en territorio hispano por artistas griegos. Pero junto a ellas hay que situar una serie de estatuas en las que tanto el estilo como lo representado demuestran la penetración de la influencia helénica en los talleres iberos. Se trata de obras como el *grifo de Redován*, la *esfinge de Bogarra* o la llamada "*Bicha de Balazote*" —un toro tumbado con cabeza de hombre barbado que reproduce la iconografía que los griegos habían dado al río Aqueloo—, fechadas en la segunda mitad del siglo VI y principios del V a.C.

Y es esta misma influencia la que caracteriza las grandes obras de la centuria siguiente, como, por ejemplo, el gran conjunto descubierto recientemente en *Porcuna* (Jaén; s. V a.C.), en el que las distintas figuras que lo componen —animales, sacerdotes, guerreros, grifos...— se enlazan unas con otras formando grupos en los que predomina la idea de lucha. Es una obra de gran calidad, muy relacionada con el arte helénico de finales del arcaísmo y principios del clasicismo, en la que se ha querido ver la labor de un taller dirigido por un artista griego.

Una cuestión de damas

Pero, como dijimos antes, el mundo ibero no asume sin más estos influjos, sino que los asimila y acomoda a su propio gusto, tal como ponen de manifiesto dos de las principales creaciones de la escultura ibérica. La primera de ellas, sin duda la obra maestra del período, se encontró en 1897 en la ciudad alicantina de Elche: el busto de una posible diosa conocida como la *Dama de Elche* (s. V a.C.). Casi ochenta años más tarde, en 1971, se descubría en una tumba de Baza (Granada) la estatua sedente de lo que se ha interpretado como una diosa infernal y a la que también se dio el nombre del lugar donde fue encontrada: la *Dama de Baza* (principios del s. IV a.C.). Ambas obras, hechas en piedra (la segunda recubierta, además, con una capa de estuco*) y policromadas, son fiel reflejo de cómo el arte griego contribuyó decisivamente a la madurez de la escultura ibérica. Lo podemos ver, sobre todo, en sus rostros, tanto en el idealizado de la estatua de Elche como en el realista de la de Baza. Pero también encontramos en ellas algunos rasgos que las alejan del modelo y les dan un aire característico, como puede ser el cuidado y minuciosidad que se pone en reproducir y destacar determinadas partes del cuerpo de posible valor simbólico, como la cabeza o las joyas, en lugar de crear un conjunto con armonía y proporción.

Dama oferente del Cerro de los Santos, Albacete.

Un ejemplo muy significativo de esta última tendencia nos lo ofrece la *Gran Dama oferente del Cerro de los Santos* (Albacete; s. II a.C.), una figura hierática*, de formas rígidas y esquemáticas, falta de proporción en su conjunto y con evidentes incongruencias anatómicas, como la colocación excesivamente adelantada de los pies, lo que, sin embargo, no le impide ser una obra de gran fuerza expresiva y otra de las grandes creaciones de la España prerromana.

Estos rasgos caracterizan una gran parte de la producción escultórica a partir del siglo III, es decir, las etapas finales de la estatuaria (arte de esculpir estatuas) ibérica. Según avance el siglo II y, sobre todo, el I a.C., se irá haciendo cada vez mayor la huella romana (*cabezas masculinas y estatuas vestidas con pallium del Cerro de los Santos*; *relieves de Osuna*), hasta que llegue un momento en que no sepamos si estamos ante un arte ibérico muy romanizado o ante un arte romano provincial con resabios locales.

El trabajo de los metales

Hasta ahora hemos tratado de las manifestaciones de carácter monumental más significativas de la cultura ibérica. Muy poco es lo que podemos decir de su pintura mural, salvo que existió y que casi siempre aparece vinculada al ámbito funerario, como demuestran las desaparecidas pinturas que decoraban las cámaras sepulcrales de la *necrópolis de Tutugi*, a las que hicimos mención en páginas anteriores, o las descubiertas en una *Tumba de los Castellones de Ceal* (Jaén).

Sin embargo, no se acaba aquí la producción artística de los pueblos del levante y del mediodía peninsular. Uno de sus capítulos más destacados lo constituyen aquellos objetos que formaban parte de su ajuar personal y doméstico. Gracias a las representaciones escultóricas conocemos bastante bien el primero de ellos. Pero además se han conservado un buen número de piezas que muestran el nivel alcanzado por los artífices en este campo. Ya hemos visto cómo los iberos modelaron numerosas *estatuillas votivas* en bronce*, el mismo material que utilizaron en *piezas de adorno* como las de *Maquiz* (Jaén), probablemente destinadas a un sillón o a un carro funerario. Tampoco podemos olvidar las características *falcatas*, la espadas ibéricas de hoja curva, que a veces se decoraban con incrustaciones de plata y adoptaban en sus empuñaduras formas con cabeza de animal.

También los iberos hicieron su aportación al campo de la orfebrería, uno de los capítulos más importantes del arte hispano antiguo. En él se manifiestan, con mayor o menor intensidad dependiendo de la zona y de la cronología, las corrientes orientalizante y griega que recorren toda la Historia del Arte ibérico, a las que en ocasiones se une la influencia de los pueblos del interior de la Meseta. Técnicas como el granulado, los glóbulos, la filigrana o el repujado se combinan para conseguir obras como la *diadema de Jávea* (Alicante), las *fíbulas de Cheste* (Valencia) o *El Cigarralejo* (Murcia), *los pendientes amorcillados de La Guardia* (Jaén) o los más complejos de *Santiago de la Espada* (Jaén), piezas todas que reflejan la realidad de las numerosas joyas con que se adornaban las estatuas ibéricas contemporáneas.

Vaso ibérico hallado en Verdolay, Murcia.

La orfebrería también tenía cabida en los ajuares domésticos de las familias más acomodadas, como prueban los vasos y cuencos de plata de los *tesoros de Abengibre* (Albacete) y *Tivissa* (Tarragona), con fuertes influencias helenísticas y romanas. Entre estas piezas destaca una característica pátera* en cuyo centro se representa la cabeza de un carnívoro —posiblemente un lobo—, que a veces, como en la espléndida de *Santisteban del Puerto* (Jaén), tiene entre sus dientes la cabeza de un hombre.

La cerámica

Pero, junto a estos metales preciosos, el último gran apartado del arte ibérico está protagonizado por un material bastante más modesto. Nos referimos a la cerámica. Los hallazgos arqueológicos han puesto de manifiesto la gran atracción que, desde época tartésica, sentían los habitantes de estas zonas de la Península por los vasos importados por los comerciantes fenicios y griegos. Especialmente valorada era la cerámica de estos últimos, sobre todo la que iba decorada con figuras, como demuestra el hecho de que este tipo de piezas hayan aparecido formando parte importante de los ajuares funerarios de personajes como los que se enterraron en *Pozo Moro* o en la *Tumba de Toya*.

El llamado *Vaso Cazurro*, una de las más famosas cerámicas ibéricas.

Sin embargo, los iberos no se limitaron a comprar obras importadas. También ellos tuvieron una producción propia, cuyas formas imitaban a veces las de las vasijas de otros lugares, mientras en otras adoptaban tipologías propias —caso, por ejemplo, de los llamados toneletes o de las urnas de orejetas—. La técnica preferida para su adorno fue la pintura, que suele presentar unos característicos tonos castaño-rojizos.

Como ocurre en otras facetas de su arte, la cerámica ibérica no presenta un panorama homogéneo, y tanto en su decoración como en la tipología de sus vasos encontramos una gran variedad regional. En general, se puede decir que las obras más antiguas están decoradas con motivos pintados de carácter geométrico —que en zonas como Andalucía se mantendrán hasta época romana—, a los que con el tiempo se irán añadiendo elementos vegetales y animales, y que tendrán su culminación con la aparición de la figura humana en la producción de los talleres levantinos. Uno de sus ejemplos más antiguos es el *Vaso de los Guerreros de Archena* (Murcia), fechado en el siglo IV a.C. Pero es a partir del siglo II a.C. cuando este tipo de decoración se generaliza en las obras que se agrupan en torno a los llamados *estilos de Elche-Archena y Oliva-Liria*. Si en el primero el realismo da paso a un tratamiento decorativo y detallista de sus figuras —un gran ave con las alas desplegadas y un carnicero en actitud de ataque, a las que hay que añadir guerreros y una diosa con cuerpo en forma de botella—, el segundo se caracteriza por un tratamiento más suelto y narrativo de los temas, que, acompañados generalmente por inscripciones en ibero, se suelen colocar en frisos formando escenas de guerra, caza, música, etc.

Se ha intentado explicar la aparición de esta temática como respuesta local a la desaparición del mercado, primero (siglo IV a.C.), de la cerámica griega de figuras pintadas y, luego (siglo III a.C.), de la producida en el sur de Italia. Lo cierto es que las representaciones ibéricas están muy alejadas de sus supuestos modelos. En ellas no encontramos ni preocupación por las proporciones, ni por la descripción anatómica, ni por la imitación de la realidad; son frecuentes los convencionalismos o reglas establecidas, como colocar un rostro de frente mientras la nariz se pone de perfil (*gran kalathos de la Alcudia de Elche*), o hacer que las dos piernas de un jinete se vean en el mismo plano por delante del caballo (*Vaso de San Miguel de Liria*). Se trata, en suma, de un arte expresivo, ornamental, de fuerte raíz popular, que pone de manifiesto cómo los iberos mantuvieron hasta el final un alto grado de capacidad creativa.

Exvoto ibérico hallado en *Collado de los Jardines*, Despeñaperros, Jaén.

LOS PUEBLOS DEL INTERIOR

Hasta ahora hemos tratado de las culturas que se desarrollaron en la periferia del sur y del este peninsular, de marcado carácter mediterráneo. La situación en el interior es bastante diferente, ya que las tierras situadas más allá de Sierra Morena y del Sistema Ibérico pertenecen a un complejo cultural de diferente signo y procedencia. A partir del siglo VIII a.C. empiezan a penetrar por los Pirineos pueblos de origen indoeuropeo. Unos se asentarán en Cataluña y su cultura jugará un papel importante en la renovación de la zona que servirá de base a la posterior evolución del mundo ibérico. Otros entran por el oeste y se van extendiendo poco a poco por el Valle del Ebro y la Meseta. Con ellos entra una nueva cultura, vinculada con la Europa atlántica, que se superpondrá al antiguo sustrato prehistórico de estos territorios.

Aunque los distintos pueblos que configuran lo que podemos considerar la España céltica no presentan un panorama homogéneo, se puede decir que el grado de desarrollo que presentan sus estructuras socioeconómicas y sus manifestaciones culturales es muy distinto y, en general, inferior al del mundo ibérico. No obstante, y al igual que ocurrirá en la Edad Media con la oposición cristianos-musulmanes, no hay que entender estas "dos Españas" como realidades irreconciliables, sino como dos civilizaciones en constante diálogo e intercambio, cuyos principales frutos, como es lógico, se dan casi siempre en dirección sur-norte.

El influjo del Mediterráneo

Esta influencia se aprecia especialmente en el campo del arte, sobre todo en la producción de los pueblos de la Meseta y del Valle del Ebro, a los que desde época antigua se conoce con el significativo nombre de celtíberos. Como su propio nombre indica, el arte celtibérico es el resultado de la fusión de elementos procedentes de los ámbitos centroeuropeo y mediterráneo, dentro de un proceso en el que este último, con el paso del tiempo, cada vez tendrá mayor peso.

Ejemplo claro de ello lo tenemos en su arquitectura. Los celtíberos, como la mayoría de los pueblos pre y protohistóricos de la Península, solían situar sus poblados en promontorios y lugares elevados, cuya ubicación facilitaba su defensa. Las casas son, en su mayoría, sencillas construcciones de planta rectangular y muros de adobe sobre zócalo de piedra. Al igual que sucedía en aquéllos, su elemento más característico es la gran muralla que los rodea, bien representada por el ejemplar de *Las Cogotas* (Ávila). Su aparejo* es normalmente de piedras irregulares dispuestas en seco, y en ella ni torres ni bastiones —generalmente junto a la puerta de entrada— tienen el desarrollo que alcanzaron en el mundo ibérico. Típica del mundo centroeuropeo es, por ejemplo, la colocación de piedras hincadas delante de la muralla como defensa contra los ataques de la caballería. Sin embargo, poco a poco se van incorporando avances que delatan la progresiva influencia del ámbito mediterráneo —primero ibérico y luego romano—, como, por ejemplo, el empleo de sillares mejor trabajados en las murallas, una mayor regularidad urbanística —*Numancia* (Soria)— o la aparición de edificios de carácter monumental, tanto de finalidad civil —*la supuesta curia o granero de Botorrita* (Zaragoza)— como religiosa —el posible *Santuario de Illescas* (Toledo).

El arte ibérico también está en la raíz de dos de las manifestaciones plásticas más características de estos pueblos de la Meseta: los *verracos* y la *cerámica numantina con figuras pintadas*. Los primeros son representaciones de toros y cerdos en pie con carácter mágico o funerario. De cronología discutida —para unos, prerromana; para otros, de época romana tardía— y un área de dispersión centrada fundamentalmente en las provincias de Salamanca y Ávila —donde se encuentra el conjunto más famoso y popular de todos, los llamados *Toros de Guisando*—, su origen se ha puesto en relación con la escultura ibérica de animales, aunque entre ambos tipos de obras hay una gran distancia estética. Los verracos, labrados en granito con cierta tosquedad, se caracterizan por la simplificación de sus formas, en las que se ha dado más importancia a la captación general del volumen que al cuidado en el detalle, que a veces apenas queda esbozado.

Otro exvoto ibérico del mismo santuario de Despeñaperros, Jaén.

Por lo que respecta a la *cerámica de Numancia* (Soria), se trata de la producción de talleres locales posterior al asedio y conquista de la ciudad por los romanos (134 a.C.). Destaca en ella la decoración polícroma de algunos de sus vasos, con representaciones de aves, caballos, toros y guerreros en un estilo caracterizado por el esquematismo y la fuerte expresividad de sus figuras de grandes ojos redondos. Un repertorio de imágenes propio, donde se aprecia el influjo que debieron ejercer en estos artesanos las cerámicas ibéricas de los estilos de Archena-Elche y Oliva-Liria.

La producción artística de los pueblos celtibéricos no se agota con los ejemplos vistos. Si dejamos a un lado las estelas de época romana u otros tipos de cerámica en los que se manifiestan tradiciones centroeuropeas, ibéricas o prehistóricas, quedaría por mencionar el capítulo de las artes del metal, en el que los celtíberos alcanzaron gran maestría. Es el caso, por ejemplo, de sus espadas, de tan buena calidad que acabarían siendo adoptadas por los ejércitos romanos, y en cuyo adorno se mezclaban técnicas de origen ibérico como el nielado* con motivos ornamentales geométricos de raíz celta. También en la orfebrería, generalmente realizada en plata, se observa esta misma fusión de lo ibérico y lo centroeuropeo, a los que, en algunos casos, se suma la influencia procedente del noroeste peninsular.

El reducto del noroeste

Y llegamos así a la última de las grandes culturas de la Hispania prerromana, la denominada cultura castreña, cuyo ámbito de expansión se corresponde con el norte de Portugal, Galicia y el occidente asturiano. Se trata de una región cuyas manifestaciones artísticas se muestran bastante vinculadas al mundo celta, a la cultura del Hallstatt centroeuropeo, como se pone de manifiesto, por ejemplo, en los motivos decorativos —sogueados, trisqueles, esvásticas, entrelazos*—, en las figuras de guerreros y animales de obras como la *diadema de Ribadeo*, o en los tipos de algunas piezas de orfebrería como los torques* —también presentes en el mundo celtibérico e ibérico.

Jabalí procedente del *poblado de las Cogotas*, Ávila, actualmente junto a las murallas de Ávila.

No obstante, no se trata de un ámbito cultural impermeable a cualquier elemento externo. También aquí llegó la poderosa influencia mediterránea, bien a través de los contactos favorecidos por el comercio del estaño, bien a través del mundo ibérico, tal como atestiguan algunos objetos de origen oriental encontrados en las excavaciones, o, sobre todo, la utilización de técnicas como el granulado o la filigrana en el adorno de las joyas castreñas.

Pero quizás lo más significativo en este sentido sea la cronología tardía que actualmente se tiende a dar a las principales manifestaciones artísticas del noroeste hispano, que estarían directamente relacionadas con la presencia y el influjo de los romanos en la región. El caso más representativo es el de la escultura, con las *cabezas*, que algunos consideran el equivalente peninsular de las cabezas-cortadas del arte galo, y, sobre todo, las estatuas de *guerreros del norte de Portugal*, posibles representaciones de jefes locales con carácter votivo, funerario o propagandístico. Sin embargo, lo único verdaderamente romano sería la idea en sí o el hecho de hacerse en piedra (granito) —por ejemplo, en el caso de las cabezas se habla de la existencia de una tradición anterior de esculturas en madera—, pues el lenguaje formal que se utiliza en estas obras, hechas en granito, está muy lejos del naturalismo mediterráneo: frontalidad, hieratismo, rigidez...

Algo similar sucede con la arquitectura, que tiene su expresión más característica en los poblados que han dado nombre a esta cultura: *los castros*. Tienen elementos comunes con sus homónimos de la meseta: situación en altura, fuertes murallas, en algunas ocasiones piedras hincadas. Lo que les da su aspecto inconfundible, su principal rasgo diferenciador, son las viviendas de planta circular que, dispuestas sin orden ni planificación previos, ocupaban el interior de estos recintos. Sin embargo, la huella de la civilización romana se deja sentir en una serie de novedades que se van introduciendo: aplicación de ciertos principios de ordenación urbana, como la articulación de las casas en torno a calles y plazas o la diferenciación funcional de sus edificios; aparición de construcciones de planta rectangular y de la decoración arquitectónica; presencia de edificios monumentales como los *monumentos con horno*, a los que se ha atribuido una finalidad ritual o termal. Lo que ocurre es que, al igual que en la escultura, la realización sigue siendo inequívocamente indígena: los motivos decorativos son locales —sogueados, entrelazos...—, y las casas, a pesar de la existencia de construcciones de planta rectangular, siguen manteniendo su peculiar forma circular, eso sí, mejorada por la utilización de la piedra. Ante el ejemplo romano la cultura castreña se renovó, progresó, pero no perdió su personalidad.

LA CIVILIZACIÓN ROMANA

A partir de la segunda mitad del siglo III a.C. se inicia un cambio en las relaciones que los pueblos mediterráneos habían venido manteniendo hasta ahora con la España antigua, y en lugar de colonias comerciales hay que empezar a hablar de conquista territorial. La Península Ibérica va a ser uno de los escenarios donde se enfrenten romanos y cartagineses, las dos potencias que se disputan el control del Mediterráneo. Entre los años 218 y 206 se desarrollan los hechos que conocemos con el nombre de Segunda Guerra Púnica, al final de los cuales, tras la derrota cartaginesa de Ilipa, se inicia el proceso que, a lo largo de doscientos años, llevará a Roma a la conquista y dominio de todos los territorios hispanos. Mientras el siglo II a.C. ve cómo son sometidos lusitanos y celtíberos, en el I a.C. España va a jugar un importante papel en las guerras civiles que caracterizaron los años finales de la República.

Escultura romana que representa a *Livia*, hallada en Tarragona.

Y la centuria se cierra con el último episodio de la conquista romana: la victoria de Augusto sobre cántabros y astures (19 a.C.) y la consiguiente dominación de las tierras del noroeste peninsular, las únicas que aún escapaban a su control.

Ahora ya no se trata, como había ocurrido anteriormente, de grupos más o menos numerosos de colonos que, establecidos en enclaves concretos, entablan con los habitantes del país una relación comercial de la que ambos obtienen beneficios. Ahora se trata de una dominación político-militar del territorio que debe facilitar y asegurar la explotación directa de las riquezas minerales y agrícolas que ofrece la Península a los vencedores, que, en un principio, no tienen intención de propagar su cultura entre los pueblos conquistados, al menos de forma planeada.

Con el paso del tiempo, la presencia en Hispania de gentes venidas de Italia o algunas acciones puntuales, como el propósito de Sertorio de educar en la civilización romana a los hijos de los jefes locales de la zona de Huesca, ayudarían sin duda a su progresiva asimilación. Pero no será hasta la segunda mitad del siglo I a.C. cuando Roma cambie su política y comience realmente el proceso que conocemos con el nombre de romanización.

Sin embargo, la respuesta que darán las distintas regiones va a ser muy diferente. En las páginas anteriores hemos visto cómo España estaba dividida, al menos, en dos grandes zonas. Por un lado, el sur y el levante, abiertos desde antiguo al influjo del mundo mediterráneo, y muy especialmente al griego. Si tenemos en cuenta que fue en estos territorios donde primero se estableció el poder romano, no es de extrañar que en ellos se encuentren las áreas donde más profundamente penetró y se asimiló la nueva civilización.

Por otro, el interior y el norte, dominado por una cultura de origen céltico, que en zonas intermedias había recibido la influencia del mundo ibérico. En estas regiones, donde la tradición helenística apenas se había dejado sentir, la recepción de lo romano será menor, sobre todo según se avanza hacia el norte, y será frecuente encontrar en su producción artística un estilo local de raíz prerromana.

Puente romano de Alcántara, Cáceres (arriba). *Torre de Hércules* en La Coruña (abajo).

La articulación del territorio hispánico

El principal ámbito en que se va a desarrollar el arte romano es la ciudad. Antes de ocuparnos de ella, tenemos que hacer referencia al modo en que los romanos articularon el espacio peninsular, uniendo y relacionando sus distintos territorios. No pensamos que las *calzadas* (caminos) entren propiamente en el campo de las manifestaciones artísticas, pues nada hay en ellas que demuestre una inquietud estética por parte de sus constructores, pero son la prueba de que por primera vez se considera la Península como un todo, como una unidad territorial que es necesario organizar para que funcione. Y las calzadas son la base sobre la que se asienta esa organización, las vías de penetración que, al facilitar el tráfico humano, permitirán que áreas como el sur y el noroeste, hasta entonces tan distantes en lo cultural y a pesar de las diferencias que seguirán manteniendo, compartan una misma civilización.

Este entramado de caminos, que seguirá manteniendo su importancia durante la Edad Media, facilitó el paso de determinadas barreras naturales que dificultaban la comunicación entre distintas regiones y comarcas, tal como se puede ver en los restos que aún se conservan en distintos puntos de las montañas del Sistema Central. Otras barreras, como los irregulares cursos de los ríos españoles, se pudieron cruzar con facilidad gracias a los puentes, una de las grandes contribuciones del mundo romano. Aunque, debido a su utilidad y consistencia, ha llegado hasta nosotros un buen número de ellos, la fama y el prestigio de Roma hizo que se considerase como tal cualquier puente antiguo de los muchos que están repartidos por todo el territorio español. Sólo en tiempos recientes se ha clarificado el origen posterior, generalmente medieval, de la mayoría de ellos —por ejemplo, el asturiano de *Cangas de Onís*—. Los rasgos que definen al puente romano son la horizontalidad y el empleo de arcos de medio punto* y de sillares en su construcción. Ejemplos característicos son los de *Mérida* (Badajoz), *Alconétar* (Cáceres) y *Salamanca*, todos ellos

en la llamada Vía de la Plata. Pero el más espectacular de todos es el que en el año 106 d.C. construyó **Gayo Julio Lácer** sobre el río Tajo en *Alcántara* (Cáceres). Flanqueado en uno de sus extremos por un pequeño templo y con un arco triunfal en el centro que contiene la inscripción conmemorativa, su abrupto emplazamiento y la monumentalidad y sobriedad de sus seis arcos, que en su parte central alcanzan los 47 metros, siguen causando en el espectador contemporáneo mayor impresión que una gran obra de la ingeniería del siglo XX como el vecino pantano de Alcántara.

Con las comunicaciones y la organización administrativa del territorio están relacionados otros dos tipos de monumentos. El primero de ellos es la *Torre de Hércules*, el faro que construyó **Gayo Sevio Lupo** en el siglo II en la antigua *Brigantium* (La Coruña) y del que sólo se conservan las cámaras abovedadas de los tres pisos de su interior, pues el exterior sufrió una importante obra de remodelación y consolidación a finales del siglo XVIII. El segundo estaría formado por los *arcos* que, situados en vías de comunicación, marcaban algún tipo de límite, tal como sucede con el tarraconense de *Bará*, con su único vano* flanqueado por columnas corintias, y el soriano de *Medinaceli*, más tosco y plano y con una incipiente organización tripartita.

La ciudad

Pero ya es hora de que nos ocupemos de la ciudad. Y es que Roma jugó un papel muy importante en el desarrollo del fenómeno urbano en la Península. No sólo con la fundación de ciudades como *Itálica* (Santiponce, Sevilla), *Tarraco* (Tarragona), *Emerita Augusta* (Mérida), *Caesaraugusta* (Zaragoza) o *León*, el primitivo asentamiento de la Legio VII Gemina, sino también con la ampliación y renovación de las poblaciones prerromanas, como *Hispalis* (Sevilla), *Cartago Nova* (Car-

Escena del *teatro romano de Mérida*, Badajoz (arriba). *Mausoleo romano de Fabara*, Zaragoza (abajo).

tagena) o *Saguntum* (Sagunto). Sin embargo, y aunque ya en época republicana se puedan encontrar indicios de este fenómeno, habrá que esperar casi doscientos años, hasta la segunda mitad del siglo I a.C., para que con la nueva política de César y Augusto —aumento del asentamiento de colonos itálicos, creación de nuevas ciudades y, sobre todo, concesión del status de colonia o municipio a las ya existentes— cobre fuerza el proceso que a lo largo de los dos siglos siguientes daría forma a todos estos núcleos urbanos a imagen de la metrópolis romana.

Así pues, como la civilización romana es una civilización fundamentalmente urbana, es en este marco donde el arte, y sobre todo la arquitectura, encuentran las condiciones adecuadas para su desarrollo.

Estatua romana encontrada en Tarragona (arriba). *Murallas* romanas de Lugo (derecha).

Había que dotar a las poblaciones de una serie de edificios y espacios públicos que no sólo sirvieran a sus habitantes, sino que actuasen como propaganda del poder que los mandó construir. Era preciso levantar templos, foros*, basílicas, palacios, teatros, anfiteatros, circos, termas*... que pusiesen de manifiesto la autoridad y la gloria de Roma. Pero es muy poco lo que se ha conservado del antiguo esplendor de las ciudades de Hispania. En primer lugar, por la propia dinámica evolutiva de las poblaciones, que hizo que la ciudad romana fuese ocultada sucesivamente por la medieval, la moderna y la contemporánea; en segundo, por el abandono y expolio a que han sido sometidos sus monumentos a lo largo de los siglos, incluso en nuestros días.

El panorama se parece mucho al "campo de soledad" que describía Rodrigo Caro en el siglo XVI en su poema a las ruinas de Itálica: "Este llano fue plaza, allí fue templo:/ de todo apenas quedan las señales". Conjuntos de ruinas de mayor o menor importancia se encuentran repartidos por toda la geografía española: *Baelo Claudia* en Cádiz, *Acinipo* en Málaga, *Munigua* en Sevilla, *Segóbriga y Valeria* en Cuenca, *Clunia* en Burgos, *Numancia* en Soria, *Juliobriga* en Cantabria. Junto a ellos, numerosas ciudades aún conservan restos de su pasado esplendor: *Córdoba*, *Carmona*, *Tarragona*, *Barcelona*, *Gijón* o, sobre todo, *Mérida*, que en sí misma constituye un espléndido museo de la arquitectura de la época romana. En suma, un panorama de gran riqueza arqueológica, que testimonia cómo, aunque lo hiciese con distinto grado de penetración, el impulso romanizador alcanzó a todas las regiones de la Península. A pesar de ello, en las siguientes páginas habrá que tener en cuenta que, salvo casos excepcionales en los que los edificios han llegado hasta nuestros días en pie y buen estado de conservación, de la mayoría de las construcciones que han sacado a la luz las excavaciones apenas conocemos otra cosa que los cimientos.

Torre de los Escipiones de Tarragona (arriba). *Arco de Cáparra*, Cáceres (izquierda).

En general, podemos decir que en Hispania la arquitectura sigue los modelos y novedades que se van produciendo en Roma, pero les suele imprimir un carácter provinciano que los aleja de los edificios metropolitanos; rasgos diferenciadores que, por otra parte, se aprecian más en los detalles —por ejemplo, en la manera de tratar las distintas partes de un capitel, en las proporciones distintas de elementos constructivos y decorativos...— que en el conjunto.

La organización urbana

La ciudad romana se caracteriza por tener un perímetro más o menos rectangular y dos calles principales que se cruzan perpendicularmente en el centro. A partir de este esquema básico se organiza el resto de la población, siguiendo un trazado regular cuyos rasgos todavía se pueden observar en la configuración de los cascos antiguos de ciudades como *Mérida* o *León*. De las murallas que en muchos casos las protegían se han conservado importantes restos en *Tarragona*, *Mérida* o *Córdoba*. Entre las fortificaciones tardías, que se levantaron a partir del siglo III d.C. a causa de la creciente inseguridad que se iba apoderando de todos los territorios del Imperio, destaca el espléndido conjunto de *Lugo*, con sus características torres redondas.

En el interior, una de las zonas a las que se debió prestar mayor atención fue *el foro*. Era tan importante este espacio en el conjunto urbano que su construcción tenía que ser monumental. Ejemplos de foros son: los de *Ampurias* (siglo I a.C.), *Tarragona* —con su disposición en terrazas que cerraba un circo dispuesto perpendicularmente al eje del conjunto—, *Mérida* —con el gran *arco de Trajano*, que algunos han interpretado como puerta de acceso a una plaza —o los más modestos de *Baelo Claudia* y *Valeria* —con el gran ninfeo o fuente pública que, precedido de una serie de tiendas o tabernae, cerraba su frente oriental—. *La gran plaza porticada* que rodeaba el posible templo de Trajano divinizado de Itálica o el *tetrapylon* o arco de cuatro caras de *Capera* (Badajoz; finales del siglo I d.C.) son otros ejemplos que ponen de manifiesto la magnificencia de los espacios públicos de las ciudades de la Hispania romana.

Cabeza de Agripina hallada en Badalona, Barcelona.

El ámbito religioso

Otro de los elementos fundamentales de la ciudad es el *templo*, que, por lo general, suele estar integrado en el foro. Si en el descubierto en *Itálica*, de hacia el año 200 a.C., se sigue el viejo modelo itálico de la triple cella*, los mejor conservados de *Mérida* y *Córdoba* responden al característico esquema romano de edificio corintio levantado sobre un podio y con un pórtico de seis columnas en su fachada, en la que está situada la escalera de acceso. Por último, hay que citar, por lo excepcional de su configuración, el santuario en terrazas y con disposición axial de *Munigua* (Sevilla) que, como en los casos anteriores, también tiene precedentes en Italia.

Pan y circo

Pero los edificios romanos de los que nos han quedado testimonios más espectaculares son, sin duda, los destinados a espectáculos públicos y los acueductos. Entre los primeros, que, a causa de su tamaño, no siempre estaban dentro de los muros de la ciudad, los *circos* —*Tarragona, Mérida, Toledo*— apenas han dejado huellas visibles de su existencia, todo lo contrario de lo que ocurre con los *teatros* —*Mérida, Acinipo, Segóbriga, Itálica, Sagunto, Málaga...*— y *anfiteatros* —*Mérida, Itálica, Segóbriga, Tarragona*—, en cuyas estructuras, sobre todo en los graderíos, se combinan los abovedamientos característicos de la arquitectura romana con el aprovechamiento de la topografía del terreno. La tipología, en ambos casos, es la clásica romana: semicircular para el teatro, con la cavea* y la escena unidas mediante galerías abovedadas; elipsoidal para el anfiteatro, con la fossa bestiaria* en el centro de la arena.

Entre todos ellos destaca el teatro que Marco Agripa mandó construir en *Mérida* hacia el año 16-15 a.C. De todas las reformas que sufrió a lo largo de su historia, quizás la más importante es la que se realizó en época de Adriano: se levantó la espléndida fachada del escenario, a la que el juego de entrantes y salientes de su doble orden de columnas corintias confiere una gran ligereza y movimiento. Las *estatuas de Ceres, Proserpina y Plutón* que la decoraban, así como el *aula sacra dedicada al culto al emperador* serían indicios de la vertiente religiosa que a veces se ha señalado en estos edificios.

La utilidad hecha arte

En cuanto a los *acueductos*, su función —facilitar el abastecimiento de agua de las ciudades— era eminentemente utilitaria. Sin embargo, la monumentalidad de su concepción, frecuentemente a base de arquerías* superpuestas, hace que, al igual que sucede con algunos puentes, los consideremos obras más propias del campo de la arquitectura que de la ingeniería. Buen ejemplo de ello son los de *Las Ferreras* (Tarragona), *Los Milagros* (Mérida), con el característico aspecto en dos colores que produce el uso de la piedra y el ladrillo en su construcción, y, sobre todo, el acueducto de *Segovia*, construido a base de sillares perfectamente labrados y colocados a hueso, es decir, sin argamasa que los uniese. El asombro que aún siguen causando nos hace comprender el carácter propagandístico que llegaron a tener este tipo de construcciones en las provincias.

Busto romano hallado en Ampurias, Gerona.

De vivos y difuntos

Para finalizar este panorama de la arquitectura hispanorromana, vamos a hacer referencia a dos mundos que, aunque opuestos, son en cierto modo las dos caras de una misma moneda: el ámbito de la vida privada y el de la muerte.

No es mucho lo que podemos decir de *las casas* que sirvieron de vivienda a los habitantes de Hispania. En general, presentan la típica organización de habitaciones dispuestas en torno a un patio central rodeado de galerías sostenidas por columnas. Este mismo esquema en planta es la base de las numerosas *villas rurales* —algunas, como la llamada *Casa del Mitra de Cabra* (Córdoba) o la *Villa de Azuara* (Zaragoza), se han interpretado últimamente como santuarios—que en época bajoimperial*, tuvieron gran desarrollo e importancia como focos artísticos.

Mayor variedad presentan los edificios destinados al mundo de los muertos. A veces se concibieron con la estructura de casa que acabamos de comentar, como en la *Tumba de Servilia de la necrópolis de Carmona*. En otras se siguió el tipo turriforme de origen oriental que ya veíamos en época ibérica, como en el *sepulcro de Villajoyosa* (Alicante) o en la llamada *Torre de los Escipiones* (Tarragona), obra del siglo I d.C. Con esta tipología se relaciona también el *Sepulcro de Fabara* (Zaragoza), constituido por columnas y levantado sobre un alto podio, que esconde en su interior dos cámaras superpuestas cubiertas con bóvedas de medio cañón*. Una última variante la constituiría el *Dístilo de Zalamea de la Serena* (Badajoz), un monumento formado por dos columnas de gran tamaño unidas por un entablamento*, al que se han buscado paralelos en el mundo sirio.

La escultura...

Al igual que la arquitectura, también las artes plásticas tuvieron un importante desarrollo en Hispania. La huella romana se percibe desde fecha temprana en la producción de los pueblos de la Península, sobre todo en la escultura del mundo ibérico. Buen ejemplo de ello son la *Minerva de la muralla de Tarragona* (c. 200 a.C.), las *estatuas vestidas con pallium del Cerro de los Santos* (siglo I.C.), el *relieve de Osuna con la figura de un guerrero tocando la trompa* (c. 100 a.C.) o la representación de un *matrimonio procedente de Orippo* (Dos Hermanas, Sevilla; segunda mitad del s. I a.C.). En todas ellas se observa la rudeza con que los artesanos locales han traducido los modelos romanos, y que se aprecia tanto en el tratamiento de los pliegues como en la representación de los detalles anatómicos.

Dejando al margen el problema de si las obras que acabamos de mencionar deben catalogarse como ejemplos de la progresiva romanización de las culturas peninsulares o como muestras de un arte romano provincial, lo que parece cierto es que a partir del siglo I a.C. podemos hablar ya de una producción escultórica hispana, que, en general, tiene unas características y evolución muy similares a las de la propia Roma. Y esto fue posible gracias a la importación de obras de la metrópolis —que servirían de modelo a los talleres locales—, la presencia de artistas itálicos o griegos —el caso más conocido es el del **Demetrios** que firma una estatua del Mitreo* de Mérida hacia el año 155 d.C.— y la tradicional vinculación de todo el sur y levante con el mundo mediterráneo de signo helenístico al que pertenecía la cultura romana.

Tumba de los Julios en Mérida, Badajoz (arriba). Restos del *foro romano de Tarragona* (abajo).

Este último factor explica la fácil y progresiva adaptación de estas regiones a los nuevos modelos estéticos, en contraste con lo que sucede en los territorios del interior y del norte peninsular. En capítulos anteriores hemos hecho mención a cómo el contacto de los romanos con estos pueblos fue un factor decisivo en la aparición de una escultura de carácter monumental en estas regiones, como sucede, por ejemplo, con los guerreros de la cultura castreña. Algo similar ocurre con el grupo de *estelas* que algunos investigadores catalogan como pertenecientes al mundo celtibérico y otros al romano. Son obras de carácter funerario en las que, junto a motivos decorativos propios, aparecen otros de carácter ornamental y figurado de clara procedencia itálica. Realizados con talla a bisel en un relieve plano, el estilo con que se han "copiado" es tosco, esquemático, sin tener en cuenta el realismo o a la representación de los detalles. Pero es lo tardío de su cronología —entre el siglo I a.C. y el IV d.C.— lo que vuelve a poner de manifiesto cómo la asimilación de los nuevos modelos fue, en estas tierras, escasa y superficial. La casi nula vinculación de estos pueblos con la tradición escultórica mediterránea favoreció la pervivencia de un arte de carácter popular. Este arte no sólo se manifiesta en la zona a lo largo de todo el período romano —por ejemplo, en los relieves de danzantes de Santa Eulalia de Bóveda (Lugo) o los sarcófagos paleocristianos burgaleses de la comarca de La Bureba—, sino también en los primeros tiempos de la época medieval —caso de algunas decoraciones escultóricas asturianas.

... y sus géneros

El retrato, el género escultórico por excelencia del arte romano, tuvo una amplia difusión, sobre todo en las áreas más romanizadas del sur y del este. A lo largo de tres siglos —del I a.C. al II d.C.— los talleres peninsulares desarrollaron una importante actividad para poder cubrir la demanda que la sociedad local hacía de este tipo de obras. Y no sólo se limitaron a la elaboración de retratos privados. Piezas como la *cabeza de Augusto* a medio hacer encontrada en Jaén demuestran que también se realizaban en ellos obras que, como los retratos oficiales de los emperadores, se solían importar de la metrópolis.

Hay cabezas que se añadían a cuerpos, con los que no siempre guardaban la debida proporción —lo que ocurre incluso en obras como el *retrato de Trajano de Baelo Claudia* (Cádiz)—, bustos esculpidos como obras independientes, estatuas de cuerpo entero como el *Trajano desnudo de Itálica*, relieves funerarios como las *estelas de Mérida*. En resumen, un numeroso grupo de obras que muestran cómo en Hispania se estaba al tanto de las novedades que, en lo estilístico y en cuestiones relacionadas con la moda, se iban produciendo en Roma. Estas novedades eran, por ejemplo, la aparición de la barba en los caballeros en la época de Adriano o los peinados de «nido de avispa» de las mujeres en época flavia, peinado que podemos observar en la *cabeza femenina de bronce de Barcelona.* Así, el retrato republicano está bien representado en grupos como los de Barcelona o Mérida, en los que el marcado realismo de estos rostros de hombres maduros a veces manifiesta una cierta rigidez, fruto tanto de la actividad de talleres locales como de la utilización de piedras poco apropiadas para la talla —como ocurría en tiempos ibéricos, se solían recubrir de una capa de estuco policromada—. Más tarde, el idealismo que se introduce en este género con el comienzo del Imperio se refleja tanto en retratos privados —la llamada *Gitanilla de Mérida*— como en los de *Augusto* —Mallorca, Mérida, Itálica...— con los que se inicia la serie de retratos imperiales en suelo español. Por último, otras obras como el *busto de Adriano de Itálica* o *el masculino del Museo de Valladolid* son buenos ejemplos de los avances producidos en este campo a partir de finales del siglo I d.C. —en los que se aprecia ya la representación de la pupila y del iris del ojo; y el gusto por los efectos de claroscuro, sobre todo en el tratamiento cada vez más pictórico del cabello y los ropajes en contraste con la tersura de la piel.

En cuanto a las *estatuas destinadas a templos, edificios públicos y grandes mansiones privadas*, tienen su punto de partida, en general, en el mundo griego, tratándose en muchos casos de copias o reinterpretaciones más o menos libres de obras de los períodos clásico y helenístico. La mayoría de las veces son representaciones de divinidades del panteón grecorromano, en las que la presencia o no de artistas de origen helénico puede dar lugar a significativas diferencias cualitativas. *Mérida, Segóbriga o Tarragona* han aportado buenos ejemplos de este tipo de esculturas, pero es en *Itálica*, la patria de Trajano y Adriano, donde se ha descubierto el principal conjunto. Obras como *la Venus, la Diana o el Mercurio que adornaban su teatro* son testimonio no sólo de la gran calidad del taller que las esculpió, sino de la magnitud del proceso de renovación que la antigua ciudad emprendió en el siglo II.

Todas estas estatuas están realizadas en mármol. Igualmente frecuentes debieron ser las obras realizadas en bronce, pero son muy escasos los ejemplares de gran formato que han llegado hasta nosotros. Entre ellos cabe destacar el *Efebo de Antequera* (Málaga), una curiosa figura decorativa de tamaño natural que, colocada en el interior de una casa, se hacía pasar por un criado de verdad. Como ocurre con

Augusto representado como sacerdote (Museo de Mérida, arriba). *Templo de Diana* en Mérida, Badajoz (abajo).

sus parientes hechos en piedra, la filiación griega de esta preciosa pieza es evidente.

El color perdido

La pintura jugó un papel muy importante en la decoración de los interiores romanos, en particular de las viviendas. Sin embargo, la ruina casi total de gran parte de los edificios españoles ha contribuido a que sea muy poco lo que ha llegado hasta nosotros, y, en la mayoría de los casos, en un estado muy fragmentario. Aún así, los restos conservados en *Mérida*, *Itálica*, la *necrópolis de Carmona*, *Astorga* (León) o *Bóveda* (Lugo) ponen de manifiesto que fue una técnica bastante difundida en Hispania desde fecha temprana. Los motivos siguen bastante de cerca los modelos itálicos que conocemos con el nombre de estilos pompeyanos. Son frecuentes la imitación de mármoles, la decoración de candelabros y la de elementos arquitectónicos —estos últimos, al parecer, sin función ilusionista.

Tales esquemas ornamentales se completan con un repertorio iconográfico que tiene por protagonista la figura humana y la animal. La primera se puede presentar aislada —como los retratos funerarios de cuerpo entero de la *Tumba de los Voconios* (Mérida)— o, lo que es más frecuente, en pequeños cuadros situados en la zona intermedia de los muros, con escenas mitológicas, amatorias —*Arva* (Cantillana, Sevilla)—, banquetes funerarios —*Carmona*— y, en época más tardía (siglos III y IV), de caza y circo —la *casa de la calle Suárez Somonte*—. En cuanto a los animales, las *tumbas carmonenses de Tito Urio y de Postumio* (siglo I d.C.), con sus aves y delfines, o el *santuario de Bóveda* (Lugo) son buena muestra tanto del valor simbólico que tenían estas representaciones como del entramado geométrico que se aplicaba a la decoración de techos.

Sacrificio de Ifigenia en un mosaico de Ampurias, Gerona.

El esplendor del mosaico

Mucho más numerosos y mejor conservados son los ejemplares de mosaicos que decoraban los suelos de los edificios y que constituyen uno de los capítulos más importantes del arte hispanorromano. Se encuentran dispersos por la mitad sur y oeste de la Península, y su cronología también es muy amplia, lo que permite seguir a través de ellos la evolución técnica y estilística que se produjo en este campo.

Los primeros ejemplos los proporcionan pavimentos de *opus signinum* —teselas* de mármol blanco aplicadas a suelos de cemento formando diseños geométricos y vegetales— como los de *Ampurias, Itálica o Mérida* (s. I a.C.-I d.C.). Sin embargo, y dejando a un lado los *cinco emblemas helenísticos procedentes de Ampurias* realizados en *opus vermiculatum* —con teselas de colores de pequeño tamaño—, entre ellos el conocido *Sacrificio de Ifigenia*, los suelos más frecuentes son los realizados con *opus tessellatum* —con teselas de un centímetro de lado aproximadamente— tanto en blanco y negro como, sobre todo, en colores.

El primero, típicamente romano, alcanza en Hispania, a diferencia de otros lugares como la Galia o el norte de África, un importante de-

Representación del *dios Océano* en un mosaico de Carranque, Toledo.

sarrollo durante los siglos I y II, aunque también se suelen utilizar en su realización teselas de color. De carácter eminentemente decorativo, entre sus temas predominan los diseños geométricos, aunque también existen las grandes composiciones alegóricas o mitológicas. Buenos ejemplos de estas composiciones son el *suelo realizado en Mérida por los mosaístas* ***Seleucus y Anthus***, con representaciones de poetas, victorias y de las estaciones, o el de *Neptuno de Itálica*, que incluye también escenas nilóticas en la cenefa que rodea el cortejo del dios de los mares.

Pero, al igual que ocurre en otras provincias del Imperio, el principal grupo es el formado por los mosaicos polícromos. Del siglo II procede la que sin duda es la gran obra del género en España, el llamado *Mosaico Cósmico de la Casa del Mitreo de Mérida*, de resonancias orientales y compleja iconografía, con personificaciones de vientos, ríos, estaciones, titanes, etc. sobre un espléndido fondo azul. Los restantes ejemplos, muy numerosos, ponen de manifiesto la elevada producción de unos talleres que, influidos a veces por el mundo norteafricano, se mantienen en activo hasta el siglo V, y uno de cuyos principales clientes fueron las villas rurales de época bajoimperial —por ejemplo, las de *Pedrosa de la Vega* (Palencia), *Carranque* (Toledo) o *Fortunatus* (Fraga, Huesca)—. Su temática es variada, y aunque en fechas tardías se generalizan las escenas de caza —*mosaico de Dulcitius* (Navarra), *Las Tiendas* (Mérida), *Pedrosa de la Vega* (Palencia)— y circo —*Barcelona, Mérida, Torre Bell-Lloc* (Gerona)—, la iconografía mitológica siempre mantuvo su importancia. Ésta puede admirarse en el *Mosaico de la boda de Cadmo y Harmonía de la Villa de Azuara* (Zaragoza), el de *Orfeo de Zaragoza* o en las representaciones relativas al dios Dionisios (ciclo dionisíaco) —*Ena* (Zaragoza), *Alcolea* (Córdoba), *Cabra, Alcalá de Henares*.

Según avanzamos en el tiempo, el estilo clásico va desapareciendo poco a poco. Obras como los *mosaicos báquicos* (referidos al dios Baco) *de* ***Annius Ponius*** (Mérida) y *Baños de Valdearados* (Burgos), de

finales del siglo IV o principios del V, muestran cómo ha desaparecido el sombreado, el dibujo se ha vuelto esquemático y las figuras han perdido volumen y ganado rigidez. Cuando, ya bien entrado el siglo V, esta tendencia evolucione hacia la tosquedad, frontalidad, ausencia total de volumen, desproporción y desconocimiento anatómico que se manifiesta en los *mosaicos de Estada* (Zaragoza) y *Santisteban del Puerto* (Jaén), estaremos ante una realidad estética que anuncia lo que van a ser las primeras manifestaciones figurativas del mundo medieval español.

"Cuando vaya a España"

La frase que encabeza el epígrafe, escrita por San Pablo en la *Carta a los Romanos*, es el único testimonio que tenemos de su posible visita a la Península Ibérica y su temprana cristianización. Dejando al margen esta cuestión, todo parece indicar que la consolidación y desarrollo del cristianismo en España tuvo lugar a partir de una fecha relativamente tardía como el siglo III. Paralelamente a este proceso se produjo el surgimiento de un arte propio que conocemos con el nombre de paleocristiano*. Y como se puede suponer, su rasgo diferenciador radica casi exclusivamente en su contenido, pues tanto las técnicas como el vocabulario formal que utiliza beben en las mismas fuentes que otras obras contemporáneas de carácter pagano: el arte romano bajoimperial. Por eso hay que considerarlo un capítulo más del mismo.

No obstante, las corrientes que confluyen en la configuración del arte paleocristiano español son variadas y complejas. Por un lado está la influencia de la propia Roma, que se manifiesta con fuerza en los primeros momentos del período y es visible en obras tales como el *Mausoleo de Centcelles* (Tarragona) o los *sarcófagos importados de la primera mitad del siglo IV*. Al mismo tiempo, edificios como el *Mausoleo de Pueblanueva* (Toledo) y el *martyrium de La Alberca* (Murcia) tienen sus precedentes inmediatos en una zona más oriental del Imperio, en concreto Dalmacia; en otros casos son Constantinopla o Rávena las que influyen en obras como el *sarcófago de Pueblanueva* o los más tardíos de *Ithacio* (Oviedo) y *Écija* (Sevilla). Pero es el norte de África, en su doble papel de creador de formas y de intermediario de las creaciones del mundo oriental, el que se convertirá en el principal foco de influencia, pudiéndose reconocer su huella en todos los campos de la producción artística: en las iglesias de ábsides contrapuestos* o en las de cabecera exterior recta con cámaras auxiliares a los lados del presbiterio*; en las laudas sepulcrales* de mosaico y en los pavimentos de las iglesias de Baleares; en los sarcófagos de los talleres de *La Bureba* (Burgos) y Tarragona. Un panorama, en suma, que se caracteriza por la gran diversidad de sus manifestaciones artísticas.

Edificios para el culto y la conmemoración

La arquitectura es, probablemente, la que tuvo un desarrollo más tardío dentro del conjunto de las artes paleocristianas hispanas. En la segunda mitad del siglo IV se datan el posible *Mausoleo imperial de*

Acueducto romano excavado en la roca en Tiermes, Soria.

Centcelles, con sus dos cámaras de planta central cubiertas con cúpula, y el octogonal de *Pueblanueva*, cuyas formas se relacionan con la gran arquitectura imperial de la época. A ellos habría que unir el *martyrium de La Alberca*, cuya tipología —planta rectangular y dos cámaras superpuestas— va a tener una importante descendencia en la Alta Edad Media* española —*cripta visigoda de San Antolín* (Palencia), *Cámara Santa* y *Aula regia del monte Naranco* (Oviedo).

Pero el principal período de actividad constructiva se sitúa en los siglos V y VI, coincidiendo con los momentos finales del poder romano y la entrada y establecimiento de los visigodos en el territorio peninsular. Es entonces cuando se fechan la mayoría de las iglesias, edificios en general modestos de los que apenas conocemos algo más que la planta. En ellas se adopta el clásico *modelo basilical* de tres naves con ábside semicircular —ejemplo: *Aljezares* (Murcia)—, aunque, como hemos dicho anteriormente, lo más frecuente es que nos encontremos con las dos variantes que resultan del influjo ejercido en la Península por el mundo oriental y norteafricano: la basílica de ábsides contrapuestos —*San Pedro de Alcántara* (Málaga), *Casa Herrera* (Badajoz), *El Germo* (Córdoba)— y la de cabecera tripartita de exterior recto con dos cámaras auxiliares a los lados del presbiterio —*Son Peretó* (Mallorca), *Son Bou* (Menorca), *Ampurias*—. En alguna de las dependencias anexas se suele colocar la pila bautismal, cuyos escalones de bajada y subida simbolizan el tránsito purificador del neófito tras su inmersión en el agua bendita.

Por último, hay que hacer mención de las *iglesias martiriales de Marialba* (León) y *del anfiteatro de Tarragona*, ya que en sus ábsides aparece una forma que, tanto en planta como en alzado, va a tener bastante fortuna en el mundo altomedieval: el arco de herradura*.

Una escultura para la salvación del alma

A partir del siglo II se generaliza la inhumación como práctica funeraria, lo que dio un fuerte impulso a la producción de *sarcófagos*. España cuenta pronto con ejemplares de este tipo, como el de *Husillos* (Palencia), con escenas de la tragedia de Orestes, o el de *Córdoba*, con la representación de los difuntos ante la puerta del Hades. Pero el principal conjunto pertenece al mundo paleocristiano. Se inicia con un grupo de sepulcros del siglo IV importados de Roma, obras, en general, de bastante calidad, en las que el mensaje cristiano de redención se configura con una iconografía sacada del Antiguo y del Nuevo Testamento. Ejemplos de esta iconografía religiosa son: el Buen Pastor (del que se conservan tres pequeñas estatuas de bulto, dos de *Gádor* (Almería) y una en la sevillana *Casa de Pilatos*), Adán y Eva como introductores del pecado, Sacrificio de Isaac como anticipación del de Cristo, Adoración de los Magos como anuncio de la salvación al mundo entero, escenas de milagros que ponen de relieve el carácter salvífico de la obra de Cristo... Las escenas se ordenan en frisos continuos —*San Félix de Gerona*, *Santa Engracia de Zaragoza*, *Layos* (Toledo), *San Justo de la Vega* (León)—, o separadas por arquerías —*Córdoba*, *Martos* (Jaén), *Hellín* (Albacete)— o bandas de estrigiles* —*San Félix de Gerona*, *Valencia* (el único con una representación simbólica de la Crucifixión).

En la segunda mitad del siglo IV empieza a funcionar el foco burga-

Calzada romana a su paso por Baños de Montemayor, Cáceres.

lés de *La Bureba*, que se diferencia de todos los demás por su estilo, tosco y popular, y por su temática, con escenas de inspiración africana como la visión de Santa Perpetua. No obstante, será a partir del siglo V, al dejarse de recibir obras de fuera, cuando cobren importancia los talleres locales, entre los que destaca el de *Tarragona*, cuyas obras —*sarcófagos de las Orantes, de los Apóstoles y de Leocadio*— revelan una clara conexión con Cartago. También se ha señalado una influencia oriental, en este caso bizantina, en el de *Écija*, en el que el relieve plano de sus figuras, el esquematismo lineal de los pliegues, la frontalidad de los personajes o la configuración de los ojos y el rostro están anunciando lo que será la nueva plástica de época visigoda.

Interior del *santuario de Santa Eulalia* en Bóveda, Lugo (arriba). Restos de la *basílica paleocristiana de Casa Herrera*, Badajoz (abajo).

El mosaico paleocristiano

También la influencia oriental y norteafricana está detrás de los mosaicos que adornaban los suelos de las iglesias baleares y las laudas sepulcrales todos ellos con motivos animales, vegetales y figurativos de carácter simbólico. Sin embargo, la gran obra del mosaico paleocristiano es de innegable ascendencia romana. Se trata de la decoración, hoy muy perdida, de la cúpula del *Mausoleo de Centcelles*, en la que se funden temas profanos —la gran cacería del círculo inferior, las estaciones— con otros bíblicos —el Buen Pastor, Daniel en la fosa de los leones, la historia de Jonás, la resurrección de Lázaro...—, todo ello dentro de un estilo muy vinculado al arte oficial de la época de Constantino.

Aún habría que mencionar piezas como el espléndido *Crismón* de Quiroga* (Lugo), o la representación de símbolos cristianos en pequeños bronces o cerámicas. Incluso podemos pensar si habría que anotar en este período algunas de las esculturas arquitectónicas que se incluyen dentro de la etapa visigoda.

En cualquier caso, tanto las obras propiamente cristianas que acabamos de comentar, como el universo formal de los mosaicos mitológicos del siglo V o la arquitectura de las villas rurales del Bajo Imperio*, con sus torres, pórticos y estancias absidiadas, forman parte de una misma corriente artística, que tuvo mucha importancia en la formación del lenguaje estético y constructivo del mundo altomedieval hispano.

LA ESPAÑA VISIGODA

Corona votiva visigótica del rey Recesvinto.

En el siglo V los pueblos germanos atraviesan los Pirineos y penetran en la Península. Primero llegan los suevos, vándalos y alanos, cuya huella apenas se deja sentir en el panorama artístico español. Más tarde lo harán los visigodos, y con ellos la situación será distinta. Poco a poco van extendiendo su control político por todo el territorio hasta establecer un reino fuerte con capital en Toledo que, sobre todo tras su conversión al catolicismo en la segunda mitad del siglo VI, conocerá un importante desarrollo social, económico y cultural que tendrá su reflejo en el campo del arte.

Lo que hay que tener en cuenta es que no nos vamos a encontrar con un arte propiamente visigodo, sino con un arte hecho por talleres hispanos en los que se continúa la tradición tardorromana*, por ejemplo, con la tendencia a la descomposición de las formas clásicas que ya se apuntaba en época bajoimperial, y en cuya evolución apenas influyó el elemento germánico. El estilo antinaturalista de los *relieves de San Pedro de la Nave* (Zamora) y *Quintanilla de las Viñas* (Burgos) está representado en época anterior tanto en el *mosaico emeritense de Annius Ponius* y en los *pavimentos mitológicos del siglo V*, como en los *sarcófagos de Écija y Alcaudete*. Las excavaciones realizadas en los últimos años en *Santa Eulalia de Mérida*, uno de los templos más importantes de la Hispania visigoda, han sacado a la luz un edificio que responde, como el resto de templos construidos en el siglo VI, a los modelos basilicales paleocristianos. Y el origen de la influencia de la arquitectura típicamente visigoda —que, por lo demás, se limita prácticamente a la segunda mitad del siglo VII— hay que buscarlo más en el Mediterráneo oriental que entre los nuevos señores del país. Tan sólo en el terreno de la orfebrería sale a relucir con claridad la tradición germánica; pero incluso su obra más importante, el *Tesoro de Guarrazar* (Toledo), revela una elevada dosis de bizantinismo*. De ahí que Palol prefiriese denominar al conjunto de la producción artística del período "arte hispánico de la época visigoda".

Una nueva arquitectura

El año 661 el rey Recesvinto consagra a San Juan Bautista la iglesia de *San Juan de Baños* (Palencia), y en ella encontramos novedades que nos indican que estamos ante una arquitectura que, sin romper con la tradición anterior, sí tiene una personalidad propia que la diferencia de ella. En su exterior llama nuestra atención el cuidado aparejo de sillería de sus muros, sin contrafuertes y con unos pocos vanos de escaso tamaño para dar luz al interior. Una vez dentro nos encontramos con una típica planta basilical de tres naves, pero los arcos que sostienen las columnas no son de medio punto, sino de herradura, lo mismo que sucede con el que cobija la puerta del pórtico de entrada. Por último, si avanzamos en dirección al altar mayor, nos daremos cuenta de que la planta del ábside es recta tanto en el interior

Vista exterior de la iglesia de *Santa María*, Quintanilla de las Viñas, Burgos.

como en el exterior. Si nos fijamos un poco más, veremos que alguno de los capiteles es romano reaprovechado, y que en diversas partes, como el arranque de la bóveda del presbiterio, los muros se decoran con franjas de diseños geométricos y vegetales.

La mayoría de las características que acabamos de mencionar se repiten en un grupo de edificios de las tierras de Extremadura, Castilla, Toledo, norte de Portugal y sur de Galicia. No obstante, siempre se encuentran variantes respecto al esquema general. Así, en los muros de la espléndida iglesia de *Alcuéscar* (Cáceres) se mezcla la mampostería y la sillería; o en *Santa María de Melque* (San Martín de Montalbán, Toledo) el interior del ábside tiene forma de arco de herradura, lo que durante mucho tiempo hizo que se considerase obra del siglo X.

Otra característica de estas iglesias, que se va a mantener a lo largo del período prerrománico, es la distribución de su interior, que responde a las necesidades de una liturgia que requería la existencia de tres zonas claramente diferenciadas: una para el pueblo, situada a los pies; otra intermedia —llamada coro— para el clero; y una tercera, el presbiterio, reservada para el sacerdote que celebraba la eucaristía. De esta manera se conseguía ocultar a los fieles la zona más sagrada del templo, estableciéndose una fragmentación espacial que se mantendrá a lo largo de todo el período prerrománico, mientras esté vigente la liturgia hispana que más tarde se conocerá con el nombre de mozárabe.

Quizás donde más diferencias se observan es en la organización en planta* y en las soluciones adoptadas en las cubiertas. Junto al esquema basilical* —*Baños, Alcuéscar, Quintanilla de las Viñas*— hace su

Iglesia visigótica de San Juan de *Baños*, Palencia.

aparición el de cruz griega* —*Mausoleo de San Fructuoso de Montelios* (Portugal), iglesias de *Melque y Bande* (Orense)—, vinculado al mundo bizantino*, incluso se llega en *San Pedro de la Nave* (Zamora) a una curiosa y difícil combinación entre ambos. Y si en el primero se suele reservar el abovedamiento para la zona de la cabecera, el segundo lo extiende a todos sus espacios. A este respecto conviene hacer mención especial de la magnífica *cabecera de Alcuéscar*, en la que las bóvedas del crucero*, de los tres ábsides y los cimborrios* situados delante de ellos forman un complejo entramado de estructuras que se contrarrestan entre sí, lo que la aleja de la primitiva planta de *Baños*, el otro ejemplo de cabecera triple conocido hasta el momento en este período.

Así queda caracterizada en síntesis la que durante mucho tiempo se pensó que era la arquitectura "visigoda". Una arquitectura tardía que, a raíz de ciertos descubrimientos arqueológicos, parece probable que surgiese en el entorno emeritense a lo largo de la primera mitad del siglo VII. Una arquitectura cuyos principales elementos están sacados del mundo romano y paleocristiano. Una arquitectura que, si no hecha por visigodos, sí refleja de alguna manera el ambiente de la corte de Toledo.

Algo más que ornamentación

Las artes figurativas del período visigodo tienen su principal manifestación en la escultura con que se decoraban sus edificios. En los

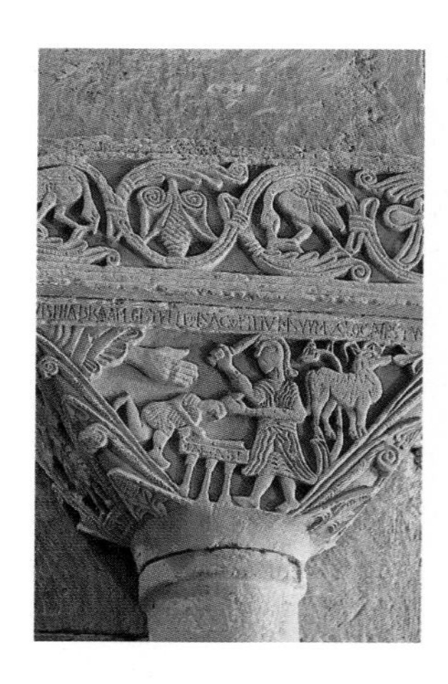

Detalle de un capitel de *San Pedro de la Nave*, Palencia, que representa el Sacrificio de Isaac.

capiteles, canceles*, pilastras* y otras piezas ornamentales se despliega un mundo de cruces, crismones, racimos de uvas, aves, vasijas, ruedas solares y diseños geométricos en el que no siempre es fácil establecer dónde acaba lo decorativo y empieza lo simbólico. En su mayoría se trata de motivos de origen romano realizados en un relieve plano de fuerte componente geométrico y muy alejado del naturalismo clásico. Pero también se advierte la llegada de influencias procedentes del otro extremo del Mediterráneo. Es el caso de los relieves que decoran el *exterior de Quintanilla de las Viñas*, cuyas representaciones de animales y aves enfrentadas en torno al árbol de la vida se han debido copiar de telas o productos suntuarios de procedencia sasánida.

También hay sitio para la figura humana, como muestran el *capitel cordobés de los Evangelistas*, el *fragmento de cancel de Las Tamujas* (Toledo), la *pilastra de la iglesia toledana de San Salvador*, con escenas del Nuevo Testamento, y, sobre todo, los *conjuntos de San Pedro de la Nave y Quintanilla de las Viñas*. El estilo es una buena muestra del grado al que se ha llegado en la desintegración de las formas clásicas: frontalidad, rigidez, desproporción e inorganicidad anatómica, modelado muy escaso, representación esquemática del cabello y los pliegues de la ropa, rostros a los que los grandes ojos almendrados dotan de una fuerte expresividad...

Pero más significativo resulta el hecho de que los relieves de Nave y Quintanilla no se presenten como obras aisladas, sino formando parte de conjuntos en los que se adivina un significado iconográfico más complejo. En el edificio zamorano se han interpretado como imágenes de la Salvación tanto los capiteles con escenas del Antiguo Testamento —Daniel en el foso de los leones, Sacrificio de Isaac— como los que representan aves picando de racimos de uvas. Distinto es el caso de los relieves de Quintanilla —representaciones del sol, la luna, Cristo, una figura femenina y dos supuestos apóstoles—, que se han querido explicar dentro de un contexto apocalíptico.

Las joyas de la corona

No podemos terminar sin hacer una breve mención al campo de la orfebrería, en el que, esta vez sí, los visigodos se mostraron excelentes artífices, como ponen de manifiesto los broches de cinturón y las fíbulas* de arco o con forma de águila. Pero la obra maestra del género es el llamado *Tesoro de Guarrazar* (Toledo), un conjunto de coronas votivas y cruces vinculadas a los reyes de Toledo, en el que destaca la *corona votiva del rey Recesvinto*, cuya función, tipología, formas y técnicas decorativas hacen de ella una pieza de marcado sabor bizantino.

ACTIVIDADES

Sugerencias

Si te quieres hacer una idea amplia y completa del arte de la España antigua, haz una visita al Museo Arqueológico Nacional (Madrid), donde encontrarás una espléndida selección de obras, incluida una reproducción de las pinturas de Altamira.

La mejor manera de ver con tus propios ojos un santuario prehistórico es dirigirse a alguna de las cuevas del norte, como las de Puente Viesgo (Cantabria) o Tito Bustillo (Asturias). Si te encuentras en Málaga y te cansas de estar en la playa, haz una excursión a la cueva de La Pileta, cerca de Ronda, y al conjunto de dólmenes de Antequera.

Visita las ruinas de Mérida y su Museo Nacional de Arte Romano para ver el desarrollo alcanzado por la civilización romana en la Península. Aprovecha el viaje y ve un poco más al norte, a la ciudad de Alcántara (Cáceres), para contemplar su impresionante puente. De paso para en Alcuéscar (Cáceres) y pregunta por la iglesia visigoda de Santa Lucía, y así podrás observar las diferencias que separan a ambas arquitecturas.

Terracota púnica hallada en Puig des Molins, Ibiza, Madrid, Museo Arqueológico Nacional.

Cronología

C. 15000 a.C.: Pinturas de la cueva de Altamira.

III milenio a.C.: Apogeo de la cultura megalítica; desarrollo de la pintura esquemática y levantina, hasta el I milenio a.C.

1000-s. VI a.C.: Arte tartésico; llegada de los fenicios.

580 a.C.: Fundación griega de Ampurias.

S. VI-s. I a.C.: Arte ibérico; a partir del siglo II, se advierte una fuerte influencia romana.

S. III-I a.C.: Culturas celtibéricas.

S. I a.C.: Se inicia el auge de la cultura castreña.

S. I a.C.-s. V d.C.: Arte romano.

S. IV-s. VI: Primer arte cristiano o paleocristiano.

S. VII: Arte visigodo.

Bibliografía

Bendala, Manuel: La Antigüedad. De la Prehistoria a los Visigodos, *Sílex, Madrid, 1990.*

Blanco Freijeiro, Antonio: Historia del Arte Hispánico. La Antigüedad, vol. 12, *Alhambra, Madrid, 1978.*

Palol, Pedro de: Arte hispánico de la época visigoda, *Polígrafa, Barcelona, 1968.*

ARTE MEDIEVAL

La España cristiana

El siglo X

La época románica

El tránsito hacia una nueva época

La plenitud del Gótico

El siglo XV

La España musulmana

LA ESPAÑA CRISTIANA

Iglesia de *Santa Cristina de Lena*.

Año 711. Los musulmanes, ayudados por algunos miembros de la nobleza visigoda, cruzan el estrecho de Gibraltar. En un breve plazo de tiempo extenderán su dominio por toda la Península Ibérica. Sólo en una zona de las montañas del norte de España surgen distintos núcleos de resistencia desde los que los cristianos iniciarán el largo proceso de conquista del territorio perdido, conocido tradicionalmente con el nombre de Reconquista, que terminará con la toma de Granada por los Reyes Católicos en 1492.

Este hecho marcó el desarrolló de la Edad Media* hispana en una doble vertiente. En primer lugar, porque el territorio peninsular quedó dividido en dos grandes áreas culturales de distinto signo: un norte cristiano que participará de las grandes corrientes artísticas europeas, y un sur musulmán integrado en la gran comunidad islámica mediterránea. Sin embargo, no debemos ver la frontera que separaba a estos dos mundos como una barrera infranqueable. A lo largo del período medieval las relaciones entre ambos, sobre todo en dirección sur-norte, fueron constantes. Y así es frecuente encontrar en la cultura y el arte de la España cristiana elementos de la civilización andalusí desde fechas relativamente tempranas como la segunda mitad del siglo IX. Pero será a partir del siglo XII, con el llamado estilo mudéjar*, cuando el proceso de integración de estas dos realidades culturales tan distintas alcance su máxima expresión. El mundo cristiano adopta entonces las técnicas y formas artísticas musulmanas para construir y decorar sus iglesias y palacios, con lo que la influencia del sur ya no sólo se pone de manifiesto en cuestiones de detalle, sino en la concepción global del conjunto.

En segundo, porque la invasión musulmana provocó la fragmentación del norte cristiano en una serie de núcleos con personalidad diferenciada que, con el paso del tiempo, constituirán los tres reinos independientes de Castilla-León (de éste último se desgajará el futuro Portugal en el siglo XII), Navarra y Aragón. Esta ruptura de la unidad territorial de España se mantuvo a lo largo de todo el período medieval. Cada uno de los reinos seguirá trayectorias distintas en sus relaciones políticas y comerciales con los restantes países de su entorno. Y lo mismo sucede en el campo del arte y la cultura, en el que tendrán orientaciones distintas, tal como ponen de manifiesto los rumbos seguidos en ellos por los grandes estilos medievales.

EL MUNDO ASTURIANO

En los años inmediatamente posteriores a la llegada de los árabes a la Península, algunos nobles visigodos con sus gentes se refugiaron en las montañas de Asturias. Uno de ellos, Pelayo, supo aprovechar la tradicional rebeldía de los pueblos del norte, y con su apoyo venció a un grupo de tropas musulmanas en un enfrentamiento que la historiografía posterior se encargó de magnificar y convertir en la milagrosa batalla de Covadonga. Corría el año 722, y a partir de aquí la recién nacida monarquía asturiana inició el proceso que había de llevar al sometimiento y la organización socioeconómica del territorio comprendido entre Galicia y el País Vasco.

Sabemos por las crónicas y los restos arqueológicos que durante esta primera fase ya se promovieron algunas empresas artísticas —fundamentalmente construcción de iglesias— que, en general, debieron ser bastante modestas. Pero será a finales del siglo VIII, con Alfonso II (791-842), cuando la consolidación de la institución monárquica en el plano político, económico e ideológico favorezca el desarrollo del arte que conocemos con el nombre de asturiano. Sus principales y prácticamente únicos clientes fueron los reyes, que intentaron llenar las obras de contenidos ideológicos que las convirtieran en símbolos del nuevo reino ante los ojos del pueblo.

Donde mejor se materializaron estas ideas fue en la recién fundada ciudad de *Oviedo*, a la que el mencionado Alfonso II quiso dotar de una serie de edificios emblemáticos —palacio, catedral, panteón real, monasterios— que hicieran de ella la nueva Toledo y contribuyesen así a la legitimación de los monarcas asturianos como herederos del antiguo reino visigodo.

Ante la pérdida de los antiguos palacios —sólo ha llegado hasta nosotros parte de una torre y de la capilla, la llamada *Cripta de Santa Eulalia en la Cámara Santa de la catedral de Oviedo*—, para conocer la arquitectura de la época debemos dirigir nuestra mirada al ámbito religioso, en concreto a la *Iglesia de Santullano* que, dedicada por el mismo rey a los Santos Julián y Basilisa, formaba parte de una villa real situada a las afueras de Oviedo. En ella quedan fijados los elementos que van a caracterizar el edificio religioso asturiano: muros de mampostería con sillares de refuerzo en las esquinas; uso de contrafuertes*, aunque a veces sólo con carácter decorativo; planta basilical de tres naves separadas por arcos de medio punto; división del espacio interior en tres zonas —mediante canceles o iconostasis*— de acuerdo con la liturgia hispánica; una tribuna en alto reservada al rey —situada siempre a los pies menos en este edificio, que lo está en el extremo izquierdo del crucero*—; cabecera triple con ábsides rectos cubiertos con bóvedas de cañón*; existencia encima de la capilla mayor de una cámara, visible y accesible sólo desde el exterior a través de un pequeño vano, a la que se han querido atribuir valores tanto simbólicos como funcionales.

Este es el esquema básico que, con la excepción de *Santa Cristina de Lena*, van a presentar todas las iglesias construidas posteriormente, tanto las vinculadas de forma directa a la monarquía —*San Miguel de Lillo, San Salvador de Valdediós*— como aquellas otras de menor calidad —*Priesca, San Adriano de Tuñón, Santiago de Gobiendes*— en las que también podría haber existido alguna conexión con la corte de Oviedo.

No obstante, a lo largo del siglo IX, sobre todo durante el reinado de Ramiro I (842-850), se introducirán importantes novedades, de las que son buen ejemplo los edificios que este rey mandó construir en la *villa suburbana del monte Naranco*, en las inmediaciones de Oviedo. Sólo se conservan la zona de los pies de la *Iglesia de Santa María* —hoy San Miguel de Lillo— y la supuesta *Aula regia* —la actual Santa María del Naranco—, único resto de los palacios allí existentes a los que hacen referencia las crónicas de la época. En ellos los pilares se sustituyen por columnas, se da entrada a la escultura en la decora-

Vista posterior de la iglesia asturiana de *San Miguel de Lillo*.

ción y, sobre todo, el abovedamiento no se limita a la cabecera, sino que se extiende a todo el edificio. Al perderse en San Miguel casi por completo el complejo sistema de bóvedas de cañón, nos quedan las espléndidas bóvedas con arcos fajones* de los dos pisos del aula regia como testimonio de los progresos alcanzados en este campo por los arquitectos asturianos, que, de esta manera, se adelantan en casi dos siglos a algunas de las soluciones que van a ser características de la arquitectura románica*, que veremos más adelante.

Unos años más tarde, durante el reinado de Alfonso III (866-910), se detectan los primeros indicios de la recepción en el norte cristiano de las novedades artísticas que se estaban produciendo en el mundo andalusí, tal como vemos en la *Iglesia de San Salvador de Valdediós*. La planta no sufre variaciones, se vuelven a utilizar los pilares como soporte, se sigue manteniendo el abovedamiento en todo el conjunto; incluso en un segundo momento se añade un pórtico* lateral que supone la primera aparición de este elemento que va a ser tan característico de la arquitectura castellana del período románico. Pero lo que da un nuevo aire al edificio son la almena escalonada que corona la fachada y los arquillos de herradura con que se adornan algunas de sus ventanas. A pesar de tratarse de añadidos superficiales que en absoluto afectan al carácter eminentemente asturiano del conjunto, estamos ante las primeras señales del poderoso influjo que Córdoba va a ejercer sobre una parte importante de la producción artística del siglo X cristiano.

El ornato de los edificios

Fachada de la iglesia de *San Salvador de Valdediós.*

El autor de la *Crónica Albeldense*, al hablar de las construcciones que Alfonso II mandó levantar en Oviedo, nos dice que "las adornó con arcos y columnas de mármol, y con oro y plata, con la mayor diligencia y, junto con los regios palacios, las decoró con diversas pinturas". Gran parte de esta decoración se ha perdido, pero, aun así, han llegado hasta nosotros los suficientes restos como para que podamos hacernos una idea del antiguo esplendor de estos conjuntos.

Ya dijimos que la escultura hace su aparición durante el período ramirense (Ramiro I), tal como vemos en los *edificios del Naranco* o en la pequeña *Iglesia de Santa Cristina de Lena*. Capiteles, medallones*, basas* o arcos están ocupados por sogueados de tradición prerromana, elementos vegetales de raíz clásica, pequeñas figuras humanas o animales, todo ello tratado con un estilo tosco, sin modelado, en el que los rasgos de los rostros o los pliegues de los ropajes se consiguen a base de simples incisiones o del vaciado de la superficie. En algunos casos, el origen del repertorio decorativo está en la propia tradición hispana, mientras que, en otros, los modelos son objetos de lujo importados, como ponen de manifiesto los *medallones del aula regia del Naranco*, inspirados en telas orientales, o las jambas* *de San Miguel de Lillo*, con escenas de circo y representaciones de un cónsul y sus acompañantes copiadas de un díptico consular* del siglo VI.

No obstante, es la pintura la que jugó un papel más importante en la ornamentación de los edificios asturianos. Se han conservado restos en *Lillo* —con dos figuras humanas—, *Valdediós, Tuñón, Priesca* y, sobre todo, el gran conjunto pintado al temple en el interior de la *iglesia de Santullano*. Toda la parte alta de sus muros está ocupada por representaciones de edificios en perspectiva de tradición clásica, la misma que tienen los mármoles fingidos de los zócalos*, los diseños geométricos de las bóvedas de los ábsides o los vasos con guirnaldas vegetales del intradós (superficie interior) de los arcos.

Pero la gran protagonista de esta supuesta imagen simbólica de la Jerusalén Celeste y de la decoración asturiana en general es *la cruz*. Además de en Santullano, donde aparece representada varias veces en el eje principal de la iglesia, también ocupa un lugar privilegiado en las *pinturas de Valdediós* (ábside central, tribuna), los *relieves de Santa María del Naranco*, etc. e incluso se materializa en dos de las obras más importantes de la orfebrería prerrománica europea: la *Cruz de los Ángeles* (808) y la *Cruz de la Victoria* (908). La cruz preside todas las obras promovidas por los reyes. Y es lógico que sea así, porque su significado había superado el ámbito propiamente religioso para convertirse en símbolo protector y emblema de una monarquía, que, desde Covadonga, se creía defendida por Dios y defensora de su Iglesia. Es, como dicen las inscripciones que la acompañan, el signo que protege al piadoso y vence al enemigo.

EL SIGLO X

La arquitectura

Página del *Beato de Silos*.

El siglo X trae consigo importantes novedades por lo que respecta al campo del arte. Por un lado, el papel protagonista que había tenido hasta entonces la monarquía como promotora pasa a ser ocupado ahora por los monasterios. Por otro, la consolidación política del reino de Navarra y de los condados aragoneses y catalanes hace que a partir de ahora también tengamos que dirigir nuestra mirada hacia lo que se produce en estas tierras.

Pero no se trata de un simple cambio de clientela o de una expansión geográfica del fenómeno artístico. También se produce una transformación en el campo de las formas, como pone de manifiesto la producción arquitectónica en los territorios de León y Castilla. Aparecen en ella una serie de elementos nuevos —arco de herradura más cerrado que el visigodo, alfiz*— que tienen su origen en el mundo cordobés, lo que hizo que durante mucho tiempo se diese el nombre de mozárabe a este tipo de arte, pensando que de alguna manera reflejaba el de los cristianos que vivían en territorio musulmán. Sabemos que hubo una fuerte inmigración de mozárabes hacia el norte en esta época y que encontramos sus nombres vinculados a los de algunas de las iglesias construidas en este período —un grupo de monjes cordobeses en el caso de *San Miguel de Escalada* (León); un tal **Zaddón** entre las personas que trabajaron en *San Cebrián de Mazote* (Valladolid)—. Sin embargo, hay que tener en cuenta que estas inmigraciones fueron un hecho frecuente desde los inicios del reino asturiano; que en la construcción de estos edificios también intervinieron gentes del norte; y que en el repertorio formal utilizado son muchos los elementos que proceden de la tradición hispana anterior. Incluso se pueden buscar precedentes visigodos y asturianos para el arco de herradura y el alfiz, pero también es verdad que quien vea una obra como la *puerta de doble vano de Santiago de Peñalba* (León) o el *arco de entrada al ábside de San Miguel de Celanova* (Orense) las pondrá inmediatamente en relación con el sur peninsular.

Y es precisamente la presencia de estos elementos "andalusíes" la que nos ayuda a situar los edificios conservados en un contexto cronológico determinado, pues, junto a los habituales criterios de compartimentación espacial, son prácticamente los únicos caracteres comunes que tienen entre sí. Las soluciones adoptadas en sus plantas y alzados se caracterizan por la variedad y diversidad de sus orígenes. Así, junto al clásico tipo basilical —*Iglesia de Escalada*—, no sólo encontramos recuerdos del mundo asturiano —como la cabecera tripartita de *Santa María de Lebeña* (Cantabria); la arquería ciega del presbiterio de *Santo Tomás de las Ollas* (León)— o posibles influencias del ámbito bizantino —como las bóvedas gallonadas, anteriores a las cordobesas, de *Escalada, Peñalba, Mazote, Celanova, Ollas*, etc.—, sino que hacen su aparición formas aún más antiguas que se remontan a la época tardorromana y paleocristiana, como los ábsides de exterior recto e interior en forma de arco de herradura o las iglesias de ábsides contrapuestos —*Mazote, Peñalba*.

Estas son algunas de las principales características que ayudan a definir el complejo panorama de la arquitectura castellanoleonesa del siglo X. Un panorama que se extiende desde Galicia hasta las tierras de La Rioja —*San Millán de la Cogolla, San Andrés de Torrecilla de Cameros*— y la extremadura soriana —*San Baudelio de Berlanga*, obra tardía de la primera mitad del siglo XI, con la sorprendente "palmera" de piedra que sostiene su bóveda— y burgalesa —el llamado *Torreón de Doña Urraca* en Covarrubias.

El arco de herradura tampoco está ausente de la arquitectura del oriente peninsular —por ejemplo, en la *Iglesia inferior de San Juan de la Peña* (Huesca) o en las barcelonesas de *San Quirze de Pedret y Santa María de Marquet*, si bien con plantas y alzados bastante diferentes a los vistos en los edificios occidentales—. Pero no es el mundo musulmán el único que va a dejar su huella en estos territorios. Su posición geográfica y su relación histórica con el mundo carolingio* hace que también se deje notar en ellos el poderoso influjo del vecino del norte —*Leyre* (Navarra)—, a lo que habría que añadir algún edificio de difícil clasificación como *San Pedro de Rodas* (Gerona), en el que, en el entorno del año 1000, se anticipan las formas y estructuras románicas.

La plástica

La escultura arquitectónica también va a experimentar un cambio. En la mayoría de los casos se trata de motivos tomados del repertorio tradicional hispánico, como vemos en las ruedas solares y flores de seis pétalos de los *modillones* (adornos debajo de las cornisas) de *Lebeña, San Millán de la Cogolla y Santa María de Retortillo* (Burgos), los racimos de vid y aves de los canceles de *Escalada*, o los capiteles de tradición corintia* de *Escalada, Mazote, Peñalba o San Román de Hornija* (Zamora). Sin embargo, el estilo con el que están tratados nos indica que algo ha cambiado: un relieve plano en el que las formas naturales —algunas de ellas, sobre todo vegetales, de clara ascendencia islámica— se ven sometidas a un proceso de geometrización que las dota de un marcado carácter decorativo, perfectamente visible en la angulosidad de las hojas de los capiteles. También hace su aparición la figura humana, como vemos en los relieves de *Mazote y Retortillo*, aunque con un tratamiento bastante más tosco que el comentado.

Aunque sean más bien escasos los ejemplos conservados, se siguen manteniendo activos otros campos de la producción artística, como la pintura mural —caso de la ornamental de *Bamba* (Valladolid), copiada de una tela oriental, o la figurativa de *San Quirze de Pedret*, de realización bastante tosca— o las artes industriales —*cruz de latón de Peñalba* (de tradición visigoda y asturiana), gran *cáliz de plata de Silos*, marfiles procedentes de un posible taller en *San Millán de la Cogolla*.

Los Beatos

Pero el gran capítulo del siglo X español es, sin lugar a dudas, el de la miniatura. A lo largo de los territorios comprendidos entre León y

San Millán de la Cogolla, La Rioja (arriba). Vista general de la iglesia de *Santa María de Lebeña*, Cantabria (abajo).

La Rioja se documenta la actividad de scriptoria* realizada en los monasterios de Tábara (Zamora), Valcavado, Valeránica (Burgos) o San Millán (La Rioja), de los que saldrá un buen número de biblias, libros espirituales, códices conciliares* y, sobre todo, un comentario al Apocalipsis conocido por el nombre de su autor, un monje de finales del siglo VIII llamado **Beato de Liébana**.

El éxito de esta compleja obra, a la que se fueron añadiendo textos de autores como **San Agustín** y **San Jerónimo,** fue grande en la Edad Media, y su copia e ilustración no se limitó al siglo X, como demuestran los ejemplares conservados de los siglos XI, XII y XIII. Sus imágenes planas, de marcado antinaturalismo, colores vivos y rostros de grandes ojos almendrados fuertemente expresivos, muy adecuadas para la representación del alucinado texto profético, constituyen el punto culminante de la figuración altomedieval española. Su iconografía, alejada de otros temas europeos, se relaciona con la tradición hispana y el mundo norteafricano. No obstante, en algunas iniciales se observan contactos con el mundo carolingio e irlandés, mientras que la influencia musulmana, salvo algún caso concreto, se reduce a aspectos marginales como pueden ser las posturas que adoptan algunos de los personajes.

Conocemos, además, el nombre de los artistas que realizaron sus excelentes miniaturas —**Magio**, **Emeterio**, una monja llamada **Ende**—, a los que habría que añadir el de **Florencio**, autor de la *Biblia de León del 960*, y **Vigila**, que ilustró las páginas del *Códice Albeldense*. A **Emeterio**, discípulo de **Magio,** debemos el colofón con que termina el Beato que hizo en *Tábara* con su maestro (Archivo Histórico Nacional), y que, acompañado de una excepcional miniatura que representa la torre del monasterio con el scriptorium* y dos "retratos" del miniaturista y el calígrafo, contiene unas emotivas frases que son fiel reflejo del trabajo de uno de estos pintores del siglo X: "¡Oh, torre de Tábara, alta torre de piedra! Es ahí, en la parte más alta y en la primera habitación de la biblioteca, donde Emeterio estuvo sentado y encorvado sobre su tarea, a lo largo de tres meses, quedando todos sus miembros baldados por el trabajo del cálamo". (Se refiere al trabajo de escritura realizado con la pluma de ave o cálamo).

LA ÉPOCA ROMÁNICA

La llegada del nuevo milenio va a marcar un importante punto de inflexión en el desarrollo del arte español. A partir de este momento se produce una internacionalización que provoca el abandono de la tradición hispánica, que había caracterizado la producción de los períodos visigodo, asturiano y mozárabe, en favor del primer gran estilo europeo que conocemos con el nombre de *románico**. A la difusión de este arte contribuyó la presencia cada vez mayor de gentes venidas de Francia y el impulso dado a esa gran vía de intercambio cultural en que se convirtió el peregrinaje a la supuesta tumba del apóstol Santiago. Sin embargo, la introducción de las formas románicas no se debe entender sólo como un simple cambio de gusto, ya que no se puede desvincular de hechos como la creciente importancia de los benedictinos de Cluny en los reinos peninsulares o el triunfo, al que tanto contribuyeron, de la reforma litúrgica del papa Gregorio VII sobre las viejas prácticas visigótico-mozárabes. Gracias a esta reforma, ya no volveremos a encontrar en las iglesias la compartimentación espacial que había caracterizado toda la etapa prerrománica. Hay que verla, por tanto, como una expresión más de la voluntad de apertura a Europa de las monarquías hispánicas.

Pantócrator de San Clemente de Tahull, Lérida, actualmente en el Museo de Arte de Cataluña, Barcelona.

El primer románico

Los primeros síntomas del nuevo estilo aparecen en los territorios orientales de la Península, que hasta entonces se habían mantenido en un segundo plano ante la vitalidad del foco castellanoleonés (territorios de los antiguos reinos de Castilla y León). A principios del siglo XI surge en Cataluña la figura del abad **Oliba,** el primero de una serie de hombres de Iglesia cuya actividad como promotores artísticos va a influir decisivamente en las grandes transformaciones estilísticas del mundo medieval hispano. Vinculados directa o indirectamente a su nombre hay una serie de edificios —reformas de los *monasterios de Ripoll* (Gerona) y *Cuixá* (Rosellón), *Cabecera de Santa María de Montbui* (Barcelona), *San Vicente de Cardona* (Barcelona)— que presentan unas mismas características constructivas. Algunas de ellas son: pequeño aparejo de piedra, articulación del exterior de los muros mediante ventanas ciegas y bandas verticales unidas en su parte superior por pequeños arcos, pilares cruciformes o en forma de *T* sin capiteles, arcos de medio punto, ábsides de planta semicircular con bóvedas de cuarto de esfera y nichos en su interior, tendencia a generalizar el abovedamiento al resto de la iglesia, presencia —por ejemplo, en Cardona— de cimborrio sobre el crucero, ausencia de decoración escultórica, etc.

Estos son los rasgos definidores de la renovación arquitectónica que conocemos con el nombre de "primer románico". Su origen está en la zona de Lombardía (Italia) y parece ser que la introdujeron en Cataluña grupos itinerantes de canteros de esa procedencia. Su éxito,

Las claustrillas, primitivo claustro del *Monasterio de Santa María la Real de Las Huelgas*, Burgos.

como atestigua el elevado número de iglesias que se construyeron según su estética hasta bien entrado el siglo XII —*torre de la catedral de Gerona*, *San Pedro de Casserres* (Barcelona), *San Ponce de Corbera* (Barcelona), *San Jaume de Frontayá* (Barcelona), *San Clemente de Tahull* (Lérida)—, fue grande.

Pero esta corriente no se limitó al ámbito catalán. La influencia lombarda también se deja notar en un pequeño grupo de iglesias de Huesca como *Santa María de Obarra* y *San Caprasio de la Serós*. Sin embargo, no son éstos los únicos ensayos arquitectónicos que se detectan en los territorios de Navarra y Aragón. La forma y articulación de arcos ciegos del exterior de los ábsides de *San Pedro de Lárrede* (Huesca) y las iglesias de su entorno —en las que sigue haciendo acto de presencia el arco de herradura— y, sobre todo, la utilización de bóvedas de cañón, cuarto de esfera y pilares compuestos en obras realizadas con el patrocinio del rey Sancho el Mayor —como el *Monasterio de Leyre* (Navarra)—, son buena muestra de cómo, por caminos distintos, se está avanzando en la dirección que nos ha de conducir a la arquitectura del pleno románico.

Mientras esto sucede en los reinos orientales, los territorios castellanoleoneses viven una situación de cierto retraso, en la que se siguen aplicando los esquemas "mozárabes" del siglo X.

La arquitectura del románico pleno

En torno al año 1074 se iniciaba la construcción del *Panteón Real de San Isidoro* (León). Por esas mismas fechas, hacia 1075-1078, el obispo Diego Peláez decidía levantar en *Santiago de Compostela* (La

San Martín de Frómista, Palencia.

Coruña) una nueva catedral que sustituyese a la antigua basílica asturiana de Alfonso III. A estas obras siguieron otras como las iglesias de *San Isidoro, San Martín de Frómista* (Palencia) o, ya en Aragón, *la Catedral de Jaca* (Huesca). A pesar de las diferencias existentes entre ellas, en todas encontramos unas formas y unas técnicas constructivas que nos ponen en contacto con un nuevo lenguaje arquitectónico de origen francés. Algunas de sus características ya las habíamos visto en las iglesias catalanas de la primera mitad del siglo —planta semicircular de sus ábsides, abovedamiento del interior, arcos de medio punto—, pero son bastantes las novedades que las alejan de ellas.

Para ello basta comparar dos edificios de primera categoría como son *San Vicente de Cardona* (Barcelona) y *San Martín de Frómista* (Palencia). El aparejo de pequeño tamaño del catalán ha sido sustituido por sillería bien labrada en el castellano; en lugar de bandas verticales y arquerías ciegas, los muros se articulan mediante columnas y bandas horizontales con decoración de ajedrezado*; bajo los aleros de los tejados se disponen una especie de modillones o ménsulas* llamados canecillos; hacen su aparición las portadas, con su típica organización de columnas y arquivoltas* en derrame —la misma que en las ventanas—; se produce la integración de la escultura monumental en el ámbito arquitectónico. Se observa, en resumen, una mayor valoración plástica del edificio tanto en su exterior como en su interior, donde, por ejemplo, es frecuente encontrar arquerías ciegas que animen la superficie de los muros absidiales.

La presencia de canteros franceses en tierras españolas fue fundamental para la introducción e implantación del nuevo estilo —tal procedencia se ha supuesto a **Roberto** y **Bernardo**, los primeros maestros que trabajan en la catedral de Santiago—. Pero, una vez superada la fase inicial, su aceptación fue total y las formas románicas

—a las que se une la influencia musulmana en algunos casos— se divulgaron por toda la mitad norte de la Península, arraigando profundamente en el ámbito rural, donde se mantuvieron hasta el siglo XIII, como ponen de manifiesto numerosos ejemplos castellanos. La excepción sería Cataluña, donde lo francés, sin olvidar del todo lo lombardo y las influencias italianas, no penetra hasta bien entrado el siglo XII —*Catedral de Seo de Urgel* (Lérida).

Pero donde la arquitectura románica española alcanza su punto más alto de elaboración es en la *Catedral de Santiago de Compostela*, en cuya terminación fue decisivo el impulso dado a la obra por el arzobispo Gelmírez a partir del año 1100. Su organización en planta y en alzado —tres naves, de las que las laterales se continúan en el crucero y la girola*, formando un "pasillo" que permite rodear la tumba del apóstol sin interrumpir las celebraciones litúrgicas; tribuna amplia encima de ellas— la relacionan directamente con las iglesias de peregrinación francesas, como *Santa Fe de Conques* o *San Saturnino de Toulouse*.

Pintura mural del *Panteón de San Isidoro de León*.

Dejando a un lado esta excepcional construcción y dentro de la homogeneidad que otorga a los distintos edificios la utilización de un mismo vocabulario arquitectónico, las soluciones adoptadas en cada caso concreto ofrecen bastante variedad. Uno de los esquemas más utilizados es el de tres naves y cabecera triple, con transepto* que no sobresale en planta y, por lo general, cimborrio sobre el crucero, tal como vemos en *San Isidoro, Frómista, San Pedro de Arlanza* (Burgos), *Jaca, San Pedro el Viejo* (Huesca) o *San Millán* (Segovia). Por el contrario, los ejemplos de planta central son escasos y tardíos, y casi siempre con una fuerte carga simbólica —*Torres del Río y Eunate* en Navarra, *la Veracruz* en Segovia.

En otras ocasiones es la utilización de un elemento determinado lo que ayuda a fijar variantes regionales, como, por ejemplo, las iglesias gallegas de falso triforio* —*Santa María de Junquera de Ambía* (Orense), *Santa María de Acibeiro* (Pontevedra)— o las zamoranas de ábside recto —*Santa Marta de Tera*—. Uno de los tipos más característicos de lo español es el de los pórticos castellanos, un elemento de función variable —litúrgica, funeraria, reunión— con precedentes en el mundo prerrománico —como *Valdediós* y *Escalada*—, que cuenta con buenos ejemplos en Burgos —*Rebolledo de la Torre, Vizcaínos*—, Soria —*San Esteban de Gormaz*— y, sobre todo, Segovia —*San Millán, San Martín, Sotosalbos, El Salvador y la Virgen de la Peña en Sepúlveda*.

Muchas de las obras mencionadas se levantan ya en la segunda mitad del siglo XII, momento en el que empiezan a aparecer los primeros síntomas que nos hablan de la llegada de una nueva época: arcos apuntados —*Santa María del Sar* (La Coruña), *Portomarín* (Lugo)—, grandes rosetones* en las fachadas —*Santo Domingo de Soria*—, bóvedas reforzadas por nervios —*Veracruz, San Esteban de Sos del Rey Católico* (Zaragoza)—... Se anuncian así los cambios que van a conducir al mundo gótico*, pero no conviene olvidar que en la mayoría de los casos aún se trata de edificios que, en su conjunto, siguen siendo románicos.

Una decoración moralizante

La iglesia románica es algo más que una obra arquitectónica destinada a conseguir un espacio apropiado para adorar a Dios y celebrar sus sacramentos. Es el lugar ideal para exponer un repertorio icono-

Detalle del claustro de *Santo Domingo de Silos*, Burgos.

gráfico de finalidad didáctica que había de representar a los ojos del pueblo la eterna lucha entre el Bien y el Mal. En ella está "escrita" la historia de la Caída y la Redención; en ella se muestra la fealdad del pecado y la omnipotencia divina. Y son la pintura y la escultura los medios escogidos para conseguir tales fines.

No es la primera vez que encontramos esta idea en la Historia del Arte español. Ya en época visigoda —*San Pedro de la Nave, Quintanilla de las Viñas*— se utiliza la escultura en un contexto arquitectónico para plasmar un mensaje de carácter doctrinal.

Sin embargo, será en el período románico cuando esto empiece a generalizarse. Ya en la primera mitad del siglo XI se documentan algunos ensayos en este sentido. La ausencia de escultura en el "primer románico" hace que este tipo de manifestaciones se reduzcan en Cataluña a un grupo de obras del Rosellón —dinteles* de *Saint Genis-des-Fontaines y San Andrés de Sureda*, tímpano* de *Arles-sur-Techque*— que, sin embargo, están más cerca de la estética prerrománica que de la románica. Por el contrario, hacia esta última parecen encaminarse capiteles figurados como los navarros de *Santa María de Ujué* o los asturianos de *San Pedro de Teverga*, dos obras que tienen en común un estilo tosco y sumario que, sobre todo en el caso asturiano, trae a la memoria la corriente popular que surge de vez en cuando en los territorios del interior y el norte de la Península desde época celtibérica.

Pero hay que esperar a la llegada del románico pleno para que la escultura se extienda por capiteles, tímpanos, arquivoltas y canecillos. Las formas planas de la Alta Edad Media recuperan el volumen y el sentido del modelado, aunque se alarguen o acorten según lo requiera el marco arquitectónico y los esquemas geométricos que rigen las composiciones. Se trata, por lo demás, de un arte con un fuerte componente simbólico, que no pretende imitar lo que le rodea, sino transmitir un determinado mensaje religioso. Es un mundo de ideas, no de realidades, en el que lo importante no es que las figuras sean más o menos realistas, sino que permitan una "lectura" clara de lo que se quiere decir.

La escultura del Camino de Santiago

Una de las primeras manifestaciones del nuevo estilo la encontramos en los capiteles del *Panteón Real de San Isidoro*, con decoraciones vegetales y escenas del Antiguo y el Nuevo Testamento, realizados en el último cuarto del siglo XI. Pero es a finales de este siglo y en las primeras décadas del siguiente cuando se realizan los grandes conjuntos de la escultura románica española —las iglesias de *San Isidoro y San Martín de Frómista*, y las catedrales de *Jaca y Compostela*—, todos situados en el Camino de Santiago. A pesar de los distintos talleres y artistas que trabajan en ellos, son numerosos los puntos de contacto existentes entre sí y con centros como Toulouse, Conques y otros del suroeste francés, que ponen de relieve la importancia que tuvo esta vía de peregrinación en la difusión de las formas artísticas, aunque no siempre resulte fácil establecer quién influyó en quién. Una de las cosas que más llama la atención en ellos es la existencia de una corriente clasicista que se manifiesta, por ejemplo, en el tratamiento del desnudo y en cuya configuración jugaron un papel importante como modelos piezas carolingias y sarcófagos romanos, como se ha señalado en los casos de Frómista y, sobre todo, Jaca, donde esta tendencia alcanza su punto más alto —ejemplo: capiteles con el *Sacrificio de Isaac* y el *Rey David acompañado de músicos*.

También los talleres compostelanos produjeron obras de gran calidad, como el capitel del *Castigo del avaro* o las figuras de *David y Abraham* de la única de las portadas laterales conservadas, la de *Platerías*, cuyas esculturas de tímpanos y muros hacen alusión a la doble naturaleza de Cristo y su misión redentora. La misma referencia a su carácter salvífico se observa en las *portadas de León y Jaca*, aunque con dos concepciones muy distintas: si en las primeras se acude a la historia de la Pasión y la Resurrección —*Puerta del Perdón*— o a secuencias del Antiguo Testamento —*Sacrificio de Isaac de la Puerta del Cordero*— para plasmarlo, en *Jaca* se opta por un lenguaje simbólico —en el centro, un Crismón como representación de la Trinidad; a cada lado, un león (representando a Cristo) que protege al pecador arrepentido (hombre de cuya boca sale una serpiente) y vence al Mal (simbolizado en el oso, el basilisco, la serpiente)—, cuya dificultad hace necesaria que se añada una inscripción en latín para explicar su significado.

Silos

Al margen de estas obras, el gran centro de la escultura románica española es *Silos* (Burgos). Entre finales del siglo XI y el siglo XIII, diversos talleres intervinieron en la decoración de su iglesia, hoy perdida, y su claustro, convirtiendo este monasterio benedictino en uno de los principales focos creadores de la época, cuya irradiación estilística e iconográfica se dejará sentir durante muchos años en todo el ámbito castellano y aragonés. Sus *capiteles y los seis relieves de las esquinas*, con escenas que van del Descendimiento a la Ascensión, lo convierten, junto con el de *Moissac* (Francia), en el primer claustro que incorpora la decoración historiada.

Apóstoles en unas pinturas murales de *Santa Cruz de Maderuelo*, Segovia (arriba). Detalle de un capitel de *San Juan de la Peña*, Huesca (abajo).

La renovación del siglo XII

A lo largo del siglo XII son muchos los ejemplos de interés que siguió produciendo la escultura románica hispana: los relacionados con la actividad en tierras aragonesas del llamado *Maestro del sarcófago de doña Sancha*; los capiteles del *claustro de la catedral románica de Pamplona*; las *grandes portadas de Leyre, Sangüesa* (Navarra) —ya con influencias del Pórtico Real de Chartres en las figuras de las jambas—, o *Santo Domingo de Soria*, en las que no siempre van unidos tamaño y calidad; el *claustro de Santillana del Mar*; los capiteles de los baldaquinos* *de San Juan de Duero*, etc.

No obstante, a partir de mediados de siglo hay un grupo de obras en las que se advierte un notable cambio estilístico: las figuras, de proporciones más esbeltas, ganan en volumen, al tiempo que se advierte en ellas un mayor naturalismo y cierto aire antiguo, así como un gran virtuosismo en el tratamiento de los numerosos pliegues de los paños, como vemos en el Pantócrator de la *Iglesia de Santiago de Carrión de los Condes* (Palencia), la *Portada del claustro y el relieve de la Anunciación de Silos*, la magnífica *Anunciación de San Vicente de Ávila*, o los relieves de la *Portada de San Miguel de Estella* (Navarra). También se introducen novedades en el campo de la iconografía, por ejemplo, con la inclusión de San Juan y la Virgen a los lados de Cristo en *tímpanos* como los de *Santo Domingo de Soria* o *Moradillo de Sedano* (Burgos). En todo esto se está anunciando una nueva época, y, aunque no se acabe de dar el paso definitivo, el mundo gótico está llamando a la puerta.

Cataluña y la pintura mural

La situación en Cataluña es muy diferente a la que hemos visto en los restantes reinos hispánicos. La fuerte implantación del primer románico hace que hasta la segunda mitad del siglo XII no aparezca en sus territorios la escultura monumental, representada por obras como la gran *Portada de Ripoll* (Gerona), con una compleja iconografía inspirada en una de las biblias del monasterio del siglo XI, o los *claustros de Gerona, San Cugat del Vallés (Barcelona) o la Seo de Urgel*. A cambio, cuenta con algunas de las mejores creaciones de la escultura exenta* del período, como la solemne *Majestad Batlló*, un hierático Crucificado vestido con túnica que no expresa sufrimiento alguno, el espléndido *Descendimiento de Erill la Vall*, de mayor carga dramática, o la *Virgen de Montserrat*, uno de los símbolos catalanes por excelencia.

Pero si el área catalana juega un papel de segundo orden en la evolución de la escultura románica española, no sucede lo mismo con la pintura. Basta con darse una vuelta por las renovadas salas del Museo de Arte de Cataluña o por las del Museo Episcopal de Vic para hacerse una idea del desarrollo que alcanzó en estas tierras.

Todo empieza una vez más en el norte de Italia, de donde llegó a finales del siglo XI y principios del XII un grupo de pintores cuya labor contribuyó a la formación de una de las principales corrientes pictóricas del románico peninsular, representada por la obra de los maestros que trabajan en *San Quirze de Pedret* (Barcelona), *Santa María d'Aneu* (Lérida), *San Pedro de Burgal* (Lérida) y *San Clemente y Santa María de Tahull* (Lérida). Junto a ella encontramos otro grupo de pinturas en las que se advierte la influencia del mundo francés, como ocurre en los frescos de *San Juan de Boí* (Lérida) y *San Sadurní de Osormort* (Barcelona). Ambas tendencias tienen su proyección fuera de Cataluña, la primera en la *Catedral de Roda de Isábena* (Huesca) y en las iglesias castellanas de *San Baudelio de Berlanga* (Soria) y *Maderuelo* (Segovia), la segunda en los conjuntos de *Bagüés* (Huesca) y *San Isidoro* (León). Una de otra se distinguen en la manera de configurar los rostros o de hacer los pliegues, pero las dos responden a unos mismos principios estilísticos: predominio de la línea en la concepción de las figuras, con un trazo dotado a veces de una gran expresividad; colores planos; carácter bidimensional de la representación; la divini-

San Clemente de Tahull, Lérida.

dad siempre tiene mayor tamaño que el resto de los personajes, que, por otra parte, más que pisar el suelo parece que están flotando; hieratismo*, etc.

Se trata, en suma, de la misma concepción simbólica y mental que veíamos al hablar de la escultura. Y si hay una obra que represente bien ese mundo de imágenes fuera del tiempo y del espacio es el *ábside de San Clemente de Tahull*, del segundo cuarto del siglo XII, una de las obras maestras del arte medieval español. El proceso de geometrización al que han sido sometidos el Pantócrator, la Virgen o los Apóstoles saca a las figuras del mundo real y las coloca en una esfera totalmente inaccesible al fiel que, al contemplarlas, no sólo es consciente de la majestuosidad y sacralidad de lo divino, sino del inmenso poder al que está sometida su simple condición humana.

Desde el punto de vista iconográfico, este distanciamiento es muy adecuado para las representaciones de Cristo en Majestad rodeado por las figuras del Tetramorfos y la Virgen como Trono de Dios que suelen ocupar las bóvedas de los ábsides. Sin embargo, el lenguaje pictórico del mundo románico sabe cambiar de registro cuando lo requiere la ocasión, y es capaz de ofrecernos una escena pastoril tan llena de delicadeza como la *Anunciación a los pastores del Panteón Real de San Isidoro de León*; o utilizar sabiamente los ritmos compositivos para expresar el dramatismo de la *Matanza de los inocentes* como vemos en *Bagüés*; e incluso mostrar el dolor para subrayar la tensión del momento, como sucede en el estremecedor grito que Malco lanza cuando San Pedro le corta la oreja en el *Prendimiento* de este mismo conjunto.

Los programas iconográficos: el ejemplo de Bagüés

La Virgen en una escultura románica proveniente de Hospitalet (Museo Diocesano de Tarragona).

La casi totalidad de las iglesias románicas españolas sólo han conservado una parte de las pinturas que antiguamente decoraban su interior. En la mayoría de los casos se trata del ábside, donde, como acabamos de decir, el protagonismo les correspondía a las imágenes del Pantócrator y la Virgen. Debajo de ellas, lo más habitual es encontrar una serie de figuras de apóstoles o santos, aunque a veces se podía colocar un pequeño ciclo narrativo, como sucede en *San Sadurní de Osormort* con la historia de la Creación y Caída del hombre, que tiene su contrapunto en la Virgen con el Niño de la bóveda, nueva Eva que lleva sobre sus rodillas al Salvador del mundo. De las escenas del Antiguo y del Nuevo Testamento que cubrían los muros de las naves han llegado hasta nosotros restos más o menos importantes en *San Juan de Boí*, *San Pedro de Sorpe* (Lérida) o *San Baudelio de Berlanga* —en España sólo quedan, en el Museo del Prado, las curiosas representaciones de caza y animales de su parte baja—, a las que habría que añadir los espléndidos frescos de las *bóvedas del Panteón Real de San Isidoro de León*, entre las que se incluye, en el intradós* de uno de los arcos, la representación de un calendario.

No obstante, podemos hacernos una buena idea de cómo funcionaba uno de estos programas iconográficos gracias al descubrimiento no hace muchos años de las pinturas de *la Iglesia de los Santos Julián y Basilisa de Bagüés*, pues, quienes las realizaron, no se limitaron a cubrir los muros con un cierto número de escenas, sino que las eligieron y dispusieron de forma que se relacionasen entre sí y formasen un conjunto unitario, en el que cada una de las partes colaborase al significado global del todo.

Se inicia en el *registro** superior del muro sur con los episodios del Génesis en los que se narra la Creación y posterior Caída del hombre, cada uno de los cuales tiene inmediata respuesta en las escenas de la infancia de Cristo colocadas debajo: la Creación del hombre y de la mujer, en la encarnación y nacimiento del nuevo Adán (Jesús) a través de la nueva Eva (María); el pecado original y la consiguiente expulsión del hombre del Paraíso, en el anuncio de la salvación a todos los hombres (Adoración de los Magos); la muerte del inocente Abel, en la matanza de niños ordenada por Herodes; el sacrificio con el que Noé sella la Alianza con Dios tras el Diluvio, en el reconocimiento de Cristo como el Hijo enviado para redimir al mundo (Bautismo).

Detalle del *Anuncio a los pastores* en una pintura mural del *Panteón de San Isidoro de León*.

Luego vienen una serie de milagros y escenas de la vida pública de Cristo en no muy buen estado de conservación, tras los que comienza, en el registro inferior, el ciclo de la Pasión, que se continúa a lo largo del ábside. Su centro lo ocupa la Crucifixión, justo a la altura del altar, con lo que se establece un paralelismo entre el sacrificio eucarístico y la muerte salvadora de Cristo. A su vez, el paso de la muerte a la vida que ésta representa queda simbolizado por los dos árboles situados a los lados del ábside, el de la izquierda seco y el de la derecha con hojas. El programa termina con las escenas del registro inferior del muro sur, que van de la Resurrección a Pentecostés y que culminan en la gran Ascensión que ocupa la parte superior del ábside.

Así quedó expuesta en las paredes del pequeño edificio una minuciosa descripción de la historia de la Salvación que abarcaba desde las causas hasta la culminación en el definitivo triunfo de Cristo sobre la muerte. Y en ella podemos darnos cuenta del cuidado que ponía el clero en la elaboración de este tipo de mensajes, que podían llegar a alcanzar una cierta complejidad.

Pintura sobre tabla e ilustración de libros

Hasta ahora sólo hemos hablado de la pintura mural, pero tenemos que hacer referencia a otros dos campos en los que las artes del color también tuvieron un importante desarrollo. El primero, limitado al ámbito catalán, lo constituyen las piezas de madera que, como los baldaquinos y los frontales*, sustituían en la decoración del altar a otras similares realizadas en materiales más ricos. La estética es la misma que la de los frescos contemporáneos, aunque no siempre es fácil establecer una relación entre los autores de estos dos tipos de obras. La estructura e iconografía es bastante similar, como vemos en el caso de los frontales: dividido en tres zonas verticales, la central la ocupa la figura del Pantócrator —*Frontal de la Seo de Urgel*— o de la Virgen con el Niño —*Frontal de Sescorts*—, mientras a los lados, normalmente en dos registros, se disponen apóstoles o algún santo —*Frontal de San Martín de Ix*—, a veces con escenas de su vida. Ejemplo de estos últimos lo encontramos en el martirio de San Quirze y Santa Julia representado en el *Frontal de Durro* (Lérida) con un estilo bastante popular, o el de Santa Margarita en el más tardío de *Sescorts* (Barcelona). En cuanto a los baldaquinos, destacan los restos del de *Ribes*, con la representación de un Cristo en Majestad rodeado por ángeles.

En el otro apartado, el de la iluminación de manuscritos, la época románica no alcanzó el esplendor del siglo X, pero sí que produjo algunas obras notables. Entre ellas hay que destacar las dos *Biblias de Ripoll*, de la primera mitad del siglo XI, en cuyo dibujo se observa un cierto sentido clásico que las aleja de la estética "mozárabe". Más apegado a esta tradición está, sin embargo, el scriptorium que trabaja para el rey castellanoleonés Fernando I, del que salieron a mediados de siglo un *Diurnal* y un *Beato*.

No obstante, será a finales de la centuria cuando, en la copia del comentario apocalíptico que guarda la catedral del *Burgo de Osma*, de probable origen leonés, encontremos ya un estilo que podemos calificar de románico. Y que volvemos a ver, ya plenamente formado, en otros Beatos de principios del siglo XII —como el que se completó en estas fechas en *San Millán de la Cogolla* (actualmente en la Real Academia de la Historia) o el catalán que copió en el nuevo estilo el códice del siglo X que se conservaba en la catedral de Gerona (actualmente en Turín)— o en el *Libro de los Testamentos* de la catedral de Oviedo. Aun así, en las miniaturas del *Beato* realizado *en Silos* entre 1091 y 1109 (actualmente en la British Library) todavía se emplean unas formas bastante ligadas al mundo prerrománico.

EL TRÁNSITO HACIA UNA NUEVA ÉPOCA

El Pórtico de la Gloria

Puerta de la Anunciata de la catedral vieja de Lérida.

En los años 60 del siglo XII estaba trabajando en Compostela una de las personalidades artísticas más importantes de la Edad Media española. Su nombre era **Mateo** y poco sabemos acerca de su origen y posible formación, aunque la obra que nos ha dejado lo muestra conocedor de las novedades que en el campo de la arquitectura y de la escultura se estaban produciendo en el entorno europeo. Cuando en 1188 escribía su nombre en uno de los dinteles del *Pórtico de la Gloria*, veía la luz una obra maestra que anunciaba el inicio de una nueva época.

La gente normalmente vincula su nombre a la escultura del Pórtico, pero no todos saben que también es el autor de la arquitectura del conjunto, especialmente del espacio inferior sobre el que éste se eleva y que hubo que construir para salvar el desnivel existente entre la plaza y la fachada de la catedral. En él empleará por primera vez ojivas* que no actúan como un simple refuerzo de la bóveda, sino que constituyen su auténtica estructura. Al mismo tiempo, el diseño de los pilares se complica al añadir columnas en sus esquinas, en las que descansan los correspondientes nervios de la cubierta. Estamos, por lo tanto, ante un sistema estructural nuevo que con el paso de los años conoceremos con el nombre de *gótico*.

En el Pórtico se representó una compleja iconografía que gira en torno a la segunda venida de Cristo, cuya imagen, rodeada por ángeles con los instrumentos de la Pasión y por los ancianos del Apocalipsis, ocupa el tímpano central. Las figuras de profetas y apóstoles de las jambas pueden servirnos para ejemplificar los avances que se han producido respecto a la escultura anterior: las estatuas, casi de bulto redondo, se han independizado prácticamente de las columnas; se observa un tratamiento naturalista de cuerpos y ropas; hay una fuerte individualización de los personajes, que han perdido su habitual frontalidad y se comunican entre sí, al tiempo que sus rostros reflejan una vida interior que se concreta en gestos como la sonrisa de Daniel o la preocupación de Isaías. Mateo optó, en suma, por una vía *realista* que aleja la obra de la rígida conceptualidad románica y acerca la imagen sagrada a la esfera de lo *humano*.

Una época de ensayos

Como dice el título del epígrafe, la arquitectura del período comprendido entre la segunda mitad del siglo XII y el primer cuarto del XIII se caracteriza por los múltiples ensayos realizados con el fin de sustituir las antiguas estructuras románicas por el nuevo sistema gótico. El modelo a seguir es, en todos los casos, francés. Pero al igual que ocurre en el país de origen, las direcciones que se toman hasta llegar a la formulación clásica de las catedrales de Burgos, Toledo y León son bastante diversas.

Ya dijimos al hablar de la época románica cómo a partir de mediados de siglo se observa la inclusión de elementos constructivos nuevos en la realización de los templos, como los arcos apuntados y los nervios de las bóvedas. Pero también señalamos que no pasan de ser simples añadidos superficiales que en nada variaron la concepción del espacio o la articulación del muro. Se trata, por tanto, de edificios en los que sus constructores, muchas veces por motivos funcionales, añadieron al habitual vocabulario románico unas nuevas formas constructivas *"protogóticas"*, sin sacar de ello mayores consecuencias que afectaran a la concepción del espacio o la articulación del muro.

Donde sí se ven avances más significativos en el nuevo lenguaje arquitectónico es en las numerosas catedrales que se empiezan a levantar en esas mismas fechas. En muchas de ellas, la impronta románica sigue siendo fuerte, pero también es verdad que se advierten notables avances en la comprensión y utilización de las nuevas estructuras que las empiezan a diferenciar del mundo románico. Todas se caracterizan por el uso del arco apuntado*, la generalización de la bóveda de ojivas* en sus cubiertas y la consiguiente complicación de la estructura de los pilares, como veíamos en Compostela.

Detalle de la girola de la iglesia del *Monasterio de Osera*, Orense.

Sin embargo, existe cierta diversidad en cuanto a la manera en que esto se ha llevado a cabo. Por un lado, hay un grupo en el que se ha señalado la importancia del influjo de Aquitania —bóvedas de la *Catedral de Ciudad Rodrigo*, cimborrios de fuerte sabor bizantino, de las *catedrales de Zamora y Salamanca*, la *Colegiata de Toro* (Zamora) o la *Sala capitular de la catedral de Plasencia* (Cáceres)—. Otras —*Tarragona, Lérida, Tudela*— se han puesto en relación con el Languedoc, sobre todo por la presencia de dobles columnas en los frentes de sus pilares, aunque, como han señalado algunos autores, tengan mayor importancia las columnas que se colocan en los ángulos para recibir el empuje de los nervios de la bóveda. Un tercer grupo —obra de Mateo en *Compostela*, cabecera del *Monasterio de Carboeiro* (Pontevedra), *Catedral de Ávila*—, vinculado a lo borgoñón, presenta soluciones más elaboradas que reflejan una mayor comprensión del nuevo sistema estructural.

El último grupo —*Iglesia de la hospedería de Roncesvalles* (Navarra), *Catedral de Cuenca y parte de la de Sigüenza* (Guadalajara)—, con edificios ya de principios del siglo XIII, se caracteriza por la utilización de la bóveda sexpartita*. Pero lo importante no es la presencia en ellos de este elemento constructivo, sino las consecuencias arquitectónicas que se sacan de su uso, al acentuarse la verticalidad de su espacio interior, que gana en luminosidad y diafanidad. Ahora sí que estamos a un sólo paso del modelo clásico de las catedrales de Burgos, Toledo y León.

El Císter

La fundación en 1140 del monasterio de *Fitero* (Navarra) marca el inicio de la rápida expansión por los reinos peninsulares del movimiento reformista cisterciense. Su buena acogida, el apoyo recibido de la monarquía y la pronta acumulación de riquezas favorecieron que en el último tercio del siglo XII se empezasen a sustituir los primi-

Fachada (abajo) y detalle del interior (arriba) del *Monasterio de Santa María la Real de Las Huelgas*, Burgos.

tivos asentamientos, que debemos suponer bastante humildes, por los grandes conjuntos monásticos que conocemos hoy en día.

En todos ellos, desde los grandes monasterios catalanes de Poblet y Santes Creus vinculados a los reyes de Aragón hasta las ruinas del Sacro Convento de la Orden Militar de Calatrava (Ciudad Real), fundada como filial de Fitero, podemos reconocer dos aspectos que, por otra parte, son comunes a cualquier edificio del *Císter**. Por un lado, la presencia de un plano-tipo en la ordenación y disposición de las distintas estancias monásticas. Por otro, la desaparición de las imágenes esculpidas en los capiteles de los claustros* románicos, con lo que el monasterio cisterciense, en general, y su iglesia, en particular, se caracterizan por la *austeridad*.

Esta renuncia a las artes figurativas en la decoración de los templos hace que se preste mayor atención a cuestiones puramente arquitectónicas. Y esto aún resulta más interesante si tenemos en cuenta que su desarrollo coincide con una época de experimentación como la que marca el paso del mundo románico al gótico.

Sin embargo, el panorama que presentan los edificios hispanos en este sentido dista bastante de ser homogéneo. Por ejemplo, en los monasterios de *Osera* y *Melón* (Orense) las cabeceras están emparentadas con la de la catedral de Santiago, mientras en *Poblet* (Tarragona) las bóvedas de ojiva y las capillas de la girola aportan soluciones más próximas a lo gótico. En *Santes Creus* (Tarragona) se utilizan arcos diafragma* que crean un gran espacio unitario que, como veremos, va a ser característico de lo catalán. Por último, la verticalidad de la iglesia de *Las*

Entrada de la Sala capitular del *Monasterio de San Andrés de Arroyo*, Palencia.

Huelgas (Burgos), la amplitud y transparencia espacial del *refectorio de Santa María de Huerta* (Soria) o el diáfano *presbiterio del monasterio riojano de Cañas* son obras que ya debemos calificar como góticas.

Así pues, vemos que el Císter en España presenta la misma variedad de soluciones que la arquitectura catedralicia contemporánea a la que nos hemos referido en el epígrafe anterior. Unas obras son más conservadoras, otras más innovadoras, dependiendo de los maestros que trabajasen en ellas o de otros factores de carácter local, pero, en general, no existe un planteamiento unitario que convierta estos edificios en una especie de avanzadilla de las formas góticas en la Península.

Un nuevo naturalismo

Como era lógico suponer, la huella de **Mateo** se dejó sentir con cierta intensidad en los territorios hispanos, aunque no son precisamente las obras influidas por él, como el *Pórtico del Paraíso de la catedral de Orense*, las que continúan el camino iniciado por el maestro compostelano. Para encontrar experiencias similares hay que acudir a una serie de maestros contemporáneos que trabajan en distintos lugares de los reinos de Castilla y León, a los que ya hicimos referencia al hablar de la renovación de la escultura románica de la segunda mitad del siglo XII. Y es que la relación que se establece, por ejemplo, entre el arcángel Gabriel y la Virgen en las *Anunciaciones de Silos y San Vicente de Ávila* se ha humanizado y ya no se representa en un plano intelectual. Es verdad que los apóstoles de la *Cámara Santa de Oviedo* dejan traslucir un tratamiento formal en el que el peso de la tradición es aún fuerte, pero entre ellos se intenta establecer una comunicación poco románica, la misma que vemos en otras estatuas del pórtico occidental de la mencionada iglesia de San Vicente (Ávila). Es posible que en ninguna de estas

Detalle de los apóstoles Pedro, Pablo, Santiago y Juan en el *Pórtico del Paraíso de la catedral de Orense*, obra del Maestro Mateo.

obras se alcance el nivel de realismo al que llegó Mateo en su Pórtico, pero también es cierto que las figuras, que, como vemos en el espléndido Pantócrator de *Carrión de los Condes*, han adquirido una corporeidad de la que antes carecían, empiezan a tener poco que ver con el hieratismo y la abstracción anteriores.

Pero el signo de los nuevos tiempos quizás se refleje con mayor claridad en el sentido narrativo, inexistente en el románico, con que están tratadas las escenas que cuentan la *vida y martirio de los Santos Vicente, Sabina y Cristeta en su sepulcro de la iglesia de San Vicente*, que ha hecho perder a las figuras la rigidez característica de la época precedente.

Buena muestra de la progresiva asimilación de estos principios estéticos y del papel jugado en este proceso por la escultura francesa contemporánea son las *portadas de la colegiata de Toro y de las catedrales de Tuy y Ciudad Rodrigo*, de principios del siglo XIII. Además, el tímpano ya no es una superficie cubierta totalmente de esculturas dispuestas de acuerdo con rígidos esquemas geométricos, sino que ahora las figuras de bulto se mueven en un incipiente espacio, en cuya parte inferior, se ha colocado una franja con una secuencia narrativa que guarda relación con la escena principal. Por último, el protagonismo recae en la figura de la Virgen —*Adoración de los Magos de Tuy, Coronación de Toro y Ciudad Rodrigo*—, a la que también se suele representar con el Niño en brazos en el parteluz* de la portada, esbozándose tímidamente una relación madre-hijo impensable en el intelectualizado mundo románico.

La pintura en el cambio de siglo

Dos son los factores que contribuyeron a la renovación pictórica de la segunda mitad del siglo XII: por una parte, una fuerte corriente de bizantinismo que se apodera de toda Europa; por otra, la determinante influencia de la miniatura inglesa contemporánea. A veces predominará una de estas tendencias —por ejemplo, la bizantina en el *Frontal de Valltarga* (Lérida)—, en otras actúan las dos. Entre ambas configuran una nueva manera de hacer a la que se ha dado el nombre de "estilo 1200".

Para observar cuáles son los avances que se producen vamos a acercarnos a una obra de principios del siglo XIII conservada en el Museo de Arte de Cataluña: el *Frontal de Aviá* (Barcelona). A simple vista podemos sentirnos un poco confusos, pues la estructura tripartita de la tabla, la importancia de la línea en la configuración de los personajes y la falta de un espacio en el que éstos se muevan nos puede recordar de inmediato a la estética románica. Pero si nos fijamos con mayor atención, observaremos que se han producido en ella importantes novedades. El nuevo uso que se hace de la línea y, sobre todo, de una luz que matiza y modela los colores dota a las figuras de un volumen que permite descubrir bajo los ropajes la existencia de un cuerpo que antes resultaba inapreciable. Por otra parte, es verdad que la Virgen mantiene una postura frontal y una actitud bastante inexpresiva, pero también lo es que los rasgos de su rostro se han dulcificado y que el conjunto de la figura ya no presenta ese solemne distanciamiento que se ve, por ejemplo, en el *ábside de Santa María de Tahull*. Además, la frontalidad de María queda rota por la postura del Niño, que se vuelve hacia uno de los laterales, donde se han representado escenas de la infancia de Cristo. Esa misma "actitud comunicativa" se repite, por ejemplo, en la figura del rey mago que se gira para dirigirse al compañero que viene tras él. El conjunto, en definitiva, está tratado con un carácter *narrativo* que lo aleja definitivamente de la abstracción de la representación románica.

Éste es el camino por el que va a transitar la pintura durante el último cuarto del siglo XII y una buena parte del XIII. De principios de este siglo es la que debió ser la obra cumbre del período, los destruidos frescos de la *Sala capitular del monasterio de Sijena*, con escenas del Antiguo y el Nuevo Testamento y motivos decorativos y alegóricos en los que se ponía de manifiesto con claridad la doble influencia bizantina e inglesa.

Otros conjuntos murales, como el aragonés de *Navasa*, el segoviano de *San Justo* o el burgalés de *Arlanza*, participan en mayor o menor grado de esta tendencia. Pero incluso los más apegados a la tradición románica, como el toledano de *San Román*, dejan entrever un cierto sentido narrativo que los acerca a los nuevos tiempos.

El otro campo donde se deja sentir con fuerza la influencia del estilo 1200 es en la miniatura, que ahora, sobre todo en los reinos occidentales, alcanza un gran desarrollo, con obras tan representativas como los *Beatos de San Pedro de Cardeña* (Burgos) *y San Andrés del Arroyo* (Palencia), las *Biblias de Lérida y Burgos*, el *Códice Calixtino* o algunas partes del *Tumbo A de la catedral de Santiago*.

LA PLENITUD DEL GÓTICO

Aunque el siglo XIII va a ver el definitivo triunfo de las formas góticas en España, el panorama que presentan los reinos peninsulares dista bastante de ser homogéneo. El románico seguirá mostrando su vitalidad en el mundo rural castellano y aragonés, si bien es cierto que se tratará cada vez más de un fenómeno marginal. Muy distinto es el caso del mudéjar, muy difundido en el ámbito urbano y que no sólo afectó a las construcciones religiosas, sino que, como veremos, configuró de forma muy especial el marco de la vida privada de las clases dominantes. En esta creación genuinamente española, de fuerte componente islámico, sí que encontró la arquitectura gótica un duro competidor, sobre todo en Aragón y las tierras castellanoleonesas, con la excepción de sus regiones más septentrionales.

Por lo que respecta al gótico propiamente dicho, Francia e Italia fueron los dos principales motores que impulsaron su desarrollo durante este siglo y el siguiente, aunque el distinto grado de penetración de cada una de estas corrientes en los reinos hispanos dio lugar a evoluciones artísticas claramente diferenciadas: si los modelos del norte de Francia están en el origen de la producción de Castilla y León en el siglo XIII, son el mediodía francés y el mundo italiano los que influyen en el arte que, con Cataluña a la cabeza, se desarrolla en la Corona de Aragón durante la centuria siguiente, mientras la inclusión del pequeño Reino de Navarra en la órbita de lo francés se verá favorecida por la vinculación de su trono a casas como la de Champagne o la de Evreux a partir del año 1234.

Fachada de la iglesia de *Santa María la Real* de Sangüesa, Navarra.

Las grandes catedrales

El panorama de la arquitectura castellana del siglo XIII está dominado por la construcción de las *catedrales de Burgos, Toledo y León*. La primera piedra de la burgalesa fue colocada en 1221 en presencia del obispo Mauricio y del rey Fernando III. El mismo monarca estuvo presente cinco años más tarde en el comienzo de la toledana, impulsada por el arzobispo Jiménez de Rada. Por último, la iniciativa del obispo Martín Fernández propició el levantamiento de la leonesa, ya en la segunda mitad del siglo (en torno al año 1255).

Estas tres personalidades eclesiásticas, en especial las dos primeras, no fueron ajenas a la introducción de los nuevos modelos constructivos. Sus viajes por Europa les debieron poner en contacto con las formas arquitectónicas que conocemos como gótico clásico, y decidieron importarlas a sus diócesis, para lo que contaron con la colaboración de arquitectos venidos del país vecino —el **maestro Enrique** en Burgos y luego en León y el **maestro Martín** en Toledo—. El resultado fueron unos templos de clara filiación francesa, como se observa, por ejemplo, en sus plantas —la de Burgos se ha puesto en relación con Coutances, mientras que Bourges y Reims están en el origen de las de Toledo y León, respectivamente.

Estos tres edificios suponen la culminación del proceso de experimentación iniciado en la segunda mitad del siglo XII y la asimilación plena de un nuevo vocabulario arquitectónico cuyas principales señas de identidad son el arco ojival y la bóveda de crucería. Sin embargo, su auténtica importancia reside en la correcta aplicación de un sistema estructural que, a través de los nervios, concentra todos los empujes ejercidos por las cubiertas en los pilares, que a su vez los transmiten al suelo a través de las columnas adosadas a su núcleo central y de los arbotantes y contrafuertes exteriores. Esto permite liberar al muro de su tradicional función de sostén, con lo que los edificios se pueden proyectar en altura y abrir al exterior mediante grandes ventanales.

En su planta y alzado, cada una de las catedrales mencionadas adoptará soluciones distintas, aunque siempre dentro del esquema característico del gótico clásico francés: tres o cinco naves con girola, nave central más elevada que las laterales, con articulación tripartita de su alzado —arcos de separación de las naves laterales, triforio con estrecha galería y cuerpo de ventanas.

Detalle del *sepulcro de la Beata Urraca* en el *Monasterio de Cañas*, La Rioja.

Probablemente la más peculiar dentro del mundo hispano sea la de *Toledo*, templo de cinco naves en la que los problemas estructurales que planteaba la presencia de una doble girola fueron resueltos mediante la sabia aplicación de tramos alternos cuadrados y triangulares, siguiendo los pasos de lo que se había hecho en la catedral de Le Mans. No existe en ella la proyección vertical típica de lo francés, y en el triforio del crucero aparecen arcos de influencia musulmana. Pero lo más característico es, sin duda, la colocación del coro en la nave central delante del presbiterio, aunque sin formar unidad con él, lo que dio lugar a la ruptura de la continuidad visual existente entre los pies y el altar mayor, rasgo que podemos considerar característico de lo español.

Con posterioridad esta ubicación del coro se aplicó también en *Burgos y León*, aunque ambas mantuvieron un presbiterio bastante profundo, más en consonancia con los modelos del otro lado de los Pirineos. En la segunda, la más francesa de todas, aunque también con un rasgo típicamente español como la colocación de las torres adosadas a los pies, se da un paso adelante en el proceso de desintegración del muro al abrir, como en Amiens, ventanales en la parte exterior del triforio.

La crisis del siglo XIV

Por supuesto, la actividad constructiva no se limitó a las catedrales comentadas. Las formas y estructuras góticas también se aplican, con mayor simplificación, en obras como la *Catedral del Burgo de Osma* (Soria), las *iglesias burgalesas de San Esteban y San Gil*, o el grupo de iglesias que se levantan en Córdoba en tiempos de Fernando III, como *Santa Marina* o *Santa Clara*.

Sin embargo, con la llegada del nuevo siglo la situación va a cambiar. La palabra con la que siempre se suele calificar esta época es la de crisis. En efecto, la inestabilidad política y las poco favorables circunstancias socioeconómicas por las que atravesaba la corona castellana no eran las más indicadas para impulsar la actividad constructiva. Es verdad que tampoco se inició ninguna empresa de la

Detalle de la *Catedral de Burgos*.

envergadura de las de la centuria anterior, pero también es cierto que se siguió trabajando en catedrales como las de *Toledo y Ávila*, en cuyas naves ya se simplifica el alzado tripartito característico del gótico clásico, al fundirse triforio y ventanal en una misma unidad luminosa. Por otra parte, la influencia de Burgos y León se sigue dejando sentir, como ocurre en la *cabecera de las catedrales de Lugo y Palencia*, o en la *Colegiata de Castro Urdiales* (Santander).

Se observa asimismo la aparición de novedades respecto a las formas del siglo XIII. Es frecuente que veamos la utilización de un arco más estrecho y alargado —como en *Santa María y San Francisco de Vitoria* o en *Guadalupe* (Cáceres)—, o la complicación de las bóvedas al introducir nervios secundarios en su diseño —los terceletes—, así como la aparición de las formas estrelladas en las cubiertas de espacios centralizados como la *Sala capitular de la catedral de Burgos* o, en el ámbito navarro, la *Capilla del obispo Arnaldo de Barbazón en la de Pamplona*.

Si a esto añadimos la construcción de los *claustros de las catedrales de Burgos y Toledo*, el papel jugado por las órdenes mendicantes en zonas como Galicia, o la importancia que tuvo la arquitectura mudéjar en algunas regiones de los reinos castellanoleoneses, podemos concluir que quizás el panorama del siglo XIV no sea tan brillante en resultados como el de la centuria anterior, pero que tampoco debemos considerarlo como un desierto constructivo como a veces puede parecer.

Un nuevo concepto del espacio

Es hora de que nos ocupemos de la Corona de Aragón, donde nos vamos a encontrar con una situación bastante diferente a la vista en el reino de Castilla. En ella, con la excepción de la *Catedral de Tarazona*, que, iniciada en 1235, sigue los modelos góticos del norte de Francia, las principales empresas constructivas del siglo XIII —*catedrales de Tarragona, Lérida o Valencia*— presentan planteamientos más tradicionales, en cuyas plantas, pilares, alzados y cubiertas se mezclan formas y estructuras góticas y protogóticas. Hay que esperar al año 1298, fecha de comienzo de la *Catedral de Barcelona*, para encontrar un edificio que se equipare a los castellanos.

Si observamos su planta de tres naves con girola, lo único que en principio nos llama la atención es el amplio desarrollo que tienen las capillas construidas entre los contrafuertes del templo. Sin embargo, al contemplar su alzado nos encontramos con una realidad arquitectónica completamente diferente a la vista hasta ahora. Las bóvedas de crucería o el tipo de pilar con columnas adosadas son los mismos, pero el espacio interior ha sufrido una transformación radical: las naves laterales tienen prácticamente la misma altura que la central, con lo que la proyección vertical del modelo clásico es sustituida por una unificación espacial, cuyo origen hay que buscarlo en la región francesa del Midi y en la que, posteriormente, también habrá que tener en cuenta la influencia de los templos contemporáneos de dominicos y franciscanos.

Edificios como *Santa María del Mar* (Barcelona) o las *catedrales de Palma de Mallorca y Manresa* presentan esta misma concepción. Pero donde mejor se consigue crear ese gran espacio interior amplio y diáfano es en las numerosas iglesias de una nave que se levantan en todo el ámbito catalán y levantino —*Santa María del Pino y Capilla Real de Santa Águeda* en Barcelona, *San Agustín* en Valencia—, y que quizás tienen su ejemplo más representativo en la *Catedral de Gerona*, comenzada en 1312 siguiendo el modelo barcelonés, en la que en 1416 una Junta de arquitectos decidió convertir la triple nave del presbiterio en una sola.

Portada norte de la *Catedral de León*.

Otros elementos característicos de la arquitectura de esta zona también se relacionan con esta misma idea de espacio. Los arcos diafragma —un elemento que, con la excepción de un pequeño grupo de iglesias gallegas del XIV, no se encuentra en Castilla—, al sustituir las bóvedas de crucería por una techumbre de madera, disminuyen los empujes de la cubierta y permiten levantar grandes salones que se pueden aplicar tanto a la arquitectura religiosa como a la civil —*Salón del Tinell, Salón de Ciento* (Barcelona)—. Por su parte, los altos pilares octogonales que vemos en la *Catedral de Palma* o en la de *Manresa* contribuyen, al aligerar el volumen de este elemento que sostiene, no sólo a dar mayor esbeltez al interior, sino a transparentar las masas arquitectónicas y fundir en una misma unidad espacial los distintos ambientes que conforman el interior de estas iglesias —presbiterio, girola, naves, capillas laterales.

Aún podríamos mencionar otros elementos diferenciadores de esta arquitectura, como las torres octogonales o, sobre todo, el amplio de-

Fachada de la iglesia del *Monasterio de Guadalupe*, Cáceres.

sarrollo que alcanzan las capillas laterales, que, situadas entre los contrafuertes de las iglesias, como vimos en la catedral de Barcelona, se relacionan con el auge de una burguesía urbana que necesitaba sus propios lugares de culto, ya fuesen individuales o colectivos (gremios). Pero, por encima de todo, será la concepción espacial que acabamos de comentar, a la que muy pocos edificios escapan, la que determine la producción arquitectónica de estas regiones del oriente español.

Las grandes portadas

Al igual que sucede en la arquitectura, la presencia de maestros franceses trabajando en la decoración escultórica de las catedrales castellanas fue determinante para introducir en la Península el nuevo sentido de belleza idealizada de la estatuaria francesa contemporánea. La serenidad y solemnidad de la escultura del período clásico se refleja en toda su plenitud en una obra tan relacionada con Amiens como la *Portada del Sarmental* de la catedral burgalesa (c. 1240), que, si bien presenta una iconografía un tanto antigua —Cristo bendiciendo rodeado por el Tetramorfos, con ángeles y los ancianos del Apocalipsis en las arquivoltas y las figuras de los apóstoles en el dintel—, tiene en las figuras de los evangelistas, representados escribiendo en un pupitre a la usanza de la época, un buen ejemplo del realismo del momento.

A esta obra seguirán en el mismo edificio burgalés la *Portada de la Coronería*, centrada en el Juicio Final, y la que da acceso al *claustro*, con la bella imagen de la Virgen de la Anunciación en las jambas, en cuyo rostro se esboza una amable sonrisa, además de las esculturas del claustro con representaciones de reyes e infantes, quizás procedentes de la perdida portada principal. Todas estas figuras están tratadas con un gran naturalismo y expresividad.

La influencia burgalesa se deja sentir con fuerza en la zona, como se ve en las portadas de *Sasamón* o del *Burgo de Osma*, pero también está en los orígenes de los talleres de la *Catedral de León*, el segundo gran foco escultórico del siglo XIII en los reinos occidentales.

En las portadas del siglo XIV se observa una acentuación de la tendencia narrativa y un gusto por lo anecdótico que lleva a multiplicar las escenas y aumentar el número de franjas de los tímpanos, como vemos en la *Puerta del Reloj* de Toledo, con un ciclo de la vida de Cristo y de la Virgen de no excesiva calidad, y, sobre todo, en las de la fachada occidental de *Santa María de Vitoria*, con representaciones de la vida de la Virgen, el Juicio Final y la historia de San Gil. Otros ejemplos, en el reino de Navarra, son el *claustro de la catedral de Pamplona* y el de *Santa María de Laguardia* (Álava), esta última realizada ya en el entorno del año 1400.

Portada del Sarmental, Catedral de Burgos.

La escultura funeraria

Uno de los campos donde la escultura gótica encontró amplias posibilidades de desarrollo fue en los sepulcros. Y no sólo en la figura del yacente, en el que se reflejarán las tendencias estilísticas propias de cada momento y región, sino en los relieves y estatuas que se extienden por el frente de la cama y por las arquivoltas y muro comprendido bajo el arco que lo cobija, en el caso de que esté adosado a la pared.

Uno de sus principales temas decorativos es el heráldico, con el que se exalta de manera perpetua el linaje del fallecido y que tiene uno de sus mejores ejemplos en el *Sepulcro de Alfonso VIII y Leonor de Plantagenet*, de mediados del siglo XIII, en el monasterio burgalés de Las Huelgas. Sin embargo, es frecuente que se acompañe de alguna escena religiosa en la que esté implícito el mensaje cristiano de la redención: la Adoración de los Magos, es decir, el anuncio de la salvación al mundo entero, y la Crucifixión, imagen por excelencia del sacrificio redentor de Cristo.

No obstante, donde mejor se expresa el gusto del mundo gótico por el realismo y lo narrativo es en las imágenes sacadas de la vida real, que tienen su máxima expresión en la representación del cortejo y el oficio fúnebre. Los precedentes de esta iconografía se encuentran ya en el mundo románico, como vemos en el *Sarcófago de doña Sancha* (Santa Cruz de la Serós, Huesca). Pero será ahora cuando se represente con toda amplitud y detalle: el amortajamiento del muerto, el traslado, la deposición en la tumba, la oración del sacerdote acompañado por sus acólitos, las plañideras. Buena muestra de ello lo tenemos en los *sepulcros de! infante don Felipe y su mujer doña Leonor Ruiz de Castro* de la iglesia palentina de Villalcázar de Sirga, donde la escena es tratada con todo lujo de detalles. Pero son múltiples los ejemplos que se podrían citar en todos los reinos y períodos: el de la

Beata Urraca en el monasterio de Cañas (La Rioja), el de *Esteban Domingo* en la catedral de Ávila, el de *don Gonzalo de Hinojosa* en la de Burgos, el de *Fernando Alonso* en la catedral vieja de Salamanca, el del *conde de Urgel Ermengol VII* (actualmente en Nueva York), etc.

En otras ocasiones son escenas referentes a la vida del difunto las que se representan —fundación del monasterio de Las Huelgas en el sepulcro de Leonor de Plantagenet; reparto de pan a los pobres en el leonés del *Deán Martín Fernández*; milagros de *San Pedro de Osma* en su tumba de la catedral del Burgo de Osma, realizada en un estilo muy popular—, que en muchos casos tienen el valor de buenas obras que han de interceder por el alma del difunto, que suele representarse como una figura desnuda llevada al cielo en un lienzo sostenido por ángeles.

La influencia italiana

Con la llegada del siglo XIV se produce un cambio estilístico que afecta al tratamiento formal de las figuras. Se observa en ellas una mayor elegancia y estilización. También se advierte un modelado más suave de las formas, al tiempo que las figuras se hacen más expresivas y adquieren en algunos casos un cierto aire monumental. En el origen de esta transformación se encuentran las creaciones cortesanas del norte de Francia y, sobre todo, las experiencias que desde la segunda mitad del siglo XIII están llevando a cabo en Italia gente como los Pisano.

Historias de la vida de la Magdalena, tabla del siglo XIV, taller de los Serra, Madrid, Museo del Prado.

En la escultura castellana esta influencia de Italia se deja sentir en algunas obras de Toledo como la escena de la *Virgen entregando la casulla a San Ildefonso* representada en un tímpano de la catedral, o los sepulcros exentos de los *arzobispos don Gil de Albornoz* y *don Pedro Tenorio*, ejecutados por el taller de **Ferrand González**. Al arzobispo Tenorio, uno de los grandes promotores artísticos del siglo XIV, se debe asimismo el encargo de los relieves del trascoro* del templo catedralicio, compuesto por cincuenta y seis escenas sacadas del Génesis y del Éxodo, en cuya iconografía se han señalado contactos con el mundo judío contemporáneo.

Pero donde verdaderamente jugará un papel decisivo será en la Corona de Aragón, en la que en el siglo XIII apenas cabe destacar la figura del **maestro Bartomeu** (documentado entre 1277 y 1295), a quien se atribuyen las estatuas de las jambas de la *Portada de la catedral de Tarragona*, dentro de la corriente francesa que veíamos en tierras castellanas.

La llegada de maestros franceses e italianos a comienzos del siglo siguiente impulsó el desarrollo de la actividad escultórica, que, a diferencia de Castilla, apenas tiene cabida en las portadas, en cuya decoración se prefieren aplicar valores y elementos puramente arquitectónicos. De ahí que se desarrollase fundamentalmente en las claves de las bóvedas, como vemos en los magníficos ejemplos de Santa María del Mar o la catedral de Gerona, y, sobre todo, en el terreno de la escultura funeraria y los retablos*.

El *Sepulcro de Santa Eulalia* (c. 1339) de la cripta de la catedral de Barcelona es uno de los primeros ejemplos en los que tanto la tipología como el estilo dejan ver la recepción de lo italiano en el ámbito catalán, lo que también sucede en el *Sepulcro del obispo Juan de Lu-*

Dios, Gran Arquitecto del Mundo, retablo de Pedro Serra, iglesia de Santa María de Manresa, Barcelona.

na de la catedral de Tarragona o en el *retablo de la catedral de Tortosa*.

No obstante, es en la segunda mitad del siglo cuando Cataluña alcanza un momento de esplendor con una serie de artistas que han aprendido el estilo francés e italiano. Es el caso de **Jaime Cascalls** (activo entre 1345 y 1377), escultor muy vinculado a la figura del rey Pedro IV a quien se deben algunos de los sepulcros reales de Poblet. O de **Guillermo Morell**, activo en Gerona entre 1375 y 1396, en cuya catedral labró una de las obras más delicadas de todo el período como es el *Sepulcro de la condesa Ermesinda*. O de **Pere Moragues** (documentado entre 1358 y 1387/88, año de su muerte), autor del espléndido *Sepulcro del arzobispo Lope Fernández de Luna* (Seo de Zaragoza), en cuya obra se detectan ya los ecos borgoñones que habrán de caracterizar la escultura del siglo XV.

El dominio de lo lineal

La disolución del muro románico en el ventanal gótico redujo la superficie de uno de los soportes pictóricos más utilizados hasta entonces en favor de las vidrieras, que, en el fondo, no son más que las antiguas pinturas murales transfiguradas por la luz que, al atravesarlas y hacerlas partícipes de la esencia misma de la divinidad, contribuye a crear en el interior del templo un espacio coloreado de carácter simbólico-sagrado situado por encima de la esfera terrenal. En España, esta idea tiene su mejor expresión en la catedral de León, en cuyas capillas y naves se conservan las obras más antiguas del género en la Península, realizadas en el último tercio del siglo XIII probablemente por talleres venidos de Francia para su realización. De la centuria siguiente son otros ejemplos del mismo edificio y de la catedral de Toledo —rosetón norte—, al igual que algunas vidrieras de la catedral de Gerona y el monasterio de Pedralbes, aunque, por la concepción de las figuras y escenas, estas últimas se encuadran dentro de la corriente italiana a la que nos referiremos en el epígrafe siguiente.

No obstante, los soportes tradicionales de la pintura como el muro y la tabla siguen manteniendo su importancia, aunque la irrupción de novedades se produzca de forma bastante más tardía que en la arquitectura o la escultura. Hay que esperar a la segunda mitad del siglo XIII para encontrar obras en las que hayan desaparecido las últimas reminiscencias del estilo 1200, como la decoración de la *Capilla de San Martín* de la catedral vieja de Salamanca —realizada c. 1260 por **Antón Sánchez de Segovia**—, el conjunto aragonés de *Foces*, la *Biblia de Vic* del año 1268 o el *Frontal de Soriguerola* (Gerona).

En los ejemplos citados se manifiesta una nueva corriente estética que, como la precedente, se sigue caracterizando por la preponderancia de la línea en la construcción de la figura —de ahí el nombre de gótico lineal—. Formas planas, colores brillantes, mayor riqueza gestual, expresión de sentimientos, sentido narrativo etc., son otros tantos rasgos que definen este estilo de origen francés, que durante toda la segunda mitad del siglo XIII y buena parte del XIV va a dominar el panorama pictórico de la práctica totalidad de los reinos peninsulares.

Las obras que se podrían citar son numerosas, sobre todo en el ámbito religioso —*Sepulcro de Mahamud*, con representación de plañi-

Retablo de San Marcos, por Arnau Bassa, iglesia de Santa María de Manresa, Barcelona (izquierda). *El Papa Urbano V bendiciendo a Pedro de Aragón y a su esposa Juana de Foix*, por Ramón Destorrents, colección particular (abajo).

deras como en la escultura; *Frescos de la Pía Almoina* (Lérida); *Arca de San Isidro* (Madrid); pinturas de **Teresa Díez** en el convento de las *clarisas de Toro* (Zamora)—. Aunque también se hacen algunas con temática profana —frescos de contenido militar del castillo de *Alcañiz* (Teruel) y del *Salón del Tinell* de Barcelona, *Libro de la Cofradía de los Caballeros de Santiago* (Burgos).

No obstante, el período tiene dos personajes representativos que destacan por encima del resto. El primero es un pintor navarro, **Juan Oliver** (documentado en Pamplona en 1332), en cuya obra para la catedral de Pamplona se evidencia la inclinación del siglo XIV hacia la elegancia y el amaneramiento. El segundo se llama Alfonso X, tiene por sobrenombre el Sabio, es rey de Castilla y de León entre 1252 y 1284, y en su corte trabajó un grupo de excelentes miniaturistas que ilustró los libros escritos por el monarca, entre los que destacan las *Cantigas de Nuestra Señora*, cuyas escenas son un perfecto ejemplo del gusto de la época por la realidad y el detalle narrativo.

La conquista del espacio

Mientras la mayor parte del territorio peninsular seguía los dictados que venían de Francia, una pequeña porción del mismo, Baleares y Cataluña, dirigió su mirada hacia el otro lado del Mediterráneo, donde hombres como el sienés Duccio di Buoninsegna o el florentino Giotto habían iniciado el largo camino que había de conducir al Renacimiento. Ahora ya no es la línea, sino la luz, la que modela y da cuerpo a unas formas que se se mueven y ocupan un lugar en el espacio. Bien es verdad que se trata de un espacio que aún es intuitivo y no está construido conforme a leyes matemáticas, pero con él la pintura abandona el carácter bidimensional que había tenido hasta entonces y se proyecta en profundidad. Esta concepción no sólo afecta a las figuras, sino al paisaje y las arquitecturas que, aun dentro de su ingenuidad, se acercan a la realidad como no había ocurrido hasta entonces.

Detalle de un retablo sobre la *Vida de San Vicente*, por el Maestro de Estimariu, Barcelona, Museo del Arte de Cataluña.

Lo mismo que en la escultura, la introducción del estilo trecentista* se vio favorecida por los vínculos que ligaban a Italia con la corona de Aragón desde que ésta inició su política mediterránea con el rey Jaime I. En este proceso fue importante la llegada de obras italianas —*Políptico de la Pasión* del convento mallorquín de Santa Clara—, así como la presencia de maestros transalpinos en las tierras del levante español —el **maestro de los Privilegios** en Palma de Mallorca, **Francesco d'Orberto** en Tarragona.

Las primeras manifestaciones del nuevo lenguaje figurativo se dan en la corte del breve Reino de Mallorca, en donde trabajan artistas venidos de Pisa o la Toscana a los que se debe el *Libro de los Privilegios* o el *Retablo de Santa Eulalia*.

No obstante, es en Cataluña donde alcanzará un mayor desarrollo. El introductor de las formas italianas fue **Ferrer Bassa** (activo entre 1324 y 1348), pintor del rey Pedro IV al que se ha supuesto una posible formación italiana, y autor de importantes obras de miniatura —*Libro de Horas de María de Navarra*— y de los frescos de la *Capilla de San Miguel* en el monasterio de Pedralbes (Barcelona), quizás con intervención de taller.

En su línea se sitúa su hijo **Arnau Bassa** (documentado entre 1345 y 1348), artista de gran calidad que hizo el *Retablo de San Marcos* (Manresa) para la cofradía de zapateros de Barcelona, o el más mediocre **Ramón Destorrents** (activo entre 1351 y 1362), en cuya *Virgen de Tobed* tenemos un buen ejemplo de la importancia que va adquiriendo la figura del donante en la representación religiosa. Pero con quienes se popularizará el estilo es con la familia de los **Serra** —los hermanos Francisco, Jaime, Pedro y Juan—, autores de múltiples retablos e imágenes de devoción en los que se repite siempre el mismo tipo humano de expresión un tanto melancólica.

El panorama en el resto de España no admite comparación con el catalán, cuya influencia se dejará sentir en los territorios aragoneses y valencianos. En Castilla se observa en el último cuarto de siglo la recepción del modelo italiano, en cuya introducción fue decisiva la presencia entre 1379 y 1386 del florentino **Gerardo Starnina**, que realizó diversas pinturas para la catedral de Toledo. En relación con su actividad está la obra del pintor **Juan Rodríguez de Toledo**, a quien se debe la decoración de la *Capilla de San Blas* en el claustro catedralicio, y el retablo* *del arzobispo don Sancho de Rojas* (Museo del Prado), buena muestra de cómo lo italiano siguió impregnando la pintura castellana durante bastantes años del siglo XV.

EL SIGLO XV

El triunfo de la ornamentación

Detalle del claustro de *Santa María la Real* de Nájera, La Rioja.

A finales del siglo XIV Europa occidental asiste a una renovación que afecta a todos los campos de la creación artística. En arquitectura las formas góticas se ven sometidas a un proceso en el que los valores ornamentales se van imponiendo a los puramente estructurales. Siguiendo la tendencia iniciada en la centuria anterior, se multiplican los nervios secundarios en las bóvedas, creando complejos diseños estrellados que alcanzarán su culminación al introducir las formas curvas en el siglo XVI. En las numerosas claves de las cubiertas se disponen elementos colgantes que en muchos casos se aprovechan para colocar una decoración heráldica que exalte las excelencias del fundador. Junto al arco ojival se emplean otros como los conopiales*, los carpaneles* o los escarzanos* en los que el efecto decorativo es a veces más importante que la función tectónica. Las tracerías de los vanos, y también las que recubren a veces los paramentos murales, se construyen a base de formas sinuosas en las que domina la línea curva. Por todas partes se observa, en definitiva, un gusto por la exuberancia ornamental que tiende a enmascarar el verdadero esqueleto estructural, que apenas sufre modificaciones.

Aunque los primeros ejemplos de la utilización de las formas flamígeras, en forma de llamas, los encontramos en el ámbito catalán —obra de **Guillermo Sagrera** (c.1380-1454) en Mallorca, *fachada de la capilla de San Jorge en la Generalitat de Barcelona*—, será en la Castilla de la segunda mitad del XV donde éstas alcancen su mayor desarrollo. A este respecto, Navarra, con construcciones como la *Catedral de Pamplona* o la *Iglesia de Santa María la Real de Nájera* (La Rioja), se mantiene dentro de planteamientos bastante tradicionales. Y, una vez más, la presencia de maestros extranjeros fue decisiva para dinamizar el hasta entonces alicaído panorama arquitectónico de estas tierras. Poco antes de mediados de siglo trabaja en Toledo **Hanequin de Bruselas** (activo entre 1443 y 1460), que intervino en dos de las obras representativas del nuevo estilo: las *capillas funerarias de don Alvaro de Luna en la catedral de Toledo y de don Pedro Girón en el Sacro Convento de Calatrava la Nueva* (Ciudad Real; destruida en el siglo XIX). En Burgos, por su parte, el arzobispo Alonso de Cartagena debió llamar a **Juan de Colonia** (activo entre 1442 y 1481), a quien se deben, en la catedral, las *torres de la fachada*, con sus agujas caladas, y el *cimborrio* que se derrumbó en 1539, "una de las más fermosas cosas del mundo" en palabras de una de las personas que aún llegó a verlo en pie.

A partir de entonces, las nuevas formulaciones arquitectónicas alcanzaron gran difusión en todo el ámbito castellano, como vemos en la *Catedral de Oviedo* o en los abovedamientos con que se cierran a finales del siglo XV y principios del XVI las catedrales de *Palencia y Sevilla* (esta última iniciada en 1402). Sin embargo, donde su exuberancia decorativa encontró un campo de acción más adecuado fue, además de en los palacios, en los grandes espacios que la nobleza construyó para su enterramiento, en los que el lujo y la ostentación debían ser fiel reflejo del propio poder. Buen ejemplo de ello son la *Capilla de los Vélez* de la catedral de Murcia o, sobre todo, la que **Simón de Colonia** (activo entre 1480 y 1511) hizo a finales de siglo para el Condestable de Castilla en Burgos, cuya bóveda estrellada de plementería* calada sirvió de modelo a bastantes cubiertas de la zona.

El realismo en la escultura

Anunciación, escuela de Jaume Huguet, Zaragoza, Museo de Bellas Artes (arriba). *Retablo de los santos Abdón y Senén*, por Jaume Huguet, iglesia de Santa María, Tarrasa (abajo).

En el año 1394 comienza **Pere Sanglada** la *sillería del coro de la catedral de Barcelona*, para cuya preparación había hecho antes un viaje por Francia y los Países Bajos. Unos años después, entre 1409 y 1411, **Antonio Canet** realiza en el mismo lugar el *monumento funerario del obispo Escales*. En 1411 se documenta la presencia en Navarra de **Johan Lome de Tournai** (activo entre 1411 y 1449), que realizará el *Sepulcro del rey Carlos el Noble y su mujer Leonor de Castilla* para la catedral pamplonesa. En los años treinta del siglo XV se realizan las esculturas de la *Capilla del contador Fernán López de Saldaña* en Santa Clara de Tordesillas (Valladolid) y la *Tumba del cardenal Alonso Carrillo de Albornoz* de la catedral de Sigüenza (Guadalajara). Todas estas obras de fechas y lugares tan diferentes tienen, sin embargo, un denominador común: el conocimiento, en mayor o menor medida, de los avances que se habían producido en el mundo borgoñón a finales del siglo XIV y que afectan no sólo a lo formal, sino a la incorporación de temas nuevos como, por ejemplo, el de los encapuchados que ocupan los frentes de la cama sepulcral.

Se inicia así el camino hacia el realismo que habría de culminar en la segunda mitad del siglo con la recepción de la influencia flamenca en el reino de Castilla. Hasta ese momento fue la Corona de Aragón la que se mantuvo a la cabeza de la producción escultórica peninsular, con nombres tan destacados como los de **Guillermo Sagrera** o **Pere Johan** (activo entre 1418 y 1458), autores, respectivamente, de las esculturas de la *Portada del Mirador de la catedral de Mallorca* y de los *retablos de Tarragona y la Seo de Zaragoza*.

Sin embargo, la situación cambia en los años centrales del XV. En estos momentos tenemos a **Lorenzo Mercadante de Bretaña** (activo entre 1458 y 1467) trabajando en Sevilla, a **Juan Alemán** y, sobre todo, **Egas Cueman** (activo c.1450-1495), hermano de Hanequin, en Toledo, y a **Juan de Colonia** y su taller en Burgos. Al mismo tiempo empiezan a llegar de Flandes numerosos retablos y esculturas exentas que tienen una gran aceptación en los mercados castellanos como el de Medina del Campo. Se crean así las bases del que iba a ser uno de los capítulos más importantes de todo el arte medieval español: la escultura hispanoflamenca. Una escultura realista, expresiva, monumental, que se recrea en la reproducción detallada de los objetos y en los pliegues marcados de las vestimentas. Una escultura que introduce novedades tipológicas, como el bulto del difunto rezando de rodillas —por primera vez en el sepulcro hecho en 1467 por **Egas Cueman** para Alfonso de Velasco en Guadalupe (Cáceres)— o las imágenes de ángeles o salvajes que, con una disposición simétrica, sostienen los numerosos escudos de armas que caracterizan la decoración de la época. Una escultura que se manifiesta en todo su esplendor en portadas, sepulcros de alabastro, grandes retablos policromados y sillerías de coro —que, como sucede en las de Toledo o Plasencia, ocultan en sus partes menos visibles una atrevida iconografía de carácter moralizante en la que se critican los numerosos vicios del clero contemporáneo—. Detrás de ella hay nombres como los de **Sebastián de Almonacid**, **Alejo de Vahía** o **Rodrigo Alemán**. Pero por encima de todos ellos se alza la figura de **Gil de Silóe** (activo c. 1480-1500), escultor de Amberes con formación germánica que se estableció en Burgos hacia el año 1480, donde llevó a cabo una obra excepcional, de técnica minuciosa y gran capacidad creativa, que alcanza su punto más alto en los sepulcros reales y el retablo que realizó para la *Cartuja de Miraflores*, una de las cumbres del arte gótico europeo.

El estilo internacional

También las artes del color conocieron una importante renovación durante el siglo XV, y al igual que sucedía con la escultura, son los territorios de la Corona de Aragón, en concreto Cataluña y Valencia, donde se desarrollan los nuevos presupuestos estéticos de ese estilo europeo de fuerte componente cortesano que tradicionalmente se ha conocido con el nombre de gótico internacional. Pero no será en la corte, sino en el ámbito de la burguesía ciudadana donde encuentre una gran aceptación, motivo por el que, con la excepción de obras como el *Misal de Santa Eulalia* (1403) de **Rafael Destorrents**, apenas encontramos ejemplos de libros ilustrados, el soporte preferido por los grandes maestros del período.

En la obra de **Luis Borrassá** (documentado entre 1380 y 1425), que trabaja en Barcelona, se aprecia ya el carácter amable y elegante de los nuevos tiempos, aunque aún es bastante evidente la herencia del arte trecentista de los Serra, mencionados anteriormente, como se puede ver en el *Retablo de Santa Clara del Museo de Vic*. Muy distinto es el caso de **Bernardo Martorell** (documentado entre 1427 y su muerte en 1452), cuyas obras —*retablos de San Jorge y de San Vicente*— se pueden considerar como prototipos del estilo internacional. Las características de este estilo son: estilización de las figuras, elegancia y amaneramiento en gestos y posturas, ausencia de dramatismo, riqueza del color (que adquiere valor por sí mismo, no en función de la realidad que describe), excelente técnica en el dibujo e interés por el espacio y el paisaje, en el que se presta mucha atención a los elementos anecdóticos.

Retablo dels Consellers, por Lluís Dalmau, Barcelona, Museo de Arte de Cataluña (arriba). *San Jerónimo*, por Jaume Ferrer II, Barcelona, Museo de Arte de Cataluña (abajo).

Por lo que respecta a Valencia, el auge y crecimiento que experimenta en estos momentos favorece un importante impulso de la actividad artística que va a convertir a la ciudad en uno de los principales focos creadores del siglo XV. A finales del siglo XV (1395-1401) había pasado por la ciudad el italiano **Starnina**. Pero aunque se pueden encontrar rastros de su obra en la producción local —*Retablo de Fra Bonifacio Ferrer*—, no será él, sino el pintor alemán **Marçal de Sax** (documentado entre 1393 y 1410), autor del magnífico *Retablo de San Jorge* que conserva el Victoria and Albert de·Londres, quien con su obra marque el camino por el que había de discurrir la naciente escuela valenciana, en la que destacan las figuras de **Pedro Nicolau** (activo entre 1390 y 1408) y **Gonzalo Peris**.

La influencia del foco levantino se deja sentir en todos los territorios de la Corona de Aragón, pero también llega a zonas de la Corona de Castilla, donde la actividad pictórica presenta un panorama mucho más pobre, y en el que durante bastante tiempo seguirán predominando las formas trecentistas. Los principales representantes del nuevo estilo son dos extranjeros que trabajan respectivamente en Salamanca y León en el segundo tercio del siglo: el florentino **Dello Delli**, autor del *retablo de la catedral vieja*, en el que es posible encontrar rasgos quattrocentistas*, y **Nicolás Francés**, en cuyo *Retablo de La Bañeza* (León; actualmente en el Museo del Prado), especialmente en las tablas con escenas de la vida de San Francisco, se pone de manifiesto el gusto por lo accesorio de la pintura internacional.

El Marqués de Santillana en un detalle del *Retablo de la Virgen*, de Jorge Inglés.

La hora de Flandes

Mientras los territorios del levante español están inmersos en las formas cortesanas de lo internacional, un pintor valenciano llamado **Lluís Dalmau** fue enviado por el rey de Aragón en el año 1431 a Flandes para comprar tapices. En 1436 estaba de regreso en Valencia y siete años más tarde, en 1447, se le encarga su primera obra conocida, la *Virgen de los Consellers*. Cuando uno se enfrenta a ella en la sala del Museo de Arte de Cataluña se da cuenta de que se ha producido un profundo cambio. La minuciosidad con que está descrito todo o la riqueza de los colores podrían recordar a lo internacional, pero la precisión con que se captan las calidades de telas y objetos, el realismo de los rostros, el espacio en el que se asientan los personajes, en fin, la sensación de inmediatez que desprende la escena —la misma sensación que produce, por otra parte, la escultura contemporánea— está muy lejos de la irrealidad decorativa de las fantasías del estilo internacional. Además está esa proximidad de los hombres a lo divino, o esa apertura de la habitación hacia paisajes de elevado horizonte.

Detrás de todo ello surge el nombre de Van Eyck, el gran pintor flamenco que había estado en los años veinte por Castilla y al que probablemente Dalmau pintor había conocido durante su viaje por los Países Bajos. Con él aparece un nuevo dominio, el dominio de lo real, que pronto se extenderá por la Península. En 1439 llega **Luis Alincbrot** de Brujas a Valencia, donde por esas fechas trabaja **Jacomart** (1413-1461). En 1455 **Jorge Inglés** acaba el *Retablo de la Virgen* que le había sido encargado por el primer Marqués de Santillana para el hospital de Buitrago (Madrid). Pronto reyes y nobles favorecen este nuevo modo de hacer y empiezan a llegar a España obras de los grandes maestros nórdicos. El modelo flamenco reactivará el panorama de la pintura española, sobre todo de la castellana, y, una vez asimilado, dará lugar a uno de los capítulos más interesantes de la misma: el hispano-flamenco.

LA ESPAÑA MUSULMANA

En los capítulos anteriores hemos intentado mostrar una visión de conjunto de la evolución que las formas artísticas siguieron en los reinos cristianos de la España medieval. Pero, para que este panorama sea completo, ahora debemos ocuparnos de la producción de la otra gran área cultural de la Península, al-Andalus. Así que retrocedamos unas cuantas páginas y situémonos unos ochocientos años atrás.

Año 711. Los musulmanes, ayudados por algunos miembros de la nobleza visigoda, cruzan el Estrecho de Gibraltar. En un breve período de tiempo extenderán su dominio por toda la Península Ibérica. Bueno, por toda no. En los agrestes territorios septentrionales unos pocos se habían rebelado contra los nuevos señores del sur. Pero no merecía la pena perder el tiempo con ellos. Bastantes problemas tenían en su propia casa como para ocuparse de aquel pequeño grupo de bárbaros que habitaban las montañas del norte, lejanas, demasiado lejanas para preocuparse. Más importante era dominar las tensiones y revueltas que enfrentaban a árabes y beréberes.

Bote de marfil de la época califal.

Gracias a Dios que llegó en el 755 a las costas del sur de España Abd al-Rahman (756-788), la persona destinada por la providencia divina para tomar el mando en la Península y convertir a Córdoba en la capital de un emirato independiente del califa de Bagdad.

Esto no quiere decir que los problemas cesasen. La fidelidad de ciudades como Mérida y Toledo siempre estuvo en entredicho. Además, poco a poco los cristianos del norte empezaron a convertirse en una amenaza seria a la que había que empezar a prestar atención. Pero ahora existía un gobierno fuerte y la clase dirigente estaba interesada en promover empresas artísticas que reflejasen su creciente poder. Ahora sí que el mundo andalusí estaba en condiciones de comenzar a escribir sus primeras páginas en el libro de la Historia del Arte.

La Mezquita de Córdoba

Si hay un monumento que refleje en su conjunto la evolución y el nivel alcanzado por las artes durante el período del emirato y el califato cordobés, ése es la *Mezquita de Córdoba*. Fue Abd al-Rahman I quien decidió la construcción del edificio, cuya sala de oración estaba formada por once naves paralelas dispuestas en sentido norte-sur. En él se emplearon numerosos materiales reaprovechados de edificios romanos y visigodos, lo que probablemente condicionó la original solución que se adoptó en altura para sostener la techumbre de madera a dos aguas con que se cubría el edificio: encima de las columnas se dispusieron pilares apoyados en modillones de lóbulos sobre los que descansaban arcos de herradura que sustentaban la cubierta; para reforzar este sistema, partiendo de los capiteles de las columnas se dispuso un segundo orden de arcos, en los que, como en los superiores, su rosca se dividía en dovelas* alternas rojas y blancas.

Como ocurre con el arte omeya de Siria, el o los arquitectos que

Interior del recinto palaciego de *Medina Azahara*, Córdoba.

idearon esta estructura tuvieron muy en cuenta los precedentes locales que les pudieran ser útiles —acueductos romanos, arquitectura visigoda—. Se constituyeron así los elementos característicos de la mezquita que, en lo esencial, fueron respetados en las distintas ampliaciones a que se vio sometida en los dos siglos siguientes. En ellas se modificarán los modillones, se incluirán dovelas trabajadas con decoración vegetal —ya con Abd al-Rahman II (822-852)—, se adosarán columnas a los pilares superiores, se construirá un alminar* en tiempos de Abd al-Rahman III (912-961), el primero de los califas cordobeses, harán su aparición los arcos de herradura apuntados en la última gran ampliación de Almanzor, pero la estructura se mantendrá siempre igual, incluso en las obras promovidas por Al-Hakam II (961-976). Es entonces cuando el arte califal alcanza un extraordinario grado de lujo y refinamiento decorativo, como vemos en la zona de la maqsura* y el mihrab*, con profusión de mosaicos, mármoles, arcos polilobulados*, bóvedas con nervios que no se cruzan en el centro... en el que son visibles no sólo los influjos del mundo oriental, sino las referencias al mundo clásico y los contactos mantenidos con Bizancio, de donde se hizo venir a los artistas que se ocuparon de la realización de los mosaicos.

Fuera de Córdoba es más bien poco, por no decir nada, lo que nos ha llegado de esta época. Sin embargo, una pequeña mezquita de barrio como la toledana de *Bab al-Mardun*, fechada en el año 999, nos muestra en sus nueve cúpulas con nervios, en las que la función decorativa ha suplantado a la constructiva, cómo las soluciones califales tuvieron su reflejo en otras ciudades de al-Andalus.

Del otro gran edificio de este período, el *Palacio de Medina Azahara*, sus ruinas apenas nos permiten reconocer la complejidad de sus funciones y trazado, su disposición en terrazas o la importancia que en él tuvieron el agua y los jardines. Los restos de alguna de sus es-

tancias principales como el llamado *Salón Rico*, lo mismo que los espacios de la mezquita vinculados a la figura de Al-Hakam II, nos permiten comprobar cómo la decoración vegetal, fuertemente influida por el mundo bizantino, ha perdido el carácter naturalista de sus antecedentes clásicos para convertirse en un mundo de formas planas y estilizadas, y perfiles muy marcados en el que priman los valores ornamentales.

Detalle del interior de la *Mezquita de Córdoba* (arriba). Fachada del palacio de *Medina Azahara* (abajo).

La época de los taifas

Tras la muerte de Al-Hakam II se inicia la decadencia del califato cordobés que acabará con su desaparición definitiva el año 1031. Este hecho provoca la fragmentación política del territorio andalusí en reinos independientes llamados taifas, en los que, a partir de ahora, sus respectivas cortes desarrollarán programas artísticos que sean capaces de reflejar su recién estrenada situación. Es la hora de ciudades como Toledo y Zaragoza, en las que conocemos por las fuentes la existencia de importantes edificios civiles y religiosos. Pero la reconquista cristiana acabó prácticamente con todos ellos. En la ciudad del Tajo, por ejemplo desaparecieron la mezquita y el alcázar.

La situación en la capital aragonesa no es muy diferente, pero aquí al menos se ha conservado el *Palacio de la Aljafería,* si bien bastante modificado por las reformas sufridas en época de los Reyes Católicos y los usos militares a los que ha estado destinado hasta el siglo XX. No obstante, el oratorio o sus patios son buenos indicadores de los caminos seguidos por el arte musulmán tras la caída del califato.

En general, nos encontramos con una continuación del vocabulario cordobés, al que se superponen influencias procedentes de otros países de la comunidad islámica mediterránea, y todo ello haciendo hincapié en los valores puramente decorativos, que ocultan y diluyen los estructurales: arcos lobulados y entrecruzados de imposible tectónica, complejo diseño ornamental, muros y elementos arquitectónicos cubiertos por una delicada decoración vegetal e inscripciones de fuerte componente geométrico, etc. Es cierto que los mármoles se han sustituido por los estucos, pero en absoluto se observa una bajada en la calidad de los artesanos que los trabajan. Y aunque en edificios más funcionales como el *Bañuelo* granadino se observa una sobriedad más acorde con su finalidad, los restos del llamado *Cuarto de Granada de la alcazaba de Málaga* testimonian que la exuberancia del pala-

Jardines del Partal y *Torre de las Damas* dentro del conjunto de *La Alhambra*, Granada.

cio zaragozano no era un caso excepcional dentro del panorama artístico de los reinos de taifas.

El influjo norteafricano

Los reinos cristianos no desaprovecharon la oportunidad que les presentaban los debilitados reinos de taifas para dar un fuerte impulso a la reconquista, y en el año 1085 el rey Alfonso VI conquista la emblemática ciudad de Toledo, mientras en 1118 Alfonso I de Aragón toma Zaragoza. Esta situación motivó la alarma de las divididas cortes andalusíes que, ante el temor de que el avance les afectase, decidieron llamar en su ayuda a los poderosos imperios que se habían formado en el norte de África.

Primero fueron los almorávides (1070-1146), luego los rigoristas almohades (1146-1232). Entre ambos lograron frenar a los cristianos, hasta que la victoria de estos últimos en la batalla de las Navas de Tolosa (1212) les abrió definitivamente las puertas de Andalucía. Sin embargo, su presencia en la Península no sólo tuvo consecuencias políticas. A partir de este momento se establece una comunidad cultural entre al-Andalus y el Magreb que se reflejará en hechos como la actividad de artesanos andalusíes en los territorios del otro lado del Estrecho o la importación a la Península de nuevas formas artísticas en las que aún es reconocible la herencia de Córdoba, aunque dentro de una evolución que rompe con el barroquismo que se observaba en el período anterior.

Poco es lo que nos han dejado los almorávides a su paso por la Península. Apenas los restos de una villa rural en el término murciano

Patio de los Leones, en *La Alhambra*, Granada.

de *Castillejo de Monteagudo*, cuyo patio rectangular, con un jardín de crucero y fachadas únicamente en los lados menores, presenta una tipología que tendrá importante influencia en la posterior arquitectura civil de al-Andalus.

En este sentido, es más importante el legado almohade, que recoge muchas de las soluciones arquitectónicas y decorativas de sus predecesores. Es en este período cuando Sevilla, elegida como capital por los nuevos señores, juega el papel que antiguamente había tenido Córdoba. De su mezquita y de su alcázar se han conservado partes relativamente pequeñas —*Patio de los Naranjos* en la catedral, *Patio del Yeso* en el alcázar—, pero suficientes para hacernos una idea de las novedades que caracterizan al período. Así vemos que las columnas son sustituidas por pilares, que se generalizan los arcos de herradura apuntada, que se introduce la sebka o red de rombos como principal motivo decorativo, que hacen su aparición los mocárabes* en la decoración de las bóvedas, y que se observa una mayor simplificación y rigor compositivo de la ornamentación respecto a períodos anteriores.

El ejemplo que mejor encarna el espíritu de los nuevos tiempos es, sin duda, la torre catedralicia de la Giralda, antiguo alminar de la mezquita, no sólo porque en él se resumen muchas de las características que acabamos de enumerar, sino porque su estrecho parentesco con otros alminares marroquíes —*Kuttubiya* de Marrakech, *Torre Hassan* de Rabat— nos muestra la estrecha vinculación que existía en estos momentos entre las manifestaciones artísticas a ambos lados del Estrecho.

El canto del cisne del arte hispanomusulmán

Tras la derrota almohade de las Navas y las posteriores conquistas de Fernando III, el poder islámico quedó reducido al reino de Granada, cuyo trono fue ocupado por la dinastía nazarí desde el año 1238 hasta la definitiva victoria cristiana de 1492. Aún faltaban más de doscientos años para ello, tiempo suficiente para que, a pesar de su progresivo debilitamiento militar y político, el mundo musulmán diera sus últimos frutos artísticos en suelo español.

El lugar elegido por los soberanos granadinos para ubicar su residencia fue la colina de La Alhambra, un imponente recinto defensivo en cuyo interior había una auténtica ciudad dividida en barrios que ocupaban las guarniciones y los funcionarios que estaban al servicio de la corte nazarí.

Bronce de la época de los taifas, siglo XI.

No obstante, es en los palacios oficiales donde se muestra todo el esplendor de su arte. De los seis que configuraban el primitivo conjunto se han conservado prácticamente en su integridad los levantados por Yusuf I (1333-1354) y Muhammad V (1354-1359). Se trata del *Cuarto de Comares*, zona oficial cuya disposición y organización estaba pensada para dotar de una adecuada puesta en escena la presencia del sultán, y del *Cuarto de los Leones*, un palacio completamente independiente del anterior concebido como una villa rústica para el descanso y el reposo de los miembros de la corte.

En ellos se despliega una exuberante ornamentación que, olvidando el rigor y la claridad de diseño almohades, cubre hasta el último rincón de los muros, ocultando y falseando las verdaderas estructuras arquitectónicas: zócalos de azulejos de rica labor geométrica, bóvedas de mocárabes y cubiertas de madera con decoración de lacerías* de compleja simbología cósmica, inscripciones con textos poéticos y alabanzas a Alá, sebkas almohades con adornos vegetales que cubren los huecos, esbeltas y ligeras estructuras de arcos peraltados* sobre finas columnas de mármol... sin olvidar las pinturas de temática profana con las que un artista cristiano decoró las cubiertas de la *Sala de los Reyes*.

A esto se une el interés puesto en integrar el paisaje en el conjunto, abriendo las estancias a través de ventanas y miradores tanto a los jardines interiores como a los barrios y campos exteriores, sin olvidar la presencia del Generalife, en donde la conjunción de pabellones, miradores, agua y vegetación proporciona un magnífico ejemplo de una arquitectura privada pensada para el placer de los sentidos.

Como es lógico, en un edificio comercial como el *Corral del Carbón* los planteamientos arquitectónicos son bastante más modestos y austeros, pero en otros palacios como el *Alcázar Genil* o el *Cuarto Real de Santo Domingo* volvemos a encontrar el lujo y magnificencia

Detalle de *La Alhambra*.

de La Alhambra. De esta manera tan brillante se despide el arte islámico de la Península. Sus ecos aún se dejarán sentir en el Magreb, como ocurre en las tumbas saadíes de Marrakech, pero ésa ya es otra historia.

El mudéjar

A lo largo de la Edad Media española, hemos hecho referencia a cómo, en determinados momentos, el mundo cristiano incluye en sus obras formas procedentes del arte musulmán. Es evidente que el esplendor del califato o de los reinos de taifas debió ejercer una gran atracción en los habitantes del norte de la Península que además, según avanzaba la reconquista y caían en su poder ciudades como Toledo o Zaragoza, podían comprobar con sus propios ojos la realidad de lo que hubiesen podido escuchar acerca de los grandes edificios de los infieles.

Por otra parte, no conviene olvidar que la relación entre los dirigentes musulmanes y cristianos fue más amistosa de lo que cabía esperar. La estancia de miembros de las familias reales cristianas en alguna de las cortes andalusíes no era un hecho infrecuente. Tampoco debemos olvidar que el héroe castellano por excelencia, el Cid, fue acogido tras su destierro por el rey taifa de Zaragoza. También los productos de lujo de los talleres meridionales tenían gran acogida entre la nobleza laica y eclesiástica. Por consiguiente, las formas de vida de los hispanomusulmanes no eran del todo desconocidas para las gentes del norte.

Así que no es de extrañar que, entre la segunda mitad del siglo XII y principios del XIII, ocurriese lo que tarde o temprano tenía que suceder. Al contemplar el exterior del ábside de *San Tirso de Sahagún* (León), observaremos que la parte inferior se había comenzado en piedra según presupuestos románicos, pero que, en un momento determinado, se decidió cambiar y se continuó en ladrillo. Y que, aunque el aire general del conjunto sigue desprendiendo un aroma románico, la organización del muro con la repetición de arcos ciegos que ocupan toda la superficie apunta un poco más hacia el sur.

La *Torre del Oro* en Sevilla.

Si paseamos por Toledo junto a la Puerta del Sol y nos decidimos a cruzar la muralla interior por la Puerta del Cristo de la Luz, nos encontraremos a la izquierda con la *mezquita* del mismo nombre a la que ya nos hemos referido en páginas anteriores. Probablemente no veremos en ella nada extraño, pero si nos fijamos con un poco de atención, nos daremos cuenta de que, en realidad, a la sala de oración se le ha añadido un ábside de ladrillo, en el que no sólo el material, sino el ritmo repetitivo y la forma de las arquerías ciegas parecen continuar a simple vista la característica musulmana. Y es que el edificio fue concedido en 1187 a la Orden del Hospital y se convirtió en iglesia.

Estamos ante los inicios del arte *mudéjar.* Este es el nombre que se daba a los musulmanes que vivían en territorio ya conquistado por los cristianos, y fue el elegido por Amador de los Ríos en 1859 para designar a aquella arquitectura cristiana que utilizaba en su construcción y decoración formas y técnicas típicamente islámicas. Un término que ha generado numerosas polémicas sobre su contenido y lo apropiado de su uso, pero que hoy, vaciado de su contenido étnico, es representativo de una corriente artística típicamente española que arraigó profundamente en amplios territorios de los reinos de Castilla y Aragón, como muestra el hecho de que, hasta la construcción del convento de San Juan de los Reyes a finales del siglo XV, el único edificio gótico en una ciudad de la importancia de Toledo fuese la catedral; el resto, palacios, iglesias, conventos, etc., eran construcciones mudéjares.

Uno de sus aspectos más característicos es el de los materiales que utiliza: tapial*, mampostería* y, sobre todo, el ladrillo, que, a pesar de que se reconozca también la existencia de un mudéjar en piedra, se ha convertido, por su continua utilización con fines constructivos y ornamentales, en su elemento más representativo. Estos muros de materiales pobres se cubrían posteriormente con revestimientos que iban desde la simple capa de cal hasta las exuberantes decoraciones de yeserías y azulejos de ascendencia islámica en las que poco a poco se irán introduciendo las formas naturalistas de la vegetación gótica. Para cubrir estos espacios, se utilizaba todo tipo de techumbres de madera, desde los sencillos alfarjes* planos hasta las complejas armaduras de paños y con labor de lacería. Sin embargo, la adopción de lo musulmán no se limitó simplemente a unas técnicas y repertorios ornamentales determinados, sino que afectó también a tipologías y estructuras, como ocurre con muchos campanarios aragoneses y toledanos que, con su planta cuadrada con núcleo central alrededor del cual se dispone la escalera o rampa de acceso a la parte superior, son auténticos alminares.

En la configuración del lenguaje mudéjar, tuvieron un papel importante las obras de época califal o taifa que sus artífices tenían más a mano. Pero también las creaciones contemporáneas del mundo almohade o nazarí se convirtieron en fuente de inspiración de su arte, como ocurre, por ejemplo, en el *Alcázar de Sevilla* mandado construir por el rey Pedro I. A veces la identificación con el modelo llega a ser tal, que una obra como la *Capilla de la Asunción* del monasterio burgalés de Las Huelgas se incluye directamente en el capítulo del arte almohade.

Por lo que respecta a sus artífices, no siempre fueron mudéjares en sentido estricto quienes construyeron y decoraron estos edificios, que no sólo tuvieron sus destinatarios entre los cristianos. La comunidad judía también solicitó los servicios de alarifes* para construir sus *sinagogas*, como vemos en la de *Córdoba* o en las toledanas de *Santa María la Blanca* y del *Tránsito*.

Aspecto parcial de los jardines del *Generalife*, Granada.

Su área de expansión abarca prácticamente todo el territorio peninsular, con la excepción del levante y las regiones norteñas. Luego, cada zona concreta presenta sus propias peculiaridades que dotan a su producción de una personalidad propia y diferenciada dentro del conjunto. Es el caso del uso de la cerámica vidriada en la decoración de los exteriores aragoneses, de lo que es buen ejemplo el conjunto de *Teruel*. O de los ábsides de Toledo con series repetitivas de arcos —*Iglesia de San Román*—, donde se usa un aparejo de ladrillo y mampostería que tendrá larga pervivencia en los siglos posteriores.

El éxito de este arte —al que, sin olvidar razones de tipo estético, contribuyeron sin duda la rapidez y economía de su construcción en zonas donde no siempre era fácil encontrar piedra— fue grande, y supera con creces los límites cronológicos y geográficos del presente libro. Sus formas no sólo perviven en el inmediato período renacentista, sino que aún en el siglo XVII un libro como el *Breve compendio de la carpintería de lo blanco y tratado de alarifes* (1633) de Diego López de Arenas, escrito con el fin práctico de explicar cómo se construían aquellas complejas techumbres de madera, da fe del fuerte arraigo de la práctica constructiva mudéjar en la sociedad española de la Edad Moderna. No obstante, a partir del siglo XVI se fue convirtiendo cada vez más en un fenómeno marginal en la Península. Donde aún le quedaba un gran capítulo por escribir era al otro lado del océano, en la arquitectura colonial de la América española.

El ámbito de lo privado

Hasta ahora nos hemos referido casi exclusivamente a los edificios de carácter religioso. También podríamos hablar de cómo los paneles de yeserías* mudéjares se aplican a la decoración de un grupo de sepulcros toledanos como el de *Fernando Gudiel* en la catedral (último tercio siglo XIII). Sin embargo, uno de los capítulos más importantes del arte mudéjar es el de la arquitectura residencial. En este campo, lo gótico tuvo un gran desarrollo en el área catalana y levantina, con un tipo de edificio bastante relacionado con el ámbito mediterráneo. También nos ha dejado restos importantes en el Reino de Navarra, como vemos en el *Palacio Real de Olite*. Sin embargo, no se extendió tanto en el mundo castellano. Si dejamos a un lado los ejemplos de mediados del siglo XII y principios del XIII como el *Palacio compostelano de Gelmírez*, o los restos de las habitaciones vinculadas a la figura de Alfonso IX (1188-1230) en el monasterio de *Carracedo* (León), según nos adentremos en época gótica y nos dirijamos hacia el sur observaremos que cada vez son menos los testimonios de la utilización de las formas europeas en la arquitectura privada. Hay que esperar al siglo XV para que las formas flamígeras sean las protagonistas de fachadas como la del *Palacio de los Momos* (Zamora). Pero aun así, son muchos los casos en los que los exteriores góticos encierran opulentos y fastuosos interiores mudéjares, como ocurría en los *Castillos-palacio de Escalona* (Toledo) y *Belmonte* (Cuenca), o en el *Palacio del Infantado* (Guadalajara) de **Juan Guas**, paradigma perfecto de la fusión de las formas góticas y mudéjares, a pesar de haber perdido sus suntuosos salones interiores. Esta capacidad de crear lujososos espacios representativos, adecuados para la ostentación del poder real y nobiliario, debió ser una de las causas por las que las clases dirigentes eligieron mayoritariamente la estética mudéjar para sus residencias. Palacios reales —*Alcázar de Sevilla*, *Palacio de Tordesillas* (Valladolid), interior del *Alcázar de Segovia*—, palacios de la nobleza —edificios toledanos de fines del siglo XIV y del XV, como el llamado *Taller del Moro*—, palacios del clero —restos del *Palacio arzobispal de Toledo*—, residencias de órdenes militares —*Palacio maestral de la Orden de Calatrava* en Almagro (Ciudad Real)—. En muchas ocasiones, siguiendo la costumbre musulmana, nos encontramos ante edificios cerrados en sí mismos, que guardan toda su riqueza en el interior. En otras, el exterior ya es en sí mismo una obra de arte, como vemos en esa joya de la arquitectura civil que es el castillo de Coca (Segovia), realizado todo en ladrillo, en el que lo militar ha cedido su lugar a lo estético.

Este es el marco en que va a transcurrir la vida cotidiana de las clases altas castellanas. En él las decoraciones de las techumbres, los zócalos de azulejos y los frisos de yeserías de los muros, los patios, los jardines... todo estaba concebido para el disfrute de los moradores de la casa. Unos moradores que no sólo vivían en un entorno musulmán, sino que habían adoptado en muchos casos su modo de vida, como cuentan sorprendidos los viajeros que recorren la España del siglo XV.

Las artes industriales en la España medieval

Junto a las grandes obras de arquitectura, escultura y pintura, a lo largo de toda la Edad Media nos encontramos otras más pequeñas de tamaño, pero no de calidad, en las que rara vez fijamos nuestra atención. Se trata de las telas, marfiles, esmaltes y piezas realizadas con metales y piedras preciosas que decoraban los interiores de palacios y templos.

La España musulmana se mostró bastante activa en esta faceta des-

Detalle de la fachada del *Palacio del Infantado*, Guadalajara.

de los tiempos del califato cordobés, como ponen de manifiesto los botes y cajas de marfil con escenas cortesanas realizados por los talleres de Córdoba y Cuenca, cuya decoración animal y vegetal jugó un papel importante en la configuración de la iconografía del mundo románico. Por su parte, los jarrones azules o de reflejos metálicos del período nazarí son buenos ejemplos del nivel alcanzado en el campo de la cerámica, donde la huella islámica se dejará sentir con fuerza en la producción posterior de centros como el valenciano de Manises.

Pero tampoco el mundo cristiano se quedó atrás. En la época románica se trabajó el marfil en centros como San Isidoro de León o San Millán de la Cogolla, mientras que otro monasterio, el de Silos, destacaba en el trabajo del esmalte. También sabemos por las fuentes que iglesias importantes como las de Ripoll y Compostela adornaban sus altares con frontales hechos en plata. No obstante, fue en la época gótica cuando la platería alcanzó un gran desarrollo tanto en el campo religioso commo en el civil. Nombres como los de **Pedro Bernés** (activo en la segunda mitad del siglo XIV) y el escultor **Pedro Moragues** en la Corona de Aragón o el del alemán **Enrique de Arfe** en la castellana están detrás de algunas de las creaciones más importantes de toda la Edad Media hispana. Con ellos se inicia uno de los capítulos más brillantes de la Historia del Arte español, que en los siglos siguientes iba a seguir produciendo obras de excepcional calidad.

ACTIVIDADES

Sugerencias

Recorrer en todo o en parte el Camino de Santiago y sus alrededores puede ser una buena forma de entrar en contacto con la evolución del arte español de la España cristiana medieval. León, en este sentido, es una buena elección: mozárabe en Santiago de Peñalba, románico en San Isidoro, císter en Gradefes, mudéjar en Sahagún y gótico, con dos concepciones bastante distintas, en las catedrales de León y Astorga.

La colección de pintura románica y gótica del Museo de Arte de Cataluña es una buena opción para comprender el desarrollo e importancia que alcanzó en este campo la Corona de Aragón. Aprovecha para dar una vuelta por la catedral o la iglesia de Santa María del Mar y observar las diferencias existentes entre este gótico y el castellano.

En el caso de la España musulmana no hay duda: son indispensables la Mezquita de Córdoba, la Giralda de Sevilla y La Alhambra de Granada. En Sevilla, de paso, una visita a los Reales Alcázares —un palacio cristiano, aunque tus ojos te hagan creer lo contrario— puede ayudarte a comprender lo que significa el arte mudéjar.

Toledo con su catedral gótica, sus pequeñas mezquitas, sus sinagogas y sus numerosas iglesias y palacios mudéjares es un perfecto ejemplo no sólo de la convivencia de culturas, sino del constante diálogo artístico que se produjo entre ellas.

Retablo de San Juan Bautista, por Juan de Sevilla.

Cronología

S. VIII-IX: Arte asturiano.

S. VIII-s. X: Arte del emirato y del califato de Córdoba.

S. X-primera mitad s. XI: En el arte cristiano, sobre todo en su arquitectura, se detecta una influencia del mundo musulmán.

S. XI: Arte de los reinos de taifas.

Segunda mitad del siglo XI-siglo XII: Arte románico.

Finales s. XI-primera mitad del siglo XII: Arte almorávide.

Segunda mitad del siglo XII-primer tercio siglo XIII: Período de introducción de las formas góticas conocido con el nombre de protogótico; construcción de los principales monumentos cistercienses.

A partir de finales del siglo XIII se inicia en el ámbito cristiano el llamado arte mudéjar.

Segunda mitad siglo XII-primer tercio siglo XIII: Arte almohade.

Segundo tercio del siglo XIII-siglo XV: Arte gótico.

Siglo XIV-XV: Arte nazarí.

Bibliografía

Bango, Isidro: Alta Edad Media. De la tradición hispanogoda al Románico, *Sílex, Madrid, 1989.*

ARTE MODERNO

Entre el Gótico y el Renacimiento

La implantación del Renacimiento pleno

Felipe II y El Escorial

El Greco

La herencia de El Escorial

La gran generación barroca

El siglo XVIII

ENTRE EL GÓTICO Y EL RENACIMIENTO

El problema de los modelos

A finales del siglo XV, **Pedro Berruguete** (hacia 1450-1503) pintó una tabla en la que se resumían perfectamente la enorme complejidad y la multitud de tendencias diferentes entre las que se movía el arte español de su momento. En ella podemos ver a la *Virgen con el Niño* sentada en el interior de una capilla gótica; una capilla como tantas a no ser porque las arquerías de sus lados no tienen los arcos ojivales que cabría esperar, sino unos de medio punto típicamente renacentistas, y porque su techo no está formado por una bóveda de crucería, como sería habitual, sino por un artesonado de clara procedencia islámica. Y la representación resulta aún más complicada si tenemos en cuenta que tanto el modelo en que se inspira la figura de la Virgen como la técnica en que está pintada —al óleo— son de origen flamenco mientras que el espacio arquitectónico se ha construido siguiendo las leyes de una perspectiva líneal que viene de Italia.

Aparición de la Virgen a una comunidad, por Pedro Berruguete, Madrid, Museo del Prado.

Así pues, en una misma obra conviven tres estilos arquitectónicos diferentes: el *gótico*, el *musulmán* y el *renacentista*, y dos maneras diferentes de concebir la obra de arte: la *flamenca* (basada en la exacta representación del aspecto físico de las cosas) y la *italiana* (basada en las reglas de perspectiva lineal). Y, aunque quizá esta obra sea uno de los mejores ejemplos que podríamos encontrar para ilustrar esta situación, no constituye en absoluto un caso excepcional, como iremos viendo a lo largo de este capítulo. Una convivencia de estilos que, incluso, aparecen también en la portada del *Convento de Santa Paula* (1504), obra de **Nicolás Pisano** (activo en 1498-1526), un artista italiano afincado en Sevilla.

Lo gótico, lo musulmán y lo renacentista, lo flamenco y lo italiano constituyen modelos diferentes y muchas veces contradictorios a través de los cuales se va a ir abriendo camino un arte nuevo. Son el reflejo de un país que está completando en estos años la reconquista de su territorio pero que no puede anular de golpe la huella dejada por ocho siglos de presencia islámica, de un país que va a abandonar la Edad Media para iniciar una nueva etapa de su historia, y en el que unas zonas, los territorios de la Corona de Castilla, se encuentran muy ligadas —comercial y culturalmente— a Flandes y al mundo nórdico mientras que otras, los territorios de la Corona de Aragón, lo están al mundo mediterráneo y a una Italia en pleno Renacimiento. Y por qué en cada caso se toman unas u otras como modelo dependerá de muy diferentes tipos de factores.

En unas ocasiones serán razones de tipo *geográfico* las que decidan la elección, y así veremos cómo era lógico que un artista castellano como **Fernando Gallego** (activo desde 1468-hacia 1507) se inclinara en su pintura hacia los modelos flamencos, mientras que uno levantino como **Rodrigo de Osona** (antes de 1564-1501) fuera sensible ante los del nuevo renacimiento italiano. En otras ocasiones la

La Piedad (izquierda). *El martirio de Santa Catalina* (derecha). Ambas obras son de Fernando Gallego y están en el Museo del Prado en Madrid.

elección vendrá determinada por la propia *biografía* del artista y así veremos cómo aquellos artistas que, como **Pedro Berruguete**, **Fernando Llanos** (activo entre 1506 y 1525) o **Fernando Yáñez de la Almedina** (activo entre 1506 y 1536), viajaron por Italia, a su regreso se encontraron marcados por lo que allí vieron y aprendieron. Y en otras ocasiones la razón última para ello habrá que buscarla en los *intereses* concretos de aquellos hombres que encargaron la realización de las obras de arte, por ejemplo las que llevaron a los Reyes Católicos a construir todos sus edificios en esa especial variedad de la arquitectura gótica llamada gótico isabelino, o a la familia de los Mendoza —la más influyente y poderosa de la corte— a levantar sus palacios y fundaciones siguiendo las pautas de la nueva arquitectura renacentista italiana, o al Cardenal Cisneros a potenciar un estilo, el estilo Cisneros, en el que conviven la arquitectura renacentista y la decoración islámica.

El que unos se inclinaran hacia el gótico, y otros lo hicieran hacia el arte mudéjar o hacia el del Renacimiento italiano quería decir únicamente que tenían intereses diferentes y que pretendían que las obras de arte pagadas por ellos los satisficieran. No significaba que unos u otros fueran más o menos *antiguos* o *modernos*, pues en España, a finales del siglo XV, no sólo la arquitectura gótica y la decoración mudéjar estaban lejos de constituir unos estilos ya agotados sino que resultaban extraordinariamente aptos para responder a las nuevas necesidades *—religiosas, políticas y sociales—* que se estaban planteando (lo que se demostrará claramente en el siglo siguiente con la construcción de las catedrales de Segovia y Salamanca, realizadas todavía *en gótico*).

De hecho, los españoles de aquella época ni siquiera eran capaces de ver como algo intrínsecamente distinto el gótico renovado de los Reyes Católicos y la nueva arquitectura italiana que estaban imponiendo los Mendoza: uno y otro podían constituir dos formas distintas de *lo moderno*, pero dos formas igualmente válidas; y como tal aparecen mencionadas en un libro publicado en 1539, la *Ingeniosa comparación entre lo antiguo y lo presente*, de Cristóbal de Villalón,

Virgen con el Niño, por Pedro Berruguete, Madrid, Museo Municipal de Historia

en el que se ponen en pie de igualdad construcciones de los Reyes Católicos, de los Mendoza y de Cisneros como tres caras distintas de una misma realidad. Incluso, entrado ya el siglo XVI, un mismo arquitecto, **Rodrigo Gil de Hontañón** (hacia 1500-1577), es capaz de proyectar sus edificios indistintamente en gótico —la *Catedral de Segovia* (1525)—, plateresco —el *Palacio de Monterrey* en Salamanca (1539)— o clásico —*Universidad de Alcalá de Henares* (1543).

No; no eran razones de conservadurismo o de modernidad las que impulsaron, por ejemplo, a los Reyes Católicos a inclinarse por el gótico o a los Mendoza a hacerlo por el renacimiento. Eran razones *políticas*: los Reyes Católicos, en pleno proceso de mantener con firmeza la autoridad real, necesitaban un *arte oficial* que permitiera identificar fácilmente las construcciones levantadas por ellos y que al mismo tiempo se mantuviera lo suficientemente vinculado con la tradición para no romper todos los lazos con el pasado. Por ello, durante los años que duró su reinado, Isabel y Fernando fueron extendiendo por todo el territorio de sus reinos un importante número de construcciones —en su mayor parte iglesias y hospitales— que tienen entre sí un

Vista de la *Cartuja de Miraflores*, Burgos (arriba). Detalle del patio del *Hospital de Santa Cruz* de Toledo, obra de Alonso de Covarrubias (abajo).

indudable aire de familia: los hospitales reales de Santiago de Compostela, Valencia y Granada, el convento de *Santo Tomás* de Ávila, la iglesia de *San Juan de los Reyes* de Toledo y la *Capilla Real* de Granada. Todos ellos tienen en común la convivencia de unas estructuras espaciales muy claras con una decoración suntuosa de la que forman una parte esencial los propios emblemas de la monarquía. Los Mendoza, en cambio, conscientes de la importancia de su familia, lo que querían promocionar era un arte absolutamente elitista que marcara su propia singularidad. Y si los primeros lo encontraron en un gótico profundamente renovado, los segundos lo hallaron en un lenguaje recién importado de Italia, que aún tardaría tiempo en convertirse en habitual.

La pervivencia del gótico

Lejos de ser un arte en trance de desaparecer, el estilo gótico seguía vigente en la España de finales del siglo XV y comienzos del XVI. Y es que, en aquellos años, no sólo se seguía trabajando aún en la conclusión de obras iniciadas a lo largo de la centuria anterior (por ejemplo el remate de las obras de la catedral de Burgos o de los retablos de las catedrales de Sevilla y Toledo) sino que prácticamente la totalidad de las nuevas construcciones realizadas entonces seguían siendo góticas. Góticas eran las encargadas por los Reyes Católicos, pero también la iglesia de *San Pablo* y el *Colegio de San Gregorio* en Valladolid, la *Lonja* y el *Consulado del Mar* en Valencia, la *Seo* de Zaragoza y la catedral de Plasencia (Cáceres), sin olvidar que también eran góticas las nuevas catedrales de Salamanca y Segovia cuyas obras se iniciaron en 1517 y 1525, respectivamente.

Juan Guas (activo 1448-1496), el arquitecto predilecto de los Re-

yes Católicos, murió poco antes de que terminara el siglo, pero aún siguieron activos muchos otros arquitectos que, como **Enrique Egas** (activo desde 1490-1534) o **Simón de Colonia** (1440-1511), eran de ascendencia nórdica. Aunque todos ellos procedían de familias de artistas y se habían formado en las tradiciones del gótico del norte de Europa, no mantuvieron la imitación de las viejas estructuras, sino que supieron renovarlas en profundidad, tanto desde un punto de vista técnico y formal como decorativo. Las adaptaron a las nuevas necesidades de la época e hicieron de este nuevo estilo gótico un arte apto para satisfacer a las demandas de la Iglesia, de la monarquía y de la nobleza.

Desde el punto de vista técnico, la renovación más importante que se produjo fue la difusión de la bóvedas estrelladas* y tabicadas adoptadas para las cubiertas. Desde el punto de vista formal podrían señalarse la difusión de las torres de agujas caladas* y los grandes cimborrios flamígeros* (como el de la catedral de Burgos, derrumbado en 1539 y reconstruido inmediatamente después (1550) por **Felipe Bigarny** y **Juan de Vallejo**). En este terreno las novedades principales tuvieron lugar en la adopción de nuevas tipologías, especialmente en el terreno de la arquitectura religiosa y hospitalaria. En el primer caso, la estructura tradicional de la iglesia medieval española, con un interior dividido en tres naves siendo la central más elevada que las laterales, se fue abandonando en favor de nuevas soluciones: o bien iglesias de varias naves pero iguales en altura, como sucede en las catedrales de Zaragoza y Plasencia, o bien iglesias de una nave única con un gran coro a sus pies y un crucero muy desarrollado, como las adoptadas en las fundaciones de los Reyes Católicos. En ambos casos la renovación se había producido adaptando unos modelos —el de la iglesia de salón (*Hallenkirche*) alemana o el de la iglesia de predicación— que existían anteriormente en la arquitectura gótica europea; sin embargo, en el segundo caso —el de la arquitec-

Fachada de la *Universidad de Alcalá de Henares*, obra de Rodrigo Gil de Hontañón (arriba). El *Cardenal Cisneros*, impulsor de la Universidad Complutense (abajo).

tura hospitalaria, que tanta importancia tuvo en la España de finales del siglo— lo que se hizo fue adaptar al lenguaje gótico una nueva tipología —la del hospital en forma de cruz— desarrollada por el Renacimiento italiano.

Desde un punto de vista decorativo, la capacidad de renovación que demostró este gótico final fue enorme, mostrándose capaz de asimilar perfectamente las novedades que podían encontrarse tanto en el arte mudéjar español como en el nuevo lenguaje renacentista que estaba empezando a llegar de Italia. En el primer caso nos encontraríamos frente a un edificio tan emblemático del reinado de los Reyes Católicos como es la iglesia toledana de *San Juan de los Reyes*, donde pensaron instalar sus sepulturas antes de conquistar Granada; en el segundo ante el fenómeno conocido como Plateresco.

La pintura hispanoflamenca

Si al concluir el siglo la arquitectura gótica gozaba de muy buena salud, también gozaba de ella el arte figurativo de procedencia flamenca que alcanzó uno de sus momentos de máximo esplendor con la llegada, a finales de la década de los noventa, de dos artistas procedentes del norte: el escultor **Felipe Bigarny** (hacia 1470-1542) y el pintor **Juan de Flandes** (activo en 1496-1519).

Cuando Bigarny llega a España y se instala en Burgos en 1498, su arte se encuentra profundamente marcado por el mundo borgoñón, que constituye el elemento fundamental de su escultura, aunque, a veces, incorpore algunos elementos del Renacimiento italiano como las arquitecturas que aparecen en sus relieves para el *Trascoro de la catedral de Burgos* (1498). La larga vida del escultor, que muere casi a mediados del siglo XVI, le permitirá incorporarse plenamente al Renacimiento, pero, sin embargo, no sucedió nada parecido en el caso de **Juan de Flandes**, pues cuando murió en 1519 su arte seguía manteniendo un tipo de pintura básicamente flamenca en la que los elementos renacientes se limitaban únicamente a algunos detalles arquitectónicos.

La reina Isabel sentía una atracción especial por la pintura flamenca, de la que fue una importante coleccionista. Siempre mostró un enorme interés por conseguir los servicios de algunos pintores del norte que fueran capaces de suministrarle aquellas obras de arte —retratos y cuadros de devoción— que necesitaba para su servicio y que los artistas españoles no estaban en condiciones de producir con los niveles de calidad que requería la corte. **Juan de Flandes**, discípulo de Hugo van der Goes, fue uno de estos artistas que acudieron a su llamada: la primera vez que aparece mencionado el nombre de **Juan de Flandes** es en relación con las obras que se estaban realizando en la Cartuja de Miraflores (1496), convertida en panteón de los reyes de Castilla, y hasta la muerte de Isabel la Católica la mayor parte de su trabajo estuvo relacionado con la reina para quien pintó su famoso *políptico* (1496-1504) y algunos retratos.

Por su condición de flamenco y de artista cortesano, **Juan de Flandes** constituye un caso excepcional dentro del conjunto de la pintura española de fines de siglo que, aunque seguía los modelos procedentes de los Países Bajos, se vio obligada a modificarlos para poder atender a las demandas y necesidades de una clientela que normalmente solicitaba grandes tablas para retablos más que pequeños cuadros de devoción. Por eso la pintura hispanoflamenca, hecha para ser contemplada desde lejos y en el interior de una iglesia, pierde, respecto a la del norte, su precisión en el detalle —precisión que, por otra parte, normalmente no se iba a poder apreciar— y potencia al máximo sus tendencias más patéticas.

El mejor representante de esta pintura hispanoflamenca en Castilla es **Fernando Gallego** (activo en 1468-1506) que alcanzó altos niveles de dramatismo en temas como los de la *Piedad*, muy cercanos a los modelos de Van der Weyden, o el *Martirio de Santa Catalina*, cuya comparación con una obra similar, la *Degollación del Bautista*, pinta-

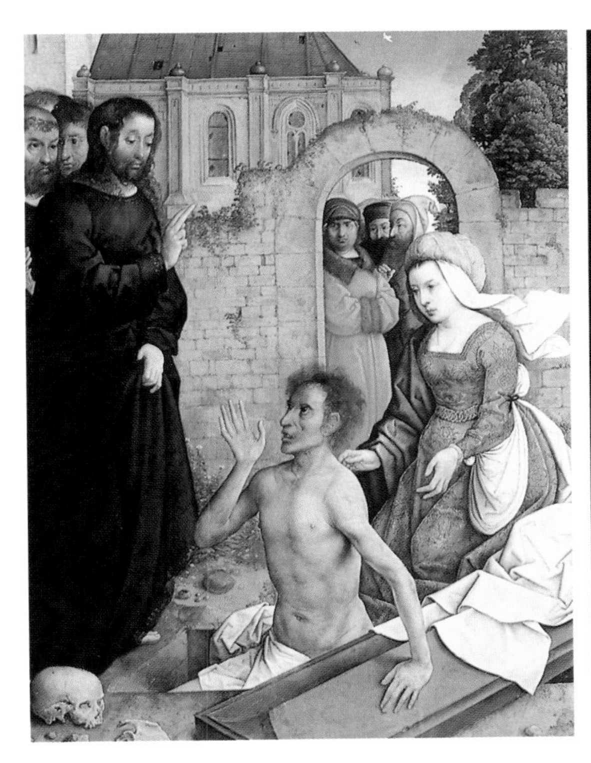

La resurrección de Lázaro, por Juan de Flandes (izquierda). *Isabel la Católica*, atribuido a Juan de Flandes (derecha). Ambas obras en el Museo del Prado.

da por Berruguete —mucho más preocupado por la construcción perspectiva y racional del espacio que por provocar emociones— resulta sumamente instructiva para ver las líneas diferentes por las que transcurría la pintura de ambos artistas. Aunque la práctica totalidad de su arte es religioso, Gallego fue uno de los primeros artistas españoles en afrontar un tema decididamente humanista al decorar con un *Zodíaco* el techo de la Biblioteca de la Universidad de Salamanca.

Mientras Gallego trabaja en Castilla, en los territorios de la Corona de Aragón lo hace **Bartolomé Bermejo**, que en el retablo de *Santo Domingo de Silos* (hacia 1467) da una nueva monumentalidad a la figura del santo, cuyas vestiduras, labradas en relieve, están ricamente trabajadas en oro. El mismo autor en la *Piedad Desplá* (1486) realiza una escena donde la concepción general del cuadro, plenamente flamenca, deja entrar ya algunos elementos de procedencia italiana en el paisaje. Algo que no puede resultar extraño en un artista que trabaja en el levante español, donde la proximidad con Italia hacía fáciles los intercambios, y donde nos encontraremos con la presencia de otros artistas, como **Rodrigo de Osona** (activo desde 1463-1501) y **Jaime Huguet** (1414-1492), que son de formación hispanoflamenca, pero también se dejan seducir por algunas novedades de procedencia italiana; un buen ejemplo de ello lo constituye el retablo del *Calvario* de **Rodrigo de Osona**, donde en medio de un paisaje típicamente flamenco conviven figuras tomadas de la pintura de Van der Weyden, el grupo de las Marías, con otros, los situados a la derecha, cuyo origen se encuentra claramente en la obra de Mantegna.

El plateresco

El nombre de "plateresco" deriva del trabajo de la plata, y con él se quería aludir al carácter extremadamente decorativo (como si se tratara de obras de orfebrería, de obras realizadas por "plateros") que tuvo la arquitectura española durante las primeras décadas del siglo XVI. Una arquitectura hiperdecorativa que había tomado la casi totalidad de sus motivos del Renacimiento italiano: las columnas abalaustradas, los candeleros y los grutescos empezaron a recubrir las portadas, los marcos de las ventanas y las cornisas de los edificios, dándoles un nuevo aire italianizante y moderno.

Se trataba de un lenguaje decorativo nuevo, "romano" —como se le llamaba entonces—, pero no de una solución arquitectónica nueva; y si tradicionalmente se ha venido considerando esta arquitectura "plateresca" como la fórmula profundamente original con la que se sumó España al fenómeno del Renacimiento, en la actualidad tiende a verse más bien desde una perspectiva diferente: como una arquitectura en la que las estructuras y las formas de organización góticas no han desaparecido, sino que, simplemente, han quedado disimuladas bajo una decoración postiza. En este sentido la incorporación de unos motivos decorativos determinados a unas estructuras procedentes de códigos distintos no sería distinta en este caso a lo que hizo **Juan Guas** en *San Juan de los Reyes*, incorporando elementos de procedencia mudéjar a un edificio gótico, o a su combinación con motivos renacentistas tal y como se presentaban, por ejemplo, en los palacios sevillanos de la *Casa de las Dueñas* o la *Casa de Pilatos* o, algo después, en el llamado *estilo Cisneros* en donde las yeserías de procedencia islámica se aplican sobre unas estructuras a la italiana tanto en la *Sala capitular de la catedral de Toledo* (1504-1512) como en el *Paraninfo de la Universidad de Alcalá* (1516).

Consideremos sólo tres de los ejemplos más característicos de esta arquitectura plateresca: las fachadas de la salmantina iglesia de *San Esteban* (1524), obra de **Juan de Álava**, la de la *Universidad de Salamanca* (1529) y la del *Hospital de la Santa Cruz* de Toledo (hacia 1524), obra temprana de **Alonso de Covarrubias** (1488-1570). En los tres casos, todos los elementos decorativos pertenecen al mundo de lo italiano, pero, si nos fijamos bien, en el primero de ellos la decoración se encuentra aplicada sobre la estructura tradicional de las portadas retablo típicamente góticas, en el segundo aparece dispuesta a la manera de una decoración colgante de claro origen mudéjar, y, en el tercero, algunos de los elementos decorativos —por ejemplo las columnas que se curvan para adaptarse a la forma del tímpano de la puerta— han perdido por completo su lógica constructiva.

En estas arquitecturas se estaba produciendo una adaptación de un

Santo Domingo de Silos, detalle, por Bartolomé Bermejo, Madrid, Museo del Prado.

lenguaje ornamental renacentista a unas estructuras góticas. Algo muy similar estaba sucediendo al mismo tiempo en el terreno de la pintura y la escultura donde se siguió manteniendo la estructura tradicional del *retablo* gótico —perfectamente adaptado a las necesidades de un arte, ante todo, narrativo— aunque las escenas pintadas o esculpidas, así como su decoración arquitectónica, adoptaran elementos tomados del nuevo mundo italiano. Incluso todavía, en los retablos de **Damián Forment** (hacia 1480-1541) en las catedrales de Huesca y Zaragoza convivirán unas figuras plenamente renacentistas con un marco arquitectónico que sigue siendo gótico en todos sus elementos.

La adoración de los pastores, por Rodrigo de Osona, Madrid, Museo del Prado.

Esta pervivencia de una arquitectura gótica enmascarada, que supone, en realidad, el plateresco, no es algo exclusivamente español, sino que se pueden encontrar fenómenos similares en la arquitectura portuguesa —el llamado *estilo manuelino*— o en la francesa; y, de hecho, esta última ejerció cierto peso sobre algunos arquitectos españoles como **Esteban Jamete** y **Juan Picardo**, franceses de origen, **Juan de Badajoz** o los hermanos **Juan y Jerónimo Corral Villalpando** que unieron influencias francesas a las italianas en sus obras rica y fantásticamente decoradas con adornos de yeso policromado, siendo las más importantes las de la *Iglesia de Santa María* (1536 y 1544) en Medina de Rioseco (Valladolid).

La obra de todos estos arquitectos, alguno de los cuales conocen la arquitectura italiana de **Serlio** —al menos a través de la imprenta, pues ya había edición castellana de sus libros—, supone una prolongación del plateresco hasta los años centrales del siglo. En este momento ya se estaba practicando otra arquitectura mucho más clásica, que, como veremos, se había ido desarrollando de la mano de algunos arquitectos españoles que habían regresado a España a finales de la segunda década del siglo.

La introducción del Renacimiento en España

En realidad, los primeros ejemplos del Renacimiento italiano habían llegado muy pronto a España, y en fechas tan tempranas como las de 1417-1420 un artista procedente de Florencia, **Julián Florentino**, había esculpido los relieves del *Trascoro de la catedral de Valencia* en el más puro estilo de Ghiberti. Sin embargo aún tendrá que transcurrir medio siglo antes de que, como ya hemos señalado páginas atrás, la familia de los Mendoza busque en la nueva arquitectura a la italiana un elemento de diferenciación.

En este sentido resulta significativo que en la primera obra patrocinada por él, el Cardenal Mendoza mande a su arquitecto **Lorenzo Vázquez** (documentado entre 1491 y 1507) introducir determinados elementos "italianos" (el almohadillado*, los grutescos, los capiteles clásicos...) en la fachada de su *Colegio de Santa Cruz* (1487-1491) en Valladolid, un edificio de estructura gótica, para diferenciarlo claramente del otro gran colegio de la ciudad, el contemporáneo *Colegio de San Gregorio*. A partir de este momento todos los edificios construidos por los diferentes miembros de la familia —a pesar de algunas persistencias góticas, como las ventanas geminadas* del *Palacio de Cogolludo* (1492) o de ciertos defectos de proporción, como los frontones* excesivamente elevados de sus casas de Guadalajara (antes de 1507)— tienen un aire inequívocamente moderno e italiano; incluso uno de los Mendoza se hizo traer de Italia, pieza a pieza, un patio entero labrado en aquel país que luego mandó montar en su *Castillo de la Calahorra* (1508) en la provincia de Granada.

Agujas de la *Catedral de Burgos*, por Juan de Colonia.

Sin embargo, pese a su importancia, este arte promovido por los Mendoza tampoco tendrá continuidad y permanecerá como una excepción en una España que aún seguía inclinándose mayoritariamente hacia el lenguaje tradicional de la arquitectura gótica.

No fue muy diferente lo que sucedió en el terreno de la pintura. La manera en que los artistas hispanoflamencos adoptaron las novedades renacentistas llegadas de Italia (unas novedades que muchas veces eran solicitadas por los propios clientes) fue similar a cómo lo hicieron en un primer momento los arquitectos platerescos: como un conjunto de motivos, figuras e ideas más que como un sistema de valores artísticos coherente y formal, cuyas reglas íntimas se les escapaban prácticamente a todos ellos.

Tan sólo se encontraban en situación de entenderla algunos, muy pocos, pintores italianos que, como **Paolo San Leocadio** (1445-1519) llamado por el futuro Alejandro VI, se habían establecido en Valencia y **Pedro Berruguete**, un pintor español que trabajó en Italia al servicio del duque de Montefeltro. Durante su estancia en Urbino, **Berruguete** tuvo ocasión de conocer a uno de los mejores pintores flamencos de su tiempo, Justo de Gante, y de familiarizarse con el estilo desarrollado por los artistas italianos. A su regreso a España, en 1483, tuvo ocasión de poner en práctica todo lo que había aprendido allí en tablas como las de la *Degollación del Bautista* (hacia 1485) o la

Virgen con Niño, ya mencionada, en las que conviven perfectamente los sistemas representativos italiano y flamenco, o en la serie de sus *profetas* de los retablos de Paredes de Nava y Ávila.

Retratos y sepulcros

En los años del cambio de siglo, el arte español era fundamentalmente de carácter religioso, y ello explica de alguna manera la fuerte pervivencia del estilo gótico entre nosotros: quienes encargaban iglesias o imágenes piadosas preferían recurrir a unas fórmulas fuertemente expresivas y suficientemente naturalistas —las góticas—. Por eso no era fácil que el nuevo estilo renacentista se introdujera entre nosotros por este camino; más sencillo era, en cambio, que lo hiciera a través de otros caminos y otros temas, como los del retrato o el sepulcro, que iban a reflejar el nuevo concepto del hombre influenciado por el Renacimiento italiano.

El retrato había aparecido ya en la Edad Media con la figura del donante; pero a lo largo del siglo XV va a experimentar un proceso de emancipación del arte religioso, mediante el cual había nacido, aumentando el tamaño de sus figuras hasta conseguir el mismo que tenían las imágenes sagradas junto a las que aparecían y logrando un espacio propio donde moverse. Un proceso de independencia de lo religioso y de afianzamiento de lo humano que se puede ir siguiendo a través de los diferentes retratos con donantes que nos han llegado de diferentes miembros de la familia Mendoza, como, por ejemplo, el de los marqueses de Santillana pintados por **Jorge Inglés** (activo entre 1455 y 1460) en el *Retablo de los Ángeles* (1455). El final del camino, la aparición del retrato como género propio e independiente, definitivamente desvinculado del arte religioso, se produce a finales del siglo como resultado directo de la voluntad de los Reyes Católicos que atraen a su corte, como retratistas, a los pintores flamencos **Juan de Flandes** y **Michel Sittow** (hacia 1468-1525). Ambos pintores dejaron una galería completa de los miembros de la familia real, representados de tres cuartos y con un minucioso realismo, como era habitual en el retrato nórdico. Estrictamente contemporáneo a ellos, el *Retrato del Cardenal Cisneros*, realizado en alabastro policromado por **Felipe Bigarny** ofrece una solución mucho más clásica al género, al presentar al retratado de riguroso perfil y vestido con una capa con adornos de *candelieri**.

Detalle de la fachada del *Palacio del Infantado* en Guadalajara.

Por las mismas razones, en el terreno de la imagen funeraria se va a producir una evolución mucho más rápida de la que tiene lugar en otros apartados. Y si a mediados del siglo XV nos encontramos con una concepción decididamente humanista del difunto en la tumba del *Doncel* (Sigüenza, Guadalajara) —a quien ya no ha representado como "muerto", sino como "vivo", recostado y leyendo—, en los primeros años del XVI nos encontraremos ya con un conjunto de sepulturas decididamente renacentistas, realizadas todas ellas por artistas italianos. El éxito de esta nueva fórmula, cuyos primeros ejemplos se debieron a encargos, cómo no, de los Mendoza, fue tal que incluso los Reyes Católicos, tan inclinados al arte gótico y a la pintura flamenca, se dejaron seducir por ella y encargaron a **Domenico Fancelli** (1469-1519) la realización de sus propios sepulcros (1517) y el del príncipe Juan (1512). En estas obras Fancelli se apartó del tipo de tumba situada dentro de un arco triunfal para adoptar un tipo de sepultura en forma de túmulo que tendría un gran éxito a lo largo del siglo.

Es en este arte del sepulcro, también, donde se van a producir algunas de las incorporaciones más notables de escultores españoles al lenguaje renacentista. Por ejemplo, **Vasco de la Zarza** (activo en 1499-1524) en el *Monumento del Tostado* (1511), representa al obispo sentado y escribiendo, lo cual refleja la influencia de modelos venecianos conocidos a través de grabados.

La pintura española en los primeros años del siglo XVI

Aproximadamente diez años después de que Pedro Berruguete regresara a su patria, aparece en España otro pintor, **Juan de Borgoña** (activo en 1495-1536), quien en su pintura refleja las tradiciones flamencas de su patria natal con un italianismo plenamente entendido, aprendido en el taller del artista italiano Ghirlandaio. La *Sala capitular* de la catedral de Toledo, pintada por Borgoña entre 1509 y 1511 supone uno de los conjuntos más profundamente renacentistas de la pintura castellana de su momento, tanto por su concepción monumental de la figura humana —incluso desnuda— como por su situación dentro del espacio. Y si comparamos los espacios perspectivos de Juan de Borgoña con el que representa **Alejo Fernández** (1475-1545) —un pintor también de origen nórdico pero establecido en Sevilla— en su *Flagelación* nos podemos dar cuenta de sus diferencias.

Sepulcro del *Doncel de Sigüenza*, catedral de Sigüenza, Guadalajara.

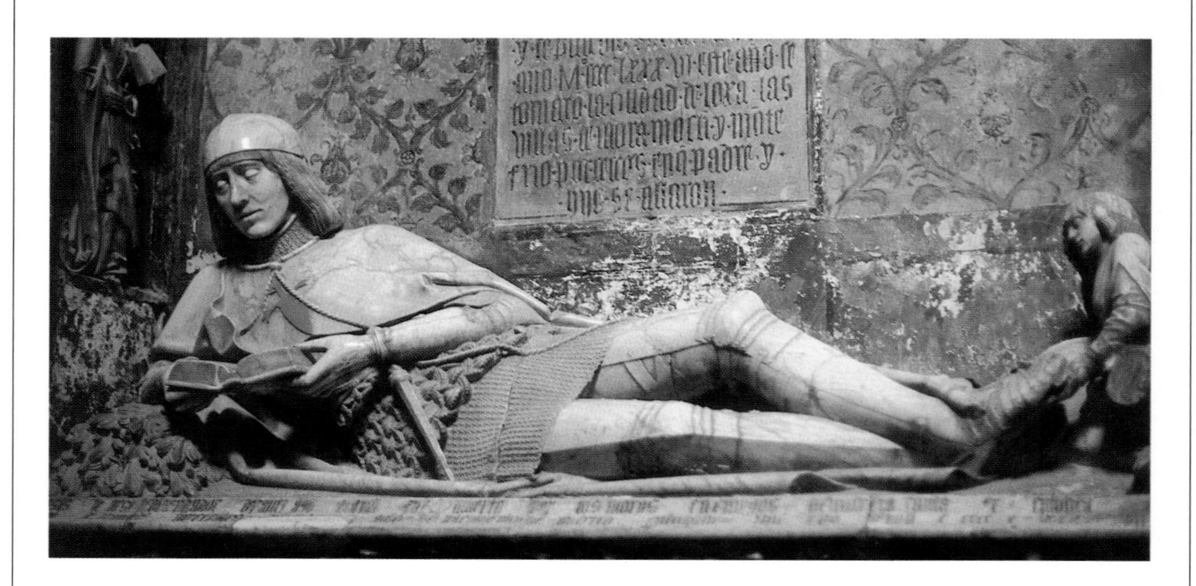

LA IMPLANTACIÓN DEL RENACIMIENTO PLENO

Llegada de artistas desde Italia

La reina de Saba, por Felipe Bigarny, coro de la catedral de Toledo.

De todas maneras, y como era lógico, la ola de italianismo más fuerte que sufre España en estos momentos iniciales del siglo XVI se produce en la zona de levante y coincide con el regreso a Valencia en 1506 de **Fernando Llanos** y **Fernando Yáñez de la Almedina**, dos artistas cuyas obras resultan muy difíciles de distinguir entre sí y uno de los cuales, habría sido discípulo directo de Leonardo da Vinci. Junto al evidente influjo de Leonardo, se puede detectar en su pintura las huellas de muchos otros artistas italianos de aquel momento y entre otras las de Rafael o Giorgione. Tras unos años de trabajo conjunto, los dos pintores se separan y mientras que Yáñez se dirige a Cuenca, Llanos lo hace hacia Murcia. Con ellos España entra ya de lleno en el arte renacentista.

Pero Yáñez y Llanos no fueron los únicos artistas españoles que se habían formado junto a los grandes maestros italianos del Renacimiento, y pocos años después que ellos —a finales de la segunda década del siglo— van a regresar a su país de origen **Bartolomé Ordóñez** (?-1520), **Diego de Silóe** (hacia 1495-1553), **Pedro Machuca** (?-1550) y **Alonso Berruguete** (1488-1561) que importan ya las novedades cinquecentistas* de Bramante o Miguel Ángel, de quienes alguno de ellos llegaron a ser discípulos directos.

En 1517 ya estaba en Barcelona **Bartolomé Ordóñez**, donde realizó los relieves con la *Historia de Santa Eulalia* en el trascoro de la catedral, y dos años más tarde Diego Silóe llegaba a Burgos donde desarrolló una intensa actividad como escultor y dio las trazas para la *Escalera Dorada* de la catedral (1519) y para la torre de la *Iglesia de Santa María del Campo* (1527). Si en la primera integró motivos sacados de Bramante y Miguel Ángel en una construcción muy personal, en la segunda demostró su profundo conocimiento de la arquitectura clásica al plantear la entrada al templo a través de un verdadero arco triunfal.

Y si a esto añadimos que, a partir del cambio de siglo, se multiplicó el número de obras importadas de Italia de artistas como **Pietro Torrigiano** (1472-1528) y el arquitecto y escultor **Jacopo Torni**, también llamado L'Indaco (1456-1526), podemos entender la fuerza, cada vez más importante que irá tomando lo italiano entre los artífices españoles. Por ejemplo en **Felipe Bigarny** que, a partir del momento en que trabaja junto a Diego de Silóe en los *retablos de la Capilla del Condestable* (1523) en la catedral de Burgos, empieza a abandonar sus tendencias borgoñonas hasta llegar a un profundo clasicismo en la *sillería* de la catedral de Toledo (1535).

Carlos V y el clasicismo. Machuca y Silóe

Como era lógico en un hombre nacido y criado en Flandes, las primeras imágenes de Carlos V, entre las que destacan las de **Van**

El martirio de San Esteban, detalle, por Juan de Juanes.

Orley, pertenecen al mundo nórdico. Pero muy pronto se sintió profundamente atraído por el lenguaje del clasicismo renacentista, y desde su llegada a España se rodeó de aquellos artistas que, como **Bartolomé Ordóñez**, **Diego de Silóe** o **Pedro de Machuca** lo representaban. Era una opción hacia lo italiano, sí, pero no una opción indiscriminada hacia todo cuanto venía de Italia (como había sucedido hasta este momento dentro del arte español); sus intereses se orientaban exclusivamente hacia las alternativas clasicistas y no hacia aquellas otras, mucho más emocionales, que encarnaba, por ejemplo, **Alonso de Berruguete**, un artista que, aunque lo intentó en varias ocasiones, no consiguió nunca interesar a Carlos V por su trabajo.

Los primeros encargos del nuevo rey, recién llegado a España, se centraron en la ciudad de Granada, una ciudad a la que la terminación de la Reconquista apenas veinte años antes, había convertido en emblemática. Allí encomendó a **Diego de Silóe** la construcción de una catedral renacentista (1528) inmediata al panteón de la *Capilla Real*, donde reposaban los restos de sus abuelos y de sus padres, cuyos sepulcros encargó a **Bartolomé Ordóñez**, y allí también decidió edificar un palacio al estilo de **Pedro de Machuca**.

El *Palacio de Carlos V* en Granada (1527) es una obra completamente italiana sin ningún reflejo de la arquitectura española inmediatamente anterior: la rígida geometría de su diseño, en el que un patio circular se inscribe en el interior de un edificio de planta cuadrada, supone un conocimiento perfecto de la arquitectura de Bramante y Rafael, de la misma manera que los recursos constructivos —como el poderoso almohadillado rústico o las serlianas* de puertas y ventanas— manifiestan una familiaridad con lo italiano de la que aún estaban muy lejos el resto de sus compatriotas.

Si Machuca había ofrecido una solución clásica al problema del palacio, **Diego de Silóe** hará lo mismo con el tema de la catedral; pero si el primero colocaba su imponente construcción completamente al margen de lo que habían sido los palacios tradicionales de los Reyes Católicos —vinculados siempre a edificios religiosos (como por ejemplo el de Guadalupe, Cáceres) y deudores de la arquitectura islámica—, el segundo lo que hace es realizar un replanteamiento de la catedral, en clave moderna, partiendo de una planta de tipo tradicional —de cinco naves, como las catedrales de Toledo y Sevilla— pero abandonando cualquier tipo de referencia al gótico. Así, las ventanas de sus naves, en lugar de estar cubiertas con vidrieras, dejan pasar una luz blanca, tal y como pedían los teóricos de la arquitectura italiana, y las bóvedas no se encuentran apoyadas por pilares sino por unas columnas de orden clásico y que, para ganar en altura, incorporan un trozo de entablamento tal y como había hecho Brunelleschi en sus iglesias un siglo antes. Muy importantes son también las modificaciones que introdujo en la cabecera, adoptando una de planta circular, cuyas referencias a la arquitectura clásica, y en concreto al *Panteón* de Roma, eran evidentes.

Mientras que la arquitectura de **Machuca**, limitada a aquel único edificio y tan profundamente ajena a la tradición española, no estaba llamada a tener ninguna repercusión entre nosotros, el enorme éxito de la fórmula planteada por **Silóe** determinó la adopción de sus soluciones en las catedrales andaluzas que, como las de Málaga, (1541), Guadix (1541) y Jaén (1548), se empezaron a construir inmediatamente después, y también en buena parte de las que se levantaron en el Nuevo Mundo.

Después de Granada, Toledo —otra de las ciudades emblemáticas de España— recibió la atención del emperador que ordenó la construcción de un nuevo *Alcázar* (1545). Su forma de cubo con torres, en las cuatro esquinas, rematadas por chapiteles* a la flamenca, sería el origen de una tipología a la que se adaptarían en el futuro todos los palacios de los Austrias y buena parte de las construcciones particulares, especialmente en la corte, durante el siglo siguiente. Las cuatro fachadas, con una organización regular de los huecos son de una extraordinaria sobriedad, y tan sólo la portada recibió un tratamiento decorativo significativo, con la presencia de un gigantesco escudo imperial flanqueado por dos heraldos y los grutescos que cubren el arco de la puerta. En el interior hay que señalar la importancia del patio (1550), de doble arquería y de una extremada sencillez clásica, y de la magnífica escalera imperial (1553) que da acceso al piso superior y ocupa todo el ala sur del edificio.

Casi simultáneamente a su trabajo en el Alcázar, **Alonso de Covarrubias** (1488-1570) levantó en Toledo una nueva entrada a la ciudad, la *Puerta Nueva de Bisagra* (1547). Fue realizada como un gran arco triunfal a la italiana y rematada por otro enorme escudo imperial, que deja ver hasta qué punto el arquitecto había acabado por asimilar las lecciones de la arquitectura italiana del siglo XVI, en este caso de Serlio.

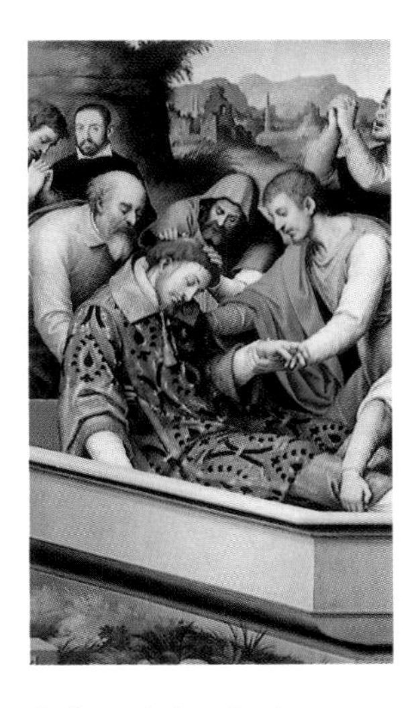

Entierro de San Esteban, detalle, por Juan de Juanes, Madrid, Museo del Prado.

Alonso de Covarrubias

El *Alcázar* y la *Puerta Nueva de Bisagra* eran las obras de un arquitecto que había partido de una concepción plateresca de la arquitectura y había ido evolucionando hacia una concepción más purista de la misma. Platerescas eran sus primeras obras, como el *Retablo de Santa Librada* y el *Sepulcro de don Fadrique de Portugal* (1515), en la catedral de Sigüenza, o la *Portada del Hospital de Santa Cruz*, en Toledo, en donde se aplica un sistema decorativo a la italiana aún no bien entendido en profundidad, como demuestra el hecho de que en Sigüenza cambiara los modelos tipológicos, dando a un retablo la estructura de una sepultura y a un sepulcro de un retablo, o que en Toledo curvara unas columnas, como ya quedó señalado páginas atrás. La *Capilla de Reyes Nuevos* (1531) y la *Portada de San Clemente* (1534) siguen siendo aún obras platerescas, pero, en este sentido, la *Sacristía* de la catedral de Sigüenza (1532) supone un momento de interés especial pues, mientras que su estructura arquitectónica y su bóveda de medio cañón anuncian lo que será su estilo en el futuro, la decoración, profusa y pintoresca, con más de trescientas cabezas esculpidas en ella le siguen vinculando al mundo del plateresco.

Sin embargo, a partir de este momento, **Covarrubias** se empieza a interesar por problemas de carácter estructural al mismo tiempo en que los de tipo decorativo van perdiendo importancia dentro de su concepción de la arquitectura. Así, en el *Palacio Arzobispal* (1535) de Alcalá de Henares, experimenta sobre el tema de la escalera, y en el *Hospital de Tavera* (1541) plantea un edificio de cuatro patios organizados alrededor de una iglesia central completamente clasicista. La obra quedó inacabada, pero tanto la iglesia como los dos patios que se terminaron —unidos entre sí por una crujía (paso) central compartida— ponen de manifiesto cómo se acabó imponiendo el gusto italiano, incluso en una ciudad de carácter tan tradicional como Toledo.

Desarrollo de la arquitectura renacentista en Andalucía. Vandelvira y Hernán Ruiz

La importancia que tuvieron las construcciones promovidas por Carlos V en Granada y la presencia en Andalucía de **Diego de Silóe**, y de **Jacopo Torni**, hicieron que en el plazo de muy pocos años la arquitectura andaluza —que se inclinaba hacia obras de fuerte influencia plateresca, como el *Ayuntamiento de Sevilla*— se encaminara de manera decidida hacia un fuerte clasicismo. Las dos figuras más representativas de esta nueva tendencia fueron **Andrés de Vandelvira** (1509-1575) y **Hernán Ruiz, el Joven** (hacia 1500-?).

Vandelvira tuvo ocasión de trabajar junto a **Silóe** en *El Salvador* de Úbeda, Jaén (1536), donde el maestro hizo una iglesia funeraria para Francisco de los Cobos —el banquero de Carlos V— parecida, en su planta, a la catedral de Granada. Su obra más importante es, sin duda, la *Catedral de Jaén* (1548), pero desarrolló una labor inmensa en muchos de los pueblos de la zona, especialmente en Úbeda y Baeza. **Hernán Ruiz, el Joven**, trabajó sobre todo en Sevilla, donde dejó sus obras principales: el *Hospital de la Sangre* (1560), donde inaugura un tipo de iglesia —la llamada "iglesia de cajón"— que tuvo un gran desarrollo en Andalucía, el cuerpo de campanas de la Giralda (1558), que con el sabio uso que hace de los distintos materiales empleados se integra perfectamente sobre la construcción almohade, y la *Sala capitular* de la catedral (1558). De todas ellas, la más sofisticada es la *Sala capitular*. Forma parte de un grupo de estancias cubiertas donde planteó un conjunto de espacios y cubiertas muy sofisticado y profundamente experimental que busca sorprender al espectador. Son importantes, tanto la forma elíptica de la propia Sala capitular como la utilización que hace de ella del orden, que aparece suspendido a media altura.

La visitación, por Vicente Masip (izquierda). *El martirio de Santa Inés*, por Vicente Masip (derecha). Ambas en el Museo del Prado de Madrid.

La imagen religiosa a mediados del siglo XVI

Frente a las posturas erasmistas, la Iglesia oficial española había apostado por la utilización de las imágenes religiosas como vehículo adecuado para fomentar la devoción de los fieles, explicar las verdades de la fe y servir de complemento a la predicación desde los púlpitos. Por eso vigilará muy atentamente sobre su ejecución y seguirá mostrando sus preferencias por las fórmulas tradicionales de las vidrieras y del retablo porque, por su gran capacidad narrativa, resultaban extraordinariamente aptas para los fines que buscaban quienes encargaban la realización de obras de carácter religioso.

De la misma manera que sucedía con la arquitectura, también en la pintura y en la escultura, incluso cuando se tenían que adaptar a las estructuras medievales del retablo y la vidriera, se fue imponiendo poco a poco y de manera decidida el modelo italiano en todas las regiones españolas. Pero durante toda la primera mitad del siglo, igual que sucedería después, fue este carácter eminentemente religioso del arte español, lo que dio un giro muy especial a nuestro renacimiento, diferenciándolo del italiano. Salvo las pinturas de **Juan de Borgoña** en la catedral de Toledo, en las que narra la *Campaña de Orán* llevada a cabo por el Cardenal Cisneros, apenas hay temas profanos, y mucho menos mitológicos, porque, por razones de *decoro* (o lo que es lo mismo, por la exigencia de dar un tratamiento adecuado a los temas) tampoco aparece apenas el desnudo, aunque, bajo sus ropas, los personajes pintados y esculpidos esconden unos cuerpos que demuestran un buen conocimiento de la anatomía y la proporción.

Santa Cena, por Juan de Juanes, Madrid, Museo del Prado.

Páginas atrás veíamos cómo, poco tiempo después de que se iniciara el siglo XVI, había llegado a Valencia una importante influencia italiana de la mano de **Fernando Yáñez** y de **Fernando Llanos**. Unos modelos italianos que serían rápidamente recogidos por **Vicente Masip** (activo en 1513-1550) y por su hijo **Juan de Juanes** (hacia 1523-1579), que desarrolla una pintura de devoción sencilla y amable en el que predominan temas como los de la *Piedad*, la *Virgen con el Niño* o

Detalle de la *sillería del coro de San Benito*, por Diego de Silóe, Valladolid.

la *Sagrada Familia*. Su inspiración hay que buscarla, sobre todo, en el estilo suave y sentimental de **Rafael** combinado muchas veces con esquemas compositivos procedentes de **Leonardo**, como sucede en la *Última Cena*. Lo mismo sucede con **Luis Morales** (hacia 1510-1586), un pintor extremeño especializado en un tipo de imágenes religiosas, de tamaño reducido y especialmente aptas para la devoción privada, en las que, como hacía con frecuencia **Juan de Juanes**, aparecen "aislados" de su contexto algunos temas o personajes. Si el valenciano gozó de gran popularidad gracias a sus imágenes del *Salvador eucarístico*, el extremeño se hizo famoso por las de la *Virgen con el Niño*, el *Ecce Homo* o *Cristo con la cruz a cuestas*, cuya carga emocional se refuerza al aparecer recortadas sobre un fondo negro uniforme; al prescindir en ellas de cualquier tipo de referencia espacial o temporal, estas imágenes tienen el papel de verdaderos "iconos". Como sucedía con **Juanes**, también hay que buscar en Italia las fuentes de la pintura de **Morales**, que utiliza continuamente el *sfumato* leonardesco y una concepción monumental de la figura procedente de **Miguel Ángel**.

En **Morales** aún existe un cierto estilo flamenco, aunque perfectamente controlado por lo italiano. Pero, sin embargo, esto no ocurre así en **Pedro de Campaña** (1503-1580), un pintor flamenco, viajero por Italia, que cuando se instala en Sevilla se ve obligado, probablemente por imposición de su clientela, a sacrificar la monumentalidad de sus figuras en favor de un dramatismo muy expresivo, como puede apreciarse en su *Descendimiento*. Más próximos a lo italiano permanecen otros artistas como **Pedro de Machuca**, formado en la vecina península y cuya *Virgen del Sufragio* muestra su deuda con **Miguel Ángel**, o **Luis de Vargas** (1506-1568), el pintor más academicista de todos, uno de cuyos cuadros, la *Generación temporal de Cristo* (1561), era conocido como "la gamba" (la pierna) por la sorprendente precisión con que había representado la pierna escorzada de Adán.

Santa Ana, por Juan de Juni (izquierda). Detalle de una escultura de Alonso de Berruguete (derecha). Ambas en el Museo Nacional de Escultura de Valladolid.

Por un lado **Juanes** y **Morales** y, por el otro, **Pedro de Campaña**, representan las dos tendencias por las que fue discurriendo todo el arte figurativo español del siglo XVI: la religiosidad amable y sentimental de los primeros frente a la religiosidad dramática y expresiva del segundo. Pero **Campaña** no es el único en marchar por esta senda por la que caminarán también los dos escultores más importantes de aquel momento, **Alonso Berruguete** (1488-1561) y **Juan de Juni** (hacia 1505-1577) y, más tarde, **El Greco** (1541-1614).

Hijo del pintor **Pedro Berruguete**, y formado en Roma, **Alonso Berruguete** era, a su regreso a España en 1517, un artista plenamente familiarizado con el arte italiano a quien interesaba muy especialmente la subversión de los principios mismos del renacimiento clásico que estaba llevando a cabo **Miguel Ángel**. Adoptando una posición similar frente a la rígida normativa renacentista, **Berruguete** adoptó una postura claramente manierista*, en su doble faceta de pintor y de escultor, que le llevó, entre otras cosas, a someter a sus figuras a unas distorsiones anatómicas que le permitieran conseguir un arte altamente expresivo, que en muchas ocasiones se ha visto como una moderna reelaboración de lo gótico, no siempre correctamente entendido por sus propios contemporáneos. Entre sus obras más importantes habría que incluir los *retablos de Mejorada* (1525) y *San Benito* (1526) y la sorprendente *Tumba del Cardenal Mendoza* donde representó al prelado muerto, algo sin paralelo alguno en la escultura funeraria española de su momento.

Tan interesado como **Berruguete** por conseguir un arte fuertemente expresivo, **Juan de Juni** adoptó una postura menos radical que pudiera ser compatible con su preferencia por las figuras anatómicamente correctas y por las formas clásicas. Instalados ambos en Valladolid, tuvieron ocasión de mantener una larga y fecunda rivalidad. Sus distintas concepciones sobre la escultura se pueden apreciar comparando el *Retablo de San Benito* del primero con el *Retablo de la Antigua* (1540) o el *Santo Entierro* (1544) del segundo, donde, frente a la nerviosa multiplicación de escenas y personajes retorcidos sobre sí mismos de la obra de **Berruguete**, **Juni** optó por un grupo único, de mayores proporciones, que iba a iniciar la renovación profunda, al reducir el número de sus escenas y clarificar su visión.

Ecce Homo, detalle, por Alonso de Berruguete, Parroquia de San Juan, Olmedo, Valladolid.

El enfrentamiento entre **Berruguete** y **Juni** resulta sumamente representativo hasta el punto en que, a estas alturas del siglo, se encontraba situado en debate artístico: la elección de los artistas ya no se basaba, como sucedía a finales de la centuria anterior, entre optar por lo flamenco o por lo italiano, sino que ahora la elección tenía que hacerse entre las distintas posibilidades que ofrecía un arte italiano que ya había dejado de entenderse como monolítico. Así, si la distancia que separaba a **Berruguete** de **Juni** era grande, mucho mayor era aún la que le separaba del clasicismo de **Diego de Silóe** o de **Felipe Bigarny**, como queda de manifiesto al comparar las tallas que dejaron cada uno de ellos en las *sillerías* del convento de San Benito y de la catedral de Toledo, donde tuvieron ocasión de medir sus fuerzas.

FELIPE II Y EL ESCORIAL

Felipe II y el arte

Detalle del exterior del *Monasterio de San Lorenzo de El Escorial*, por Juan de Herrera.

Carlos V era consciente del importante papel que podría desempeñar el arte a la hora de elaborar una imagen plástica de sí mismo y de la monarquía que representaba, y era consciente también de que esta imagen sólo podría ser construida desde el clasicismo. Por eso es por lo que, en los primeros años de su reinado, recurre a aquellos artistas que, como **Ordóñez**, **Machuca** o **Silóe**, estaban en condiciones de satisfacer sus necesidades; y por eso mismo, también, es por lo que recurrirá más tarde, siendo ya emperador y con unas posibilidades infinitamente mayores, a artistas de la talla de **Tiziano** o **Leoni**. Pero, sin embargo, el emperador no fue nunca un gran mecenas ni sintió jamás la pasión por el arte que sentiría su hijo.

Felipe II fue uno de los principales mecenas de su tiempo y un gran coleccionista, profundamente interesado por obras tan dispares como las de **El Bosco** y **Tiziano**. Sus preferencias artísticas personales, que se repartían entre Flandes e Italia, condicionaron el desarrollo de un arte cortesano directamente impulsado por él, y, por extensión, marcaron profundamente los caminos por los que discurriría el arte español de su siglo y de buena parte del siguiente. Y esto por dos razones: una, por el prestigio del arte generado por la corte, imitado luego en otros ambientes; y dos, porque muchos de los artistas que hizo venir de Italia para la decoración de El Escorial se acabaron afincando en España y fueron quienes sentaron las bases definitivas de la pintura española del siglo siguiente.

En las páginas anteriores habíamos visto cómo, desde mediados del siglo XV, el arte español se había encontrado oscilando entre los dos sistemas de representación, flamenco e italiano; en unas ocasiones uno prevaleció a costa del otro, en otras se trató de conseguir un equilibrio entre ambos, pero, en general, eran dos sistemas que se consideraron como independientes. En este sentido, la opción de Felipe II supuso una novedad importante: reconociendo las profundas diferencias que separaban al uno del otro no intentó nunca, en el terreno de las artes figurativas (en el de la arquitectura las cosas son de otra manera), conseguir una síntesis imposible, sino que aprovechó íntegras todas las posibilidades que cada uno de ellos ofrecía para satisfacer las diferentes necesidades del rey. Así, mientras que Felipe II apostó decididamente por un arte religioso de influencia italiana porque le parecía más adecuado a las exigencias de la imagen contrarreformista, Carlos V prefirió inclinarse hacia el arte flamenco a la hora de sentar las bases de un retrato oficial.

Si el rey se sentía profundamente interesado por la pintura, aún lo estaba más en la arquitectura. En su biblioteca podían encontrarse cuantos libros se habían publicado en la materia y llegó a adquirir en este terreno una capacitación tal que podía discutir con sus arquitectos hasta los más mínimos detalles de las obras promovidas por él. La mayor parte de las veces (como, por ejemplo, la adopción de determinados elementos de la arquitectura nórdica —chapiteles, techos de pizarra o jardines a la flamenca— que le habían interesado particularmente durante su estancia en los Países Bajos), son fruto directo de sus indicaciones. Así, de la misma manera que fue la voluntad del rey la que marcó el rumbo tomado por las artes plásticas durante su reinado, fue su voluntad también la que determinó que la arquitectura española, siguiendo los modelos marcados por las construcciones reales, se encaminara definitivamente por la senda del clasicismo.

La construcción de El Escorial

Antes de ser rey, incluso, Felipe II desarrolló una enorme actividad constructiva. Mientras se ocupaba de los asuntos de España durante las largas ausencias de su padre, comenzó a levantar en torno a la que sería su futura capital, Madrid, una compleja red de palacios, casas de campo y jardines que, en algunos casos, suponen no sólo una gran obra arquitectónica sino una modificación importante del territorio a través de plantíos de árboles, trazado de caminos, construcción de presas y canalizaciones de ríos, que, como sucede con el Tajo, se intentan hacer navegables. Se trataba de una gran empresa que requería de los servicios de unos arquitectos —muchas veces son ingenieros los que trabajan para él— con una gran preparación, y para llevarla a cabo Felipe II se vio obligado a integrar la arquitectura dentro del esquema administrativo y crear una figura nueva, la del *arquitecto de las obras reales*, que fue ocupada por **Alonso de Covarrubias**, primero, y por **Juan Bautista de Toledo** (?-1567) y **Juan de Herrera** (1530-1597), después.

Vista del *Monasterio de San Lorenzo de El Escorial*.

De entre estos Sitios Reales, habría que destacar los palacios de *El Pardo*, *Valsaín* y *Aranjuez*, que, con las tres soluciones diferentes que ofrecen al tema de la residencia de campo, ponen de manifiesto la evolución experimentada por la arquitectura cortesana en los años centrales del siglo. Así, mientras que el de *El Pardo*, organizado como un alcázar flanqueado por torres, y *Valsaín*, con su aspecto pintoresco, mantienen un número muy elevado de elementos flamencos y se encuentran desvinculados de la naturaleza y los jardines que los rodean, el de *Aranjuez*, en cambio, el más italiano de todos, está perfectamente integrado dentro de su entorno natural a través de una perfecta gradación entre la naturaleza libre del campo, la naturaleza organizada del jardín, y la arquitectura.

Estos Sitios, construidos en paisajes amenos y ricos en caza, y muy especialmente el de *Aranjuez* (que Felipe II consideraba su residencia favorita), cuyos jardines se encontraban decorados con fuentes y estatuas, estaban destinados al ocio del rey. En cambio, el proyecto más ambicioso del rey, y aquel que centró todas sus preocupaciones durante más de veinte años, el *Monasterio de El Escorial*, tenía un destino diferente. Pues aunque en el Monasterio de El Escorial había un convento, un colegio y un palacio, el lugar era, ante todo, el panteón de la dinastía y tenía, por tanto, un carácter marcadamente simbólico y representativo, en el que no faltan referencias a aquel otro edificio mítico dentro de la tradición judeo-cristiana que era el *Templo de Salomón*.

Sin embargo, además de constituir uno de los grandes emblemas de la monarquía de Felipe II, el monasterio era un edificio vivo, que tenía que permitir el correcto funcionamiento de la vida conventual, colegial y palaciega que iba a tener lugar dentro de sus muros. Un problema complicado que resolvió **Juan Bautista de Toledo**, un arquitecto formado en Italia de donde le hizo volver Felipe II en 1559 para ponerle al frente de las obras reales. Éste organizó todo el edificio alrededor de cuatro patios distribuidos en torno a una basílica colocada en su centro y que constituía el punto de unión entre todas sus partes (otro punto de unión, esta vez sólo entre el colegio y el convento, lo constituiría la biblioteca que salva el espacio que les separa a ambos sobre la fachada principal). Un esquema que, en último término, derivaba de la arquitectura hospitalaria, aplicado a unas nuevas necesidades.

La planta de **Toledo** era perfectamente satisfactoria y se mantuvo inalterada, pero no sucedió lo mismo con el alzado. El arquitecto pensó en un edificio organizado en dos alturas diferentes —dos pisos en la zona delantera (la del colegio y la del convento) y tres en la posterior— y con un número mayor de torres, que le darían al conjunto un aspecto mucho más pintoresco. Sin embargo, este proyecto se rechazó por razones funcionales —el espacio previsto para el convento resultaba insuficiente para las necesidades de la comunidad— y fue **Juan de Herrera** quien dio las trazas definitivas para el monasterio al hacerse cargo de la obra después de la muerte de **Juan Bautista de Toledo**.

Caballero, por Juan Pantoja de la Cruz.

Lo que hizo **Herrera** fue simplemente darle a todo el edificio una altura única, suprimiendo buena parte de las doce torres previstas en el proyecto inicial, que ahora se habían vuelto innecesarias. El resultado que obtuvo con ello fue dar a todo el edificio un nuevo aspecto, pues la iglesia, ahora invisible, había dejado de ser el punto de referencia visual de todo el conjunto para conceder una importancia fundamental a la estructura exterior de las fachadas. Un aspecto, esta vez, cúbico y austero que se vería reforzado por la renuncia a la decoración escultórica (las únicas esculturas de todo el edificio son las de los *Reyes de Judá* en la fachada de la iglesia y la de *San Lorenzo* y el escudo real en la fachada principal), el carácter desornamentado de todos los elementos arquitectónicos y por la voluntad de **Herrera** de limitar el uso de los órdenes arquitectónicos únicamente a las portadas de la fachada principal. Una austeridad y una sobriedad cercanas a la monotonía de las grandes superficies de muros articuladas únicamente por el ritmo regular de las ventanas. Esta estructura convenía tanto por el carácter solemne y funerario del edificio como por los nuevos ideales de la Contrarreforma* que iba a encontrar en Felipe II y en su monasterio dos de sus más firmes defensores.

Desde todos los puntos de vista el elemento principal de todo el monasterio era la *basílica* y en ella fue donde se presentaron los problemas más complejos. El diseño inicial fue modificado de acuerdo con las observaciones de **Francisco Paccioto**, un ingeniero italiano, a quien el rey encargó el examen de todo el proyecto. El resultado fue el de una iglesia de planta de cruz griega con una gran cúpula central sobre machones*, cuyo modelo se toma directamente de la *Basílica de San Pedro* del Vaticano, que tiene a sus pies a un enorme coro en alto, como era habitual en las iglesias de los conventos españoles, imprescindible para el rezo de los monjes.

Dentro de la iglesia, el elemento de máximo interés se encontraba en el elevado presbiterio, situado justamente encima del panteón y donde se encontraban los grandes grupos funerarios de **Pompeo Leoni** y el altar mayor, con el *Sagrario* y el gran *Retablo* diseñado por

La *Infanta Isabel Clara Eugenia* en un detalle de un cuadro de Alonso Sánchez Coello.

Herrera. En él, el arquitecto planteó la solución moderna al tema del retablo tradicional de tal manera que, sin perder eficacia narrativa, abandonara definitivamente los últimos recuerdos góticos: la utilización que hace en él de los órdenes, correctamente superpuestos, lo convierte en una estructura arquitectónica rigurosamente moderna donde se pueden colocar las esculturas de **Leoni** y las pinturas de **Federico Zuccaro** (h. 1542-1609) y **Peregrino Tibaldi** (1527-1596).

La decoración de El Escorial

Si el rey se había preocupado profundamente por la realización de las obras, que se llevaron a cabo en el tiempo récord de veinte años gracias al proceso constructivo diseñado por **Herrera**, aún se preocupó más por su decoración y por conseguir que ésta respondiera a los planteamientos estrictos del arte contrarreformista*.

Con la única excepción de los cuadros que decoraban algunas zonas de su palacio privado y los frescos que adornaban la *Sala de Batallas* y la *Biblioteca* (1590), en los que **Peregrino Tibaldi** representó las artes liberales, el resto de las estancias y pasillos del edificio se encontraban decorados con pinturas de tema exclusivamente religioso. Los dos conjuntos más importantes, y más cuidadosamente meditados, se desarrollaron, lógicamente, en el *Claustro de los Evangelistas* —por donde discurrían las solemnes procesiones que tenían lugar en el monasterio— y en el interior de la basílica, donde se celebraban todas las ceremonias litúrgicas.

En el *Claustro de los Evangelistas*, pintado al fresco por **Peregrino Tibaldi** se desarrollaba una minuciosa historia de la Salvación, que se encontraba en perfecta armonía con el carácter procesional de aquel lugar. En el interior de la *Basílica* el programa era más complejo, y se encontraba repartido en tres lugares diferentes: el gran fresco de la bóveda del coro, donde **Lucca Cambiaso** (1527-1585) pintó *La Gloria*; los cuadros sobre los altares secundarios (1576-79), en los que **Juan Navarrete el Mudo** (?-1579) representó una amplia serie de santos emparejados dentro de una estética fuertemente veneciana; y las pinturas del retablo, donde en torno a la representación del *Martirio de San Lorenzo* —el santo titular del monasterio, en cuyo honor se construyó para conmemorar la batalla de San Quintín— se representa la *Historia de Cristo*, cuya culminación se encuentra en el gran *Calvario* de bronce dorado de **Leoni**, que remata todo el conjunto.

Fue en el retablo, precisamente, donde se le plantearon los mayores problemas al rey. Unos problemas se produjeron por la negativa de **Tiziano** y de los otros grandes pintores venecianos —aquellos en los que se había fijado Felipe II— a abandonar Venecia para venir a trabajar al monasterio español, lo que obligó al rey a conformarse con los servicios de **Federico Zuccaro**. Y otros problemas surgieron del hecho de que muchas de las pinturas que le presentaron sus pintores no se ajustaban a las estrictas concepciones contrarreformistas que tenía el rey acerca de cómo debía ser la imagen religiosa. Una imagen clara y verosímil al mismo tiempo que devota y emotiva, en la que se respetaran todas las normas del *decoro*, como era, por ejemplo, el *Martirio de Santiago* (1571) de **Navarrete el Mudo**.

Podemos encontrar distintas pruebas de lo fuertes que eran las exigencias del rey en los problemas que tuvieron **Zuccaro**, **Navarrete** y,

El *príncipe Don Carlos*, por Alonso Sánchez Coello (izquierda). *Felipe III*, por Juan Pantoja de la Cruz (abajo).

sobre todo, **El Greco** (1541-1614). A **Zuccaro** le reprochó por haber representado a un pastor llevando al portal de Belén una cesta llena de huevos, cuando era algo improbable que un pastor hiciera ese tipo de ofrendas, y menos que, a esas horas de la noche, hubiera logrado reunir tal cantidad de ellos. A **Navarrete** le regañó por haber introducido en su *Sagrada Familia* a un perro y un gato jugando. Y al **Greco** le rechazó de plano su *Martirio de San Mauricio* (1580) porque no se ajustaba en absoluto a las normas mínimas que, en la ortodoxa opinión del rey, debía cumplir una imagen religiosa: contenía retratos y desnudos y, sobre todo, no movía devoción porque la escena del martirio se encontraba en un segundo plano.

La magnífica pintura de **El Greco** fue sustituida por otra del mismo tema, de **Rómulo Cincinnato**, de mucha menor calidad pero cuya composición y concepción general resultaban mucho más adecuadas a lo que el rey pretendía. Y esto, la exigencia de que las obras de arte fueran adecuadas al fin para el que habían sido concebidas y al lugar donde se iban a colocar, es uno de los rasgos más característicos de la actitud de Felipe II ante las artes y la que explica que, al mismo tiempo que demandaba una pintura ortodoxamente contrarreformista para el monasterio de El Escorial, se deleitaba, en su mundo estricta-

mente privado, con las pinturas de **El Bosco** o con los sensuales desnudos de las *poesías* de **Tiziano**.

Se trataba, pues, de un simple problema de *decoro*, es decir, de adecuación entre las decoraciones y los espacios que las albergaban. Por esa misma razón, cuando el rey se plantea la decoración de sus otros palacios, opta también por decoraciones pictóricas al fresco pero con temas mitológicos en lugar de religiosos, que, a diferencia de lo que sucedía en El Escorial, ya no tendrían ningún sentido ni en el *Alcázar* de Madrid ni en el *Palacio de El Pardo*. En este caso el responsable de los trabajos fue **Gaspar Becerra** (1502-1570), un artista español formado en Italia en el estilo de *Miguel Ángel*.

Doña Margarita de Austria, detalle, por Bartolomé González.

A excepción de unos pequeños fragmentos de los frescos de El Pardo con la *Historia de Perseo* y las pinturas de la *Sala de las Batallas* de El Escorial, se han perdido por completo las decoraciones profanas encargadas por Felipe II. Pero podemos deducir que el aspecto de sus palacios debía ser muy similar al del *Palacio del Viso del Marqués*, construido por **Giovanni Castello, el Bergamasco** para don Álvaro de Bazán en el corazón de la Mancha. En su interior, los **Peroli** crearon un ambicioso programa decorativo, alegórico y mitológico, de espíritu totalmente italiano, destinado a ensalzar a la figura de don Álvaro.

El retrato cortesano. Antonio Moro y Pompeo Leoni

Cuando se planteó el problema de su imagen, el emperador se había decidido por un retrato profundamente clásico, el que vio en los retratos de *Carlos V en la batalla de Mühlberg* (1548), de **Tiziano**, y *Carlos V y el furor* (1548) de **Leone Leoni**, las mejores representaciones del género. Sin embargo, Felipe II —profundo admirador de Tiziano, que había hecho su retrato siendo aún príncipe— confió sus retratos a **Antonio Moro** (1519-1576), un artista flamenco que trabajó para la corte española desde 1554 hasta 1560. Los retratos de Moro ofrecen una imagen a la vez austera y solemne del rey, cuya majestad se comunica al espectador a través de los rasgos fríos del rostro, la pose estática de la figura y la minuciosidad en el vestido y las joyas del personaje. Tras la marcha de Moro, la fórmula de sus retratos, hieráticos y distanciados, en los que la personalidad del retratado desaparece detrás de las insignias de su poder, siguió siendo cultivada por **Alonso Sánchez Coello** (1531-1588) y **Juan Pantoja de la Cruz** (1553-1608), prolongándose en el siglo XVII hasta que Velázquez le diera una nueva formulación.

En el campo del retrato, lo italiano sólo encontraría salida en el terreno de la imagen funeraria con la *Tumba de doña Juana de Portugal* y, sobre todo, con el impresionante conjunto de esculturas de bronce dorado fundidas por **Pompeo Leoni** (1530-1608) para la basílica del monasterio de El Escorial. El carácter específico del encargo convenía bien con la imagen solemne, serena e impasibile, ajena al paso del tiempo, propia del clasicismo. Las figuras orantes de Carlos V y Felipe marcaron las pautas por las que discurriría en adelante la escultura funeraria y encontrarían una digna continuación en manos de **Juan de Arfe**.

EL GRECO

San Martín y el mendigo, por El Greco, Washington, National Gallery.

El **Greco** (1541-1614) es, con diferencia, el pintor más importante de cuantos se hallaban activos en España durante los últimos años del siglo XVI y los primeros del XVII.

Nacido en Creta, donde recibe una formación tradicional como pintor de iconos, marcha muy pronto a Italia, donde su arte sufre un cambio radical, asumiendo plenamente el estilo de la pintura veneciana de la que se convertirá en uno de sus máximos representantes. Tras pasar unos años en Venecia y en Roma en 1577 se traslada a España, probablemente debido a las dificultades que tenía para abrirse camino en la vecina península y a las buenas expectativas que ofrecía, para un pintor italiano —y **El Greco** ya podía considerarse como tal— la gigantesca empresa de la decoración de El Escorial.

Así, aunque a su llegada a España se dirigió a Toledo, no se instaló definitivamente en aquella ciudad hasta que, tras su fracaso con el *Martirio de San Mauricio*, comprendió que le iba a resultar imposible triunfar en la corte. En Toledo había pintado ya *El Expolio* (1577) y tanto sus exigencias económicas como la forma novedosa de interpretar el tema y sus heterodoxias compositivas —entre ellas las de la introducción de retratos y la de que la cabeza de Cristo no se encontrara por encima de las del resto de los personajes— le crearon problemas con la catedral y le cerraron las puertas de futuros encargos por parte de las instituciones oficiales de la ciudad. Por eso su clientela se redujo a un núcleo de eruditos toledanos, seglares y religiosos, y a un determinado número de parroquias y conventos a los que interesaba más el arte de su pintura que lo correcto de sus representaciones iconográficas. Fue para este tipo de clientela para quien pintó *El entierro del Conde de Orgaz* (1586) —donde supo representar perfectamente el distinto carácter de los dos planos, profundamente realista el del mundo terrenal e irreal y trascendente el del celeste— y una espléndida serie de retablos —como los del Colegio de doña María de Aragón (1597), el Hospital de Illescas (1603) o el del Hospital Tavera, donde su pintura se hace más visionaria, pero que quedó inacabado a su muerte—. Para su realización contaba con la ayuda de un taller altamente organizado, pues él se encargaba tanto de la ejecución de las pinturas como de la del marco arquitectónico en la que se integraban.

Fue para este tipo de clientela para la que trabajó toda su vida, y para la que pintó una magnífica colección de retratos —por ejemplo los del *Caballero de la mano en el pecho* (hacia 1580), *el Cardenal Niño de Guevara* (hacia 1600) o *Fray Hortensio Félix Paravicino* (hacia 1609)—, por los que fue especialmente estimado— y un gran número de pinturas religiosas cuyos temas resultaban altamente devocionales: temas del Nacimiento y la Pasión de Cristo, apostolados y santos místicos y penitentes, que, como su *San Francisco*, alcanzaron una gran popularidad, hasta el punto de que el pintor se vio obligado a hacer numerosas versiones y réplicas de ellas.

Los personajes de sus escenas religiosas —ambientadas a veces en un paisaje toledano fantasmagórico y nocturno, como el que se ve

San Sebastián, por El Greco, Palencia, Catedral (abajo). *San Andrés y San Francisco*, por El Greco, Madrid, Museo del Prado (derecha).

tras la *Crucifixión*— dejan traslucir toda la fuerza de su vida interior, que se traduce a través de la fuerza intensa de su mirada, el aspecto inmaterial de su figura y las proporciones extraordinariamente alargadas de su anatomía que tienen que ver más con las concepciones artísticas del manierismo veneciano —especialmente con la vertiente más dramática de la pintura de **Tintoretto**— en que se formó que con las tendencias místicas que tantas veces se le han atribuido, sin ningún fundamento real.

Tan sólo en una ocasión, en el *Retablo del Colegio de doña María de Aragón*, consta que se inspirara en los textos de un místico, pero sabemos que lo hizo no tanto por sus convicciones personales sino por deseo de su cliente. Es más, él no se consideraba un pintor místico, sino un pintor filósofo: un pintor culto, que escribió sobre su arte,

La Trinidad, por El Greco, Madrid, Museo del Prado.

El Bautismo de Cristo, por El Greco, Madrid, Museo del Prado (arriba). *El caballero de la mano en el pecho*, detalle, por El Greco, Madrid, Museo del Prado (derecha).

y que se encontraba enormemente preocupado por recibir por parte de sus contemporáneos el reconocimiento que su trabajo merecía. Por ello fue por lo que exigió precios extraordinariamente altos por sus cuadros y por los que se embarcó en una larga serie de pleitos —el más célebre de ellos el surgido a raíz del *Retablo de Illescas*— en los que defendía tanto sus intereses económicos como la dignidad que merecía el arte de la pintura.

El Greco, recluido en Toledo y apartado de los grandes encargos oficiales de la corte y de la Iglesia, protagonizó un episodio completamente aislado dentro del contexto artístico español de su momento, que no estaba preparado para aceptar unas propuestas tan radicales como las suyas. Así que su pintura no tuvo otras repercusiones inmediatas que las que se pueden encontrar en uno de sus pocos discípulos, **Luis Tristán**. Mientras él continuaba su camino en solitario, el arte español de las primeras décadas del siglo XVII seguía una dirección muy distinta, marcada por El Escorial.

LA HERENCIA DE EL ESCORIAL

El cambio de siglo y de reinado, que se habían producido casi al mismo tiempo, no supusieron modificaciones en el terreno de las artes, pues no sólo se seguía trabajando todavía en muchas de las obras iniciadas por Felipe II (por ejemplo, en Aranjuez) sino que, casi con la únicas excepciones de **Juan de Herrera** y **Alonso Sánchez Coello**, fallecidos poco antes que el monarca, el resto de los artistas que estaban a su servicio continuaron empleados con su hijo.

Por eso no resulta sorprendente en absoluto que en arquitectura siguiera triunfando el estilo sobrio y desornamentado de **Herrera** en las obras de **Francisco de Mora** (†1610). Tampoco sorprende que, por idénticas razones, se produjera una continuidad absoluta del arte de **Pompeo Leoni** en la escultura funeraria de todo el siglo o que en la pintura se mantuviera el mismo tipo de pintura que había imperado en tiempos de Felipe II. El estilo implantado por **Moro** en el retrato se continúa primero con **Pantoja de la Cruz** y luego con **Bartolomé González** (1564-1627), de la misma manera que el manierismo reformado de los pintores escurialenses siguió vivo en manos de aquellos artistas italianos que habían decidido quedarse en España después de que se hubiera concluido la decoración de El Escorial.

Estatua ecuestre de Felipe III, por Juan de Bolonia, Madrid, Plaza Mayor.

La arquitectura en la corte de Felipe III

Francisco de Mora había sido el discípulo más próximo a **Herrera**, y fue quien heredó, a su muerte, el título de arquitecto real y, con él, una serie de importantes encargos reales. Entre estos encargos destacan la remodelación de los *palacios de Valladolid* para albergar a la corte durante los cinco años que estuvo asentada allí la capital, la regularización de la fachada del *Alcázar* de Madrid y, sobre todo, el proyecto de una nueva ciudad en *Lerma* (1604), concebida a mayor gloria del omnipotente valido de Felipe III.

El duque, aprovechando la proximidad que existía entre sus estados de Lerma y la corte de Valladolid, decidió remodelar el viejo castillo y convertirlo en un moderno palacio rodeado por jardines donde le resultara fácil atraer al rey. **Francisco de Mora** levantó un palacio cúbico, de arquitectura completamente desornamentada, y lo rodeó por una multitud de conventos distribuidos por todo el tejido urbano, que convirtieron a Lerma en uno de los ejemplos más perfectos de lo que se ha llamado ciudad convento. Unos conventos en los que **Mora** consolidó un tipo de iglesia de nave única y nártex bajo el coro, que comunica por el exterior a través de la triple arcada de una portada muy sencilla arquitectónicamente —básicamente un rectángulo enmarcado por pilastras lisas y rematado por un frontón triangular—, pero que tuvo un enorme éxito. A lo largo de todo el siglo encontramos ejemplos muy similares, como, por ejemplo, el *Monasterio de la Encarnación* de Madrid (1611) de fray **Alberto de la Madre de Dios**, por toda la geografía española.

Monasterio de la Encarnación en Madrid, obra de Fray Alberto de la Madre de Dios.

Otro elemento importantísimo de Lerma es la gran plaza cuadrada abierta por **Mora** delante de la fachada del palacio. Esta plaza constituye uno de los primeros ejemplos de un urbanismo regular, de estilo moderno, que se había proyectado en España, siguiendo las pautas de la reconstrucción de la *Plaza Mayor* de Valladolid y las calles adyacentes, con unos planos regulares y con calles rectas bordeadas por soportales. Poco tiempo después tendría lugar otra obra urbanística similar con la construcción de la *Plaza Mayor* de Madrid (1617) trazada por su sobrino **Juan Gómez de Mora** (1580-1648).

La arquitectura de **Gómez de Mora** prolongaba el estilo severo y desornamentado de la de **Mora** y **Herrera**. La *Cárcel de Corte* (1629) y el *Palacio de la Zarzuela* (1634), obras suyas, así como el *Palacio del Buen Retiro* (1631) y la *Iglesia de Loeches* (1635), obras de **Alonso de Carbonell** (activo en 1620-1660), lo mantuvieron vivo en la corte casi hasta mediados de la centuria, mientras que, fuera de ella, la huella de **Herrera** fue determinante para el desarrollo de toda la arquitectura castellana. Esta influencia fue especialmente notable en Valladolid —donde **Herrera** había diseñado la *catedral* (1589)—, con **Juan de Nates** y **Diego de Praves** (†1620) y en Toledo, donde destaca **Juan Bautista Monegro** (1546-1621).

La arquitectura herreriana, encarnada por **Gómez de Mora**, representaba la corriente más tradicional de la arquitectura clasicista —realizada con el efecto de las grandes superficies de muro desornamentado— y no tardaría mucho tiempo en enfrentarse a otra más moderna, que daba mucha mayor importancia a la decoración. Esta era la que representaba **Crescenzi** (1577-1660), un arquitecto de procedencia italiana que conocía perfectamente las últimas propuestas del manierismo romano y que, por su condición de noble, iba a desempeñar un papel importante en la corte de Felipe III y en la de su hijo, Felipe IV. El enfrentamiento entre esas dos maneras diferentes de

Detalle de la *Plaza Mayor* de Madrid, obra de Juan Gómez de Mora.

concebir la arquitectura —o, lo que es lo mismo, de dar respuesta al clasicismo— se puso de manifiesto, primero, con motivo de la construcción del *panteón* escurialense (1617), la única parte del edificio que aún faltaba por terminar, y, más tarde, con ocasión de las obras en el *ochavo* de la catedral de Toledo.

En el primer caso, el proyecto de **Crescenzi** —que resultaría el elegido por el rey en lugar del de **Gómez de Mora**— planteaba una solución ornamental muy rica en la que, aun respetando todos los principios del clasicismo, se concedía una enorme importancia a la riqueza de los materiales —mármoles polícromos y bronce dorado— y a los elementos decorativos, todos ellos de carácter vegetal. En el segundo caso el enfrentamiento se produciría entre la solución de tipo tradicional aportada por **Gómez de Mora** (1622) y la mucho más moderna e imaginativa propuesta por **Jorge Manuel Theotocopuli** (†1631), que resultaría firmemente apoyada por **Crescenzi**.

Pese a que **Gómez de Mora** se mantuvo toda su vida fiel a sí mismo, a partir de este momento la arquitectura de la corte empezó a discurrir por un nuevo camino en el que desempeñó un papel importante la llegada a Madrid en 1619 de un arquitecto jesuita, **Pedro Sánchez** (1568-1633). **Sánchez**, en las dos iglesias que construyó en Madrid, la del *Colegio Imperial* (1620) y la de *San Antonio de los Portugueses* (1624), introdujo en la corte las nuevas concepciones de la arquitectura que se estaban produciendo en el sur de España, mucho más italianizado.

En Andalucía, **Juan de Herrera** había dejado una obra maestra de su estilo en la *Casa de Contratación* (1583) de Sevilla, pero, sin embargo, aquella región no resultó especialmente sensible a ese tipo de arquitectura, prefiriendo otras en las que se experimenta con nuevas estructuras espaciales —como hace **Pedro Sánchez** en la *Iglesia del Colegio de San Hermenegildo* de Sevilla (1614).

Santa Mónica, detalle, por Luis de Tristán (abajo). *Bodegón de caza, hortalizas y fruta*, por Juan Sánchez Cotán. Ambas en el Museo del Prado de Madrid.

Con la llegada de **Pedro Sánchez** el debate arquitectónico más interesante se trasladó a Madrid que, en la segunda mitad del siglo, se convirtió junto con Sevilla en el gran centro dinamizador de nuestra arquitectura.

La pintura del primer tercio de siglo

De la misma manera que la arquitectura escurialense había pervivido en manos de los discípulos de Herrera, la pintura manierista italiana, importada a El Escorial con los artistas de la vecina península llamados por el rey, no sólo pervivió durante todo el reinado de Felipe III, sino que fue fundamental para el futuro de la pintura española al orientarla de manera decidida hacia el realismo.

Muchos de estos pintores decidieron quedarse en España una vez terminados los grandes trabajos decorativos de El Escorial, estableciendo sus talleres y abriéndose a una clientela en la que cada vez tendrían más importancia la Iglesia y las órdenes religiosas que, a lo largo del siglo, constituyeron la principal fuente de trabajo para los artistas españoles. Pues tanto el rey como la alta nobleza prefirieron dirigirse a artistas extranjeros —como **Rubens**, por ejemplo— a la hora de formar sus grandes colecciones de pintura.

De los muchos italianos que aquí se quedaron el más importante fue, sin duda, **Bartolomé Carducho** (hacia 1560-1608), a quien confió Felipe III la dirección de las grandes decoraciones murales que se llevaron a cabo en sus palacios de Valladolid y El Pardo. A su muerte, ese papel rector pasó a manos de su hermano **Vicencio Carducho** (hacia 1576-1638), que fue además el autor de uno de los principales tratados artísticos del siglo, los *Diálogos de la Pintura*, donde se mantienen posturas derivadas de la concepción clasicista y académica de la pintura, que, basada en el dibujo y la idea, se oponía decididamente a la importancia que el nuevo naturalismo concedía al color y la copia del natural.

La *Muerte de San Francisco* (1593), de **Bartolomé Carducho**, representa uno de los ejemplos más característicos de cuál era el estilo desarrollado por los pintores de El Escorial, que, siguiendo las directrices de los manieristas reformados del norte de Italia, practicaron un arte religioso basado en la verosimilitud o credibilidad de la representación: se trataba de crear unas escenas que le pudieran resultar próximas al espectador, y para ello los pintores insistían en la representación de objetos y ambientes directamente extraídos de la vida cotidiana de su tiempo. Estas eran las claves que inspiraban la pintura de **Vicencio Carducho**, un artista que realizó las decoraciones al fresco del sagrario de la Catedral de Toledo (1615) y un gran ciclo para la Cartuja del Paular (1626-1632) y también la de **Juan Bautista Maíno** (1581-1649), que conocía de primera mano el arte italiano y que jugó un papel determinante sobre los gustos artísticos de la corte.

Recuperación de Bahía, por Juan Bautista Maíno (arriba). *Caballero*, por Juan Bautista Maíno (abajo). Ambas en el Museo del Prado.

Era una pintura en la que se valoraban, ante todo, los contenidos realistas y en la que se encontraba un medio fértil tanto para la aparición del *bodegón* como para que triunfaran rápidamente por España las nuevas propuestas naturalistas que se estaban formulando en Italia; unas propuestas cuya difusión se debió a partes iguales a las compras de este tipo de pintura efectuadas por algunos coleccionistas españoles y a la presencia en España de artistas italianos formados en aquella escuela como **Orazio Borgiani** (hacia 1575-1616) o **Angelo Nardi** (1584-1664).

En algunas ocasiones, el regreso a sus lugares de origen de algunos pintores que, como **Juan de Roelas** (hacia 1558-1620) a Sevilla o **Francisco Ribalta** (1565-1628) a Valencia, se habían formado en la corte o en El Escorial favoreció la difusión de estas tendencias realistas en el resto de las ciudades españolas; pero para ello no era necesaria tal estancia, como lo demuestran las escuelas de Sevilla y Toledo.

El caso de Valencia resulta especialmente significativo para entender cuál era el sentido de la evolución del arte español a principios del siglo XVII y el papel que pudieron desempeñar en ella determinados mecenas, como el patriarca Ribera. Éste, a su llegada a la ciudad, impulsó desde su fundación del *Colegio del Corpus Christi* la renovación del arte valenciano, aún dependiente de los modelos de **Juan de Juanes**, que abandonó para aceptar plenamente el estilo contrarreformista de los pintores de Felipe II, ideado para satisfacer unas necesidades que eran básicamente las suyas propias. En este camino la pieza fundamental es **Ribalta**, un artista que se había formado en El Escorial y que acudió a Valencia en 1599 atraído por las grandes posibilidades de trabajo que ofrecía el *Colegio del Corpus Christi*, que se había convertido en la principal empresa artística después de que se concluyera la decoración de El Escorial. **Ribalta** fue el introductor de este tipo de pintura en Valencia, pero, sin embargo, a partir de la segunda década del siglo abandonó su primer estilo para aceptar de lleno una pintura naturalista de violenta iluminación tenebrista y una profunda emoción religiosa que caracteriza sus obras más importantes como son su *San Francisco confortado por el ángel* (hacia 1620), el *Abrazo de Cristo a San Bernardo* (1626) y su *San Bruno* (1627), cuya monumentalidad y carácter escultórico le sitúan muy cerca de **Zurbarán**.

San Juan Bautista, por Francisco Pacheco, Madrid, Museo del Prado.

Por el contrario, en Sevilla, además de **Roelas**, que había viajado a Italia y representaba el lazo de unión con el arte de la corte, trabajaron con total independencia del manierismo italiano escurialense **Francisco Pacheco** (1564-1649) y **Francisco de Herrera el Viejo** (hacia 1590-hacia 1657). **Pacheco** era el pintor más importante de Sevilla, y en su taller se reunía una importante academia de artistas y literatos. Hombre culto y erudito, autor de los ciclos mitológicos de la Casa de Pilatos, escribió un tratado —*El arte de la pintura*— que tuvo una importancia capital para el desarrollo de la iconografía religiosa de la Contrarreforma pues en él se fijan las posiciones oficiales de la Iglesia respecto a la representación correcta de las imágenes religiosas. En su tratado, **Pacheco** defendía también sus posiciones teóricas, básicamente academicistas, pero en ellas se empiezan a ver ya ciertas ambigüedades con respecto al nuevo naturalismo al que en principio debía sentirse contrario pero que justificaba cuando lo practica su yerno, **Velázquez**.

Más dotado como pintor, **Herrera el Viejo**, un hombre de una generación más joven que **Pacheco**, practicaba una pintura en la que se dejaban sentir los efectos del nuevo realismo pero que él prefería conseguir a través del colorismo veneciano más que por medio del tenebrismo*, aunque, a partir de un determinado momento, en su pintura se nota la influencia del naturalismo velazqueño, como puede apreciarse en su *San Buenaventura recibiendo el hábito de San Francisco* (1627).

Toledo, donde **El Greco** siguió trabajando hasta 1614, es la otra ciudad española cuya pintura se pudo desarrollar al margen de la huella escurialense, debido tanto a la presencia de artistas italianos en la ciudad, como es el caravaggista **Carlo Saracaeni**, como al hecho de que los tres pintores más importantes de la ciudad, **Juan**

Cristo abrazado a San Bernardo, por Francisco Ribalta (izquierda). *Santa Inés*, por Francisco Pacheco (derecha). Ambas obras están en el Museo del Prado de Madrid.

Bautista Maíno, **Luis Tristán** (1590-1624) y **Pedro Orrente** tuvieron ocasión de viajar a Italia y conocer directamente las novedades que allí se estaban produciendo. **Maíno** y **Tristán** se interesaron especialmente por el tenebrismo caravaggista, un tenebrismo claro en el caso del primero, mientras que **Orrente** sumó las influencias de **Caravaggio** a las de los clasicistas boloñeses —como puede verse en su *San Sebastián*— y a las de los pintores venecianos, especialmente **Bassano**, cuyo poderoso influjo podemos encontrar en sus cuadros de tema bíblico, repletos de figuras y animales, tratados casi como si se tratara de escenas de género que le dieron tanta popularidad.

En Toledo nos encontramos también con los primeros orígenes del bodegón español —rigurosamente contemporáneo en su aparición del italiano— en la obra de **Blas de Prado** (hacia 1545-1599) y, sobre todo, **Juan Sánchez Cotán** (1560-1627), especializado en este género de pintura antes de hacerse cartujo y trasladarse a Granada, contribuyendo así a difundir las nuevas tendencias por Andalucía.

Jesús Nazareno, por Juan de Mesa y Velasco, La Rambla, Córdoba (arriba, izquierda). *Jesús Niño*, por Francisco Dionisio de Ribas, parroquia de San Juan de La Palma, Sevilla (derecha). *Santa Teresa de Jesús*, por Gregorio Fernández, Valladolid, Museo Nacional de Escultura (abajo).

Los imagineros

En el siglo XVII la escultura española se orientó decididamente hacia el terreno de lo religioso que, junto con algunos —no demasiados— bultos funerarios, constituyeron los temas habituales de nuestros escultores. Los asuntos profanos, que aun siendo minoritarios se siguieron dando en la pintura, desaparecen por completo y las raras veces que se dan, como es el caso de las esculturas ecuestres en bronce de Felipe III (1616) y Felipe IV (1640), se deben siempre a artistas extranjeros, de tal manera que la tradición — y también la técnica del fundir el bronce— iniciada por **Pompeo Leoni** y continuada por **Juan de Arfe** acaba agotándose en sí misma. Con ellos desaparece el vínculo que unía a la escultura española con la que se estaba haciendo en otros lugares de Europa (un vínculo que, como veremos, no se recuperará hasta los años finales del siglo). Probablemente tanto el abandono de los temas profanos —tan sólo **El Greco** seguía practicando una escultura de tema mitológico— como su aislamiento tenga que ver con el evidente empobrecimiento intelectual y teórico que la acompañó. En España hubo grandes escultores, sí, pero ninguno de ellos (salvo **Alonso Cano**, que también era pintor y arquitecto) alcanza el nivel cultural e intelectual que había tenido **Arfe** en el siglo anterior ni el de los pintores y arquitectos contemporáneos suyos. A diferencia de éstos, ninguno se plantea un serio debate artístico —como, por ejemplo, los que enfrentaban a los arquitectos sobre las distintas soluciones que se le podía dar al problema del clasicismo, o los que, entre los pintores, enfrentaban a los defensores de la idea y a los del natural— ni siente tampoco el más mínimo interés por escribir un tratado teórico sobre aquel arte.

Marcada por la religión —una religión hondamente popular— no puede extrañarnos en absoluto que si la pintura había experimentado una fuerte inclinación hacia el realismo y la verosimilitud, la escultura

española vaya por el mismo camino. Por eso resulta lógico tanto que los retablos abigarrados de pequeñas figuras dejen paso a otros de menos escenas con figuras más grandes, y por tanto de más fácil lectura, como había empezado a hacer **Juni**, como que la madera se convierta en el material más utilizado por los escultores españoles, desbancando al bronce y a la piedra, materiales más costosos y menos dúctiles.

La Piedad, detalle, por Gregorio Fernández (arriba). *Magdalena*, detalle, por Pedro de Mena (abajo). Ambas esculturas en el Museo Nacional de Escultura de Valladolid.

En ambos casos la razón es la misma: conseguir para las escenas e imágenes esculpidas un máximo de efectividad devocional a través de la intensa sensación de realidad que van a alcanzar. Las esculturas de este momento, cuyo tamaño suele ser cercano al natural, que se encuentran policromadas, y que, con mucha frecuencia, están provistas de ojos y lágrimas de cristal y van vestidas con ropas de verdad, buscan provocar el que parezcan "reales" y "vivas" a unos espectadores que, en pocas ocasiones como éstas, han tenido la posibilidad de identificarse tanto con una representación.

Esto es algo que resulta especialmente notable en el caso de una de las manifestaciones más características de la escultura barroca española, los *pasos* de Semana Santa, donde esta confusión de mundos —el de la realidad y el del arte— se acrecienta hasta extremos sorprendentes al ver a las imágenes sagradas "caminando" (la Virgen con unos andares distintos de los de Cristo), bajo la luz equívoca de los múltiples cirios que las iluminan, por las calles de unas ciudades que se han convertido en el escenario mismo de la Pasión. En las calles, ante los ojos del pueblo, se vuelven a reproducir los episodios principales de la Pasión en unos *pasos* en los que se busca acentuar de forma expresiva —llegando incluso casi hasta la caricatura— el contraste entre la bondad de Cristo y la maldad de los judíos. Este tipo de *pasos* con escenas formadas por múltiples figuras, que inauguró **Francisco del Rincón** (1567-1608), fue un fenómeno casi exclusivo de Castilla, pues los andaluces se limitaron exclusivamente a las

tres únicas figuras del Cristo con la Cruz a cuestas, el Crucificado o la Dolorosa.

Los dos imagineros principales de este momento son **Gregorio Fernández** (hacia 1556-1636) y **Juan Martínez Montañés** (1568-1649) autores ambos de retablos y de imágenes para pasos procesionales, en los que la escultura se desliga definitivamente del marco arquitectónico y se hace visible por todas sus partes. El primero era castellano, el segundo andaluz; y el origen de cada uno va a ser importante a la hora de explicar las diferencias que separan los estilos de cada uno de ellos: **Fernández**, que trabajó durante toda su vida en Valladolid, era el heredero del clasicismo de **Leoni** y antes del de **Juni**, pero también del patetismo de éste, que él llevó a extremos aún mayores en sus impresionantes imágenes de la *Dolorosa* y, sobre todo, del *Cristo yacente* (1605), que ofrece su cuerpo muerto, casi completamente desnudo y cubierto de heridas y llagas sangrantes, a la contemplación de los fieles.

Bautismo de Cristo, detalle, por Gregorio Fernández, Valladolid, Museo Nacional de Escultura de Valladolid.

Por el contrario, **Montañés** adopta una posición más clásica y menos dramática, a pesar de haber hecho de la imagen de *Cristo crucificado* (1603) uno de sus temas habituales, y en el que es capaz de demostrar su enorme capacidad para la exacta representación anatómica —algo que no tienen muchas ocasiones de demostrar los imagineros de su tiempo, en un momento en el que eran frecuentes las "esculturas de vestir", en las que sólo se trabajaban la cabeza, las manos y los pies. Pero, junto a los temas de la *Pasión*, **Montañés** también es el escultor de la *Inmaculada*, del *Retablo de San Isidoro del Campo* (1609) y del mucho más movido *Retablo de San Miguel* (1643) en Jerez de la Frontera, una de sus últimas y más barrocas obras. A diferencia de los retablos castellanos, rigurosamente organizados mediante los órdenes arquitectónicos, los de **Montañés** tienen un carácter más aditivo y ornamental, y en algunos casos llegan a desaparecer en ellos las mismas columnas.

Con **Fernández** se cierra la etapa más brillante de la escultura castellana, pero, al contrario, con **Montañés** tiene lugar el origen de una larga serie de imagineros que florecieron en Andalucía durante todo el siglo, entre los que hay que destacar a sus discípulos **Juan de Mesa** (1583-1627), autor del célebre *Cristo del Gran Poder* (1620), y **Alonso Cano** (1601-1667) y, ya en la siguiente generación, a **Pedro de Mena** (1628-1688). Fuera de estos centros, aunque se construyen grandes retablos en toda España, y a pesar de que en Toledo trabaja **Giraldo Merlo** (hacia 1574-1620) y aún continúan trabajando **El Greco** y **Juan Bautista Monegro** y de que en Madrid lo hace **Manuel Pereira** (1588-1683) la escultura no llegará a adquirir una especial importancia.

LA GRAN GENERACIÓN BARROCA

Coincidiendo aproximadamente con el cambio de reinado, con la subida al trono de Felipe IV, entra en escena una generación de artistas que habían nacido en los últimos años del siglo XVI y mueren poco después de que mediara el XVII. Se trata de **José Ribera** (1591-1652), **Francisco Zurbarán** (1598-1664), **Diego Velázquez** (1599-1660) y **Alonso Cano** (1601-1667), y con ellos la pintura española alcanza unos niveles que no había conocido nunca antes de este momento y que tampoco volverá a alcanzar nunca una vez desaparecidos ellos.

San Sebastián, por José Ribera, Madrid, Museo del Prado.

José Ribera

Ribera supone un caso excepcional dentro del arte español, pues siendo casi un niño aún se trasladó a Italia definitivamente. Fue allí donde se formó como pintor y fue allí donde desarrolló por completo su carrera artística, que se integra plenamente dentro de las diferentes corrientes artísticas vigentes en Italia durante la primera mitad del XVII, desde el tenebrismo caravaggista hasta el luminismo neoveneciano de sus últimas obras. Por el contrario, poco o nada es lo que le vincula al arte español de su tiempo, salvo esa inclinación hacia el realismo que compartían los españoles y los italianos en los años del cambio de siglo.

Mucho más, en cambio, es lo que el arte español debe a **Ribera**, que fue un modelo decisivo para orientar el gusto de los pintores españoles hacia el tenebrismo durante el segundo cuarto del siglo XVII. Es fundamentalmente a él, cuyas obras llegaron con abundancia a partir de 1630 pero de las que se podían encontrar ejemplos anteriores, a quien se debe ese cambio de orientación desde el realismo de los últimos manieristas hacia un naturalismo llevado hasta sus últimas consecuencias —donde se le daba mucha importancia a la copia del natural— que suscitó las críticas de aquellos artistas que, como **Vicencio Carducho**, confiaban más en el dibujo, como soporte de la composición, que en el color.

Tras un recorrido por las regiones del norte de Italia, aquellas en las que tenían un mayor arraigo las tendencias naturalistas, los primeros años de actividad artística de **Ribera** transcurrieron en Roma, donde, integrado dentro de la colonia de artistas nórdicos, sufrió una influencia decisiva de la pintura de **Caravaggio**.

En 1616 abandonó Roma, donde no había conseguido abrirse camino, y se trasladó a Nápoles, entonces bajo administración española, donde hizo una magnífica carrera artística, constituyéndose en el artista más importante de la ciudad y en el auténtico origen de la pintura napolitana. Indudablemente le resultó de gran utilidad su condición de español —que él se encargó siempre de resaltar junto a su firma— pues desde el principio contó con la protección de los sucesivos virreyes de la ciudad, que le encargaron un gran número de obras para sí mismos o para ampliar las colecciones de Felipe IV.

La Magdalena, detalle, por José Ribera (abajo). *El martirio de San Felipe*, por José Ribera (derecha). Ambas en el Museo del Prado de Madrid.

Durante los primeros años su arte se encontró completamente marcado por el naturalismo caravaggista, tanto en su gusto por los tipos populares como en su utilización tenebrista de la luz. Fueron sus violentos contrastes de luz y sombra quienes le permitieron hacer completamente "reales" los objetos que reproduce en sus cuadros y de conseguir unos increíbles efectos de realidad a la hora de representar las anatomías de aquellos viejos que le sirvieron de modelo lo mismo para sus santos y mártires que para sus filósofos mendigos. Sin embargo, paulatinamente, su pintura fue sintiendo la atracción del color y la luz del arte veneciano, y, a partir de 1635, en que realizó la *Inmaculada* para las Agustinas de Monterrey, **Ribera** practicó simultáneamente ambos tipos de pintura, adoptando uno u otro según lo requiriera el tema.

Los temas de mártires y santos penitentes constituyen, sin duda, una parte importante del catálogo de Ribera. Tanto la imagen de *San Jerónimo* haciendo penitencia como la del *Martirio de San Bartolomé*, se hicieron sumamente populares en su momento (incluso llegó a reproducirlos en grabados, cosa insólita en un artista español) y fueron el origen de esa fama completamente injusta de artista cruel y feroz que se le atribuyó en el siglo XIX, pues aquéllos eran unos asuntos típicos del arte contrarreformista que se habían convertido en un patrimonio común de todos los artistas de su tiempo y su realización respondía a los deseos de sus clientes más que a una peculiar inclinación de **Ribera** hacia ellos.

Ribera no se limitó en absoluto a ellos y, como pintor religioso, tiene un abanico de asuntos muy amplio que abarca desde los temas de la Pa-

El sueño de Jacob, por José Ribera, Madrid, Museo del Prado.

sión de Cristo, especialmente los de la *Piedad* y las imágenes de los santos, a aquellos otros que, como la historia de Jacob representada por él en varias ocasiones, procedían de las páginas del Antiguo Testamento y no eran motivos habituales entre los pintores de la Contrarreforma. Fuera del ámbito religioso, **Ribera** sintió un interés por los temas mitológicos, por ejemplo el de los *Condenados* (1632) o el de *Apolo y Marsias* (1637), y por los de aquellos personajes que como la *Mujer barbuda* (1631) o el *Niño cojo* (1642) se contaban entre los seres marginales de la sociedad y los fenómenos de la naturaleza, que pintó normalmente a petición de sus clientes. En cambio apenas practicó el retrato —uno de los pocos que se le conocen es el *Don Juan José de Austria* (1648)— a pesar de encontrarse inmejorablemente dotado para ello.

Francisco Zurbarán

Zurbarán, el segundo de nuestros grandes artistas barrocos, es uno de los ejemplos más perfectos de pintor español del siglo XVII y, desde luego, más representativo de lo que lo fueron **Ribera**, ausente de España durante toda su vida, y **Velázquez,** que tuvo una posición irrepetible como pintor cortesano. **Zurbarán**, por el contrario, fue un pintor religioso cuya clientela fundamental la constituyeron unas órdenes religiosas que aún eran ricas y poderosas, para la decoración de cuyos conventos pintó grandes ciclos que, en general, tienen todos la misma estructura: en la iglesia escenas de la vida de Cristo; en

Santa Casilda, por Francisco de Zurbarán, Madrid, Museo del Prado.

la biblioteca o en la sala capitular los retratos de los miembros más distinguidos de la orden; y en el claustro los principales episodios de la vida del santo fundador.

Estas órdenes monásticas solían estar más interesadas en la corrección religiosa de las pinturas que solicitaban que en su calidad artística, y, como clientes, normalmente resultaban muy exigentes, siendo algo normal que en los contratos firmados con los pintores determinaran los temas, la manera en que se debían tratar y, a veces incluso, los modelos en los que éstos se tenían que inspirar. Zurbarán no fue una excepción en este sentido, y su pintura se vio fuertemente condicionada por los deseos y necesidades de las distintas órdenes para las que trabajó, y con las que supo identificarse hasta el punto que su pintura (por ejemplo *San Hugo en el refectorio*) constituye el mejor ejemplo del espíritu monástico español de su tiempo.

Zurbarán había nacido en Extremadura y por ello, lógicamente, su formación y sus primeros pasos artísticos tuvieron lugar en Sevilla, una ciudad que en estos momentos se encontraba bajo la influencia de la pintura tenebrista en general, y en particular de la de Ribera, cuyos cuadros estaban empezando a llegar desde Italia. Como Velázquez en sus años iniciales, Zurbarán también se sintió atraído por este tipo de pintura, pero, a diferencia suya, la siguió practicando hasta el fin de sus días. En algunas ocasiones, como por ejemplo en su *San Serapio* (1628) o en su *San Francisco* (1645), la iluminación tenebrista sirve para intensificar el profundo dramatismo de la escena —en el primer caso un martirio, y en el segundo el hallazgo del cuerpo incorrupto del santo—, pero normalmente él utiliza estos violentos efectos de luz con otra finalidad: la de acentuar el efecto de tridimensionalidad que tienen sus figuras —un efecto que resalta especialmente cuando pinta los hábitos blancos de los dominicos, mercedarios y cartujos que constituyen sus principales clientes.

La sensación de realidad de los objetos, figuras y escenas pintadas por Zurbarán afecta a todos sus temas, incluidos los de las representaciones de milagros y apariciones celestiales a las que únicamente la luz dorada que las baña permite identificarlas y distinguirlas de los sucesos reales de la vida cotidiana.

En 1629 recibió uno de sus primeros encargos relevantes, la decoración del convento sevillano de la Merced Calzada y, a partir de este momento, consiguió abrirse rápidamente un hueco, convirtiéndose en el pintor más importante de la ciudad a pesar de la oposición decidida que le manifestaron el resto de los artistas locales que veían en él a un serio competidor. En 1634 se trasladó a Madrid para participar en la decoración del *Salón de Reinos* del palacio del Buen Retiro con dos cuadros de batallas y diez *Trabajos de Hércules*, pero no consiguió triunfar en la corte. Por este motivo se vio obligado a regresar de nuevo a Andalucía, desde donde pintó algunos de sus ciclos más importantes: los de la cartuja de Jerez (1638), la sacristía del monasterio de Guadalupe (Cáceres, 1638) y la cartuja de las Cuevas (1655).

Algunos de estos encargos eran un tipo muy especial de cuadros que se conocen con el nombre de "retratos a lo divino". Solían colocarse a lo largo de la nave de la iglesia como si se tratara de una procesión, y eran, en realidad, imágenes de santas representadas bajo las figuras muy realistas de unas damas del siglo XVII que llevaban en sus manos los atributos correspondientes.

Junto a estos grandes ciclos, Zurbarán pintó también otros temas devocionales, muchos de ellos en cuadros de menor tamaño y dirigidos a una clientela particular, como son, por ejemplo, sus interpretaciones del *Cristo crucificado*, recortado sobre un fondo negro liso, muy dramáticas, o las mucho más amables de la *Inmaculada*, la *Virgen costurera* y el cordero del *Agnus Dei*. En ellos se mostró absolutamente fiel a los criterios oficiales de la Iglesia sobre la manera en que debían realizarse las imágenes sagradas, como lo demuestran sus *Cristos crucificados*, todos ellos representados con los cuatro clavos. Pintor religioso por excelencia, apenas realizó cuadros de carácter profano, aunque a él se deban algunos de los mejores bodegones de la pintura española del siglo XVII. Otro bodegonista espléndido fue su hijo **Juan Zurbarán** (1620-1649) cuya prometedora carrera quedó frustrada por lo temprano de su muerte.

El infante don Carlos, por Diego de Velázquez, Madrid, Museo del Prado.

Diego Velázquez

Velázquez se formó en Sevilla en el taller de **Francisco Pacheco**, en medio de un ambiente culto en el que se celebraban periódicamente unas reuniones —llamadas academias— donde los principales artistas y literatos de la ciudad conversaban sobre arte. Allí tuvo ocasión de escuchar unas opiniones que tuvieron luego una gran importancia para considerar su propio concepto del arte como una actividad noble y elevada, muy alejada de las concepciones artesanales de la pintura que aún seguían siendo aceptadas en la España del siglo XVII.

Quizá fue esto lo más importante que aprendiera **Velázquez** junto a Pacheco, pues sus primeras obras ya se apartan decididamente de los principios academicistas e idealistas de la pintura de su maestro para introducirse de lleno dentro de las nuevas corrientes naturalistas que estaban llegando a la ciudad. Y aunque, lógicamente, no faltan cuadros de tema religioso, éstos están sometidos a una interpretación fuertemente realista y las obras más importantes de su etapa sevillana la constituyen una serie de bodegones, como la *Vieja friendo huevos* (1618) o el *Aguador de Sevilla* (hacia 1620-1622). En ellos se representan distintas escenas sacadas de los ambientes populares de la ciudad pero que estaban dirigidas a una clientela culta, capaz de apreciar la novedad de una pintura en la que se unen los temas de *cocinas* propios de la pintura flamenca del siglo XVII con la voluntad de atenerse fielmente a la copia del natural. En algunos de estos cuadros, como los de *La mulata* o *Cristo en casa de Marta y María*, que tienen una escena de cocina en primer plano, se produce una complicación en su significado pues, también en ambos casos, una ventana (que podría ser una pintura o un espejo) sirve para representar una escena religiosa planteando así el problema (aplicable también a los *retratos a lo divino* de Zurbarán, antes mencionados, y a muchas otras obras) de hasta qué punto el realismo de la pintura española se agota en la representación de la realidad o esconde unas intenciones que necesitarían otra interpretación más profunda.

Gracias a su propio valer, pero también a la inapreciable ayuda de **Pacheco** —que ya por entonces se había convertido en su suegro— **Velázquez** se había abierto camino en Sevilla donde se encontraba sólidamente establecido; sin embargo, sus aspiraciones eran más altas y en 1624, tras un primer intento frustrado, consigue que Felipe IV pose para él y que, sumamente complacido con su retrato, le nombre pintor real.

Felipe IV, a caballo, por Diego Velázquez (derecha). *Don Juan de Austria*, por Diego Velázquez (abajo). Ambas en el Museo del Prado de Madrid.

Este acontecimiento supone un momento decisivo dentro de la vida de **Velázquez**. Primero, porque es el origen de su carrera de cortesano que se consolidaría en 1659 cuando consigue el hábito de caballero de Santiago. Y segundo, porque el estudio de las colecciones de la corte —y especialmente de los cuadros de Tiziano— unido a la posibilidad de haber conocido a Rubens durante la estancia de éste en la corte madrileña, hicieron evolucionar su pintura. Ésta se hace menos dibujista y más suelta, abandonando su tenebrismo inicial para irse volviendo paulatinamente más luminosa y colorista, al modo de la pintura veneciana, que él admiraría tanto durante el resto de su vida.

Su actividad fundamental durante sus primeros años de trabajo en la corte fue la de pintar los retratos del rey y de algunos miembros de su familia. Y en este género las obras de **Velázquez** supusieron una auténtica revolución, pues aunque su punto de partida se encontraba en las fórmulas del retrato cortesano tradicional, su capacidad para reflejar la psicología del personaje le alejaban radicalmente de aquella sensación de distancia, voluntariamente buscada, que producían los retratos de **Moro** y **Sánchez Coello**.

Esta primera etapa madrileña —durante la que únicamente pinta un cuadro de composición, *Los borrachos* (1629)— culmina cuando en 1629 embarca rumbo a Italia, siguiendo los consejos de **Rubens** y con el encargo preciso de comprar obras de arte con destino a las colecciones reales. Durante este viaje, que le lleva por Venecia, Roma y

Isabel de Borbón a caballo, por Diego Velázquez (izquierda). *El príncipe Baltasar Carlos cazador*, por Diego Velázquez (abajo). Ambas obras están en el Museo del Prado.

Nápoles —donde se encuentra con **Ribera**—, tiene ocasión de completar el estudio iniciado en las colecciones reales que sólo el arte italiano podía enseñarle: el desnudo, la representación de las pasiones a través de los gestos, y la correcta construcción del espacio. En este sentido los dos cuadros que pinta durante su viaje *La fragua de Vulcano* (hacia 1630) y *La túnica de José* (hacia 1630) —cuadros que pertenecen a un tipo de pintura que nunca más volverá a practicar— deberían ser considerados como auténticos ejercicios para poner a prueba sus recién adquiridas habilidades.

Fueron muchas las cosas aprendidas en Italia, y, a su regreso a España, se van a ir manifestando continuamente; por ejemplo, en el *Cristo crucificado* que, aunque depende de la iconografía establecida por *Pacheco*, sustituye el carácter dramático típico de los Cristos españoles —por ejemplo los de Zurbarán— por una imagen más serena cuyo desnudo recuerda las figuras de los clasicistas boloñeses. A pesar de que este *Cristo* es una de las mejores imágenes religiosas de toda la pintura española, **Velázquez** tuvo escasas oportunidades de cultivar este género de pintura por la que, por otra parte, tampoco sentía una inclinación especial. En este sentido **Velázquez** constituye una excepción dentro del panorama español, pues en un momento en el que prácticamente la totalidad de los artistas españoles se veían obligados a trabajar para la Iglesia, sus deberes cortesanos le llevaron a cultivar casi exclusivamente una pintura profana en la que conviven nuevos retratos con otras composiciones históricas o mitológicas destinadas a la decoración de los palacios reales. Una de las empresas más importantes en las que participó a su regreso de Italia fue la decoración del *Salón de Reinos* (1635). Este salón constituía la pieza más importante del nuevo palacio del Buen Retiro y en su decoración se quería reflejar la potencia de las armas españolas, y halagar al soberano comparando la difícil tarea de conservar intacta la monarquía con los trabajos de Hércules. Era un programa ambicioso, en el que participaron los artistas más importantes de la corte y en el que colaboraría **Velázquez** con los cinco *retratos ecuestres* de la familia real y con uno de los doce cuadros que recordaban las victorias más famosas de los ejércitos de Felipe IV, en este caso *La rendición de Breda*. La otra gran empresa decorativa en la que participó **Velázquez** en la década de los treinta fue la de la Torre de la Parada, un pequeño pabellón de caza en los terrenos de El Pardo. De acuerdo con la naturaleza del lugar, una casa de recreo para la que Rubens enviaría más de un centenar de pinturas mitológicas, al pintor se le encargaron obras de tema cinegético, entre ellos los retratos de *Felipe IV*, *Baltasar Carlos* y el *Cardenal Infante* vestidos de cazadores con la sierra del Guadarrama como fondo, además de una serie de *bufones* —una de las varias que pintó— y otros cuadros como *Esopo*, *Menipo* y *Marte*.

Estas pinturas constituyen un capítulo importante dentro de la producción de **Velázquez** y de la manera que tuvo de enfrentar determinados temas. En cuanto a la pintura de bufones, no podía considerarse nuevo su interés por este tipo de seres que se veían como auténticos errores de la naturaleza, pues los suyos no fueron los primeros ni los últimos pintados por artistas españoles, pero sí lo es —y en este sentido se encuentra muy próximo a **Ribera**— el respeto con que se dirige hacia ellos y la forma en que destaca su dignidad humana, sin tacha alguna de curiosidad morbosa o vergonzante compasión. Algo parecido habría que decir de *Menipo* y de *Esopo*, dos sabios antiguos que él retrata como mendigos contemporáneos, pero sin que ello suponga ningún tipo de burla o desprecio de la antigüedad; aquí, como en el caso anterior, **Velázquez** encuentra en **Ribera** —concretamente en sus retratos de *filósofos mendigos*— un medio de acercar a nuestro mundo a aquellos lejanos personajes.

Don Sebastián de Morra, por Diego Velázquez, Madrid, Museo del Prado.

Lo mismo sucede con *Marte* y con el resto de la pintura mitológica de Velázquez, que tantas veces se ha visto, erróneamente, como una imagen satírica de los viejos dioses clásicos. Es cierto que **Velázquez** plantea el tema mitológico desde una óptica diferente a la de los pintores italianos, más inclinados a mostrar el carácter ideal de aquellos dioses. En lugar de resaltar su condición de modelo ejemplar, **Velázquez** pretende volverlos humanos y expresar, a través de las diferentes historias que narra, distintas formas de comportamiento, producidas todas ellas en situaciones especialmente dramáticas. Se puede medir el éxito que consiguió en este intento de humanización si tenemos en cuenta que *Las Hilanderas* (1657), consideradas durante mucho tiempo una escena de la vida cotidiana, esconde tras su apariencia realista e inmediata la fábula de Palas y Aracne. En contra de esta interpretación satírica de la mitología velazqueña habría que tener en cuenta que también es suya la *Venus del Espejo* (1651), una obra que se encuentra dentro de la mejor tradición de la pintura mitológica de Tiziano.

Inmediatamente después de pintar la *Venus del Espejo*, **Velázquez** regresó a Italia por segunda y última vez. Como en la ocasión ante-

Las Meninas, por Diego Velázquez, Madrid, Museo del Prado.

rior, viajó con el encargo de comprar pinturas y esculturas destinadas a la colección real y de conseguir atraer a la corte española a algún fresquista italiano para la redecoración de los palacios; pero durante su estancia pintó también varias de sus obras maestras: los retratos de *Juan de Pareja* y de *Inocencio X*, y los *paisajes de la Villa Medici*, dos maravillosos estudios de luz cuya novedad consiste en estar pintados al óleo directamente al aire libre y en no haber sido realizados como apuntes para un futuro cuadro sino como pinturas con sentido en sí mismas.

A su regreso a España, aumentaron sus preocupaciones cortesanas —entre ellas la de ser nombrado caballero— y, en la misma medida, disminuyó su actividad artística, aunque daten de este momento obras tan importantes como los retratos de la *Infanta Margarita*, *Las Hilanderas* —uno de los pocos cuadros que no pintó para el rey, sino para un coleccionista particular— y, sobre todo, *Las Meninas* (1656). En *Las Meninas* Velázquez hizo una defensa de la nobleza del arte de la pintura —algo que le interesaba especialmente en un momento en que estaba intentando que se atendiera a su petición de ennoblecimiento personal— y recordando cómo esta actividad había merecido en el pasado y en el presente la protección de los reyes, que, como en este caso, no desdeñan visitar al pintor en su taller. Pero si el tema, y los enigmas que lo rodean, han llamado desde siempre la atención de críticos e historiadores, no ha sido menor el entusiasmo que han despertado en ellos la manera prodigiosa en que el pintor supo representar las cualidades de la luz y del espacio que, gracias al artificio del espejo, incluye al propio espectador dentro de la representación pictórica.

Alonso Cano

Pintor, escultor y arquitecto, **Alonso Cano** es uno de los mejores y más completos artistas de su época, cuando, a diferencia de lo que sucedía en el siglo anterior, solían estar especializados en una sola actividad.

Don Tiburcio de Rediú, por fray Juan Rizzi, Madrid, Museo del Prado.

Como pintor, se formó en el taller de **Francisco Pacheco**, donde fue compañero de *Velázquez*. Igual que éste, sus obras más antiguas manifiestan un interés similar por el naturalismo tenebrista al principio, pero, en la década de los treinta, abandonará este estilo en favor de una pintura mucho más luminosa y colorista, ya que, al instalarse en la corte al servicio del Conde Duque de Olivares, tiene ocasión de estudiar las obras venecianas de las colecciones reales y sufrir la influencia de **Velázquez**. Buena prueba de ello son dos de sus cuadros principales, el de *Cristo sostenido por un ángel* (hacia 1646-1652) y el *Descenso de Cristo al limbo* (hacia 1646-1652), cuyo interés por el desnudo y la belleza ideal los apartan del conjunto de la pintura española de su tiempo. Esto se puede apreciar, incluso, en algunas obras suyas, como la del *Milagro del Pozo* (hacia 1646-1648), en donde el punto de partida de la composición es una escena de la vida cotidiana. Entre sus pinturas más importantes hay que incluir, también, la serie dedicada a la *Vida de la Virgen* (1652-1664) que decora la capilla mayor de la catedral de Granada, donde utiliza unos recursos decorativos y efectistas plenamente barrocos que suponen una línea pictórica totalmente diferente al naturalismo que predominaba en la época y que él también había cultivado en su juventud, así como el retorno hacia posiciones mucho más clásicas cuyas raíces habría que buscar en Italia.

En su trabajo como escultor, más intenso en los primeros años de su carrera, va a perseguir unos ideales muy semejantes a los que habían animado su producción como pintor, hasta el punto que en algunas de sus imágenes, como la *Virgen de Belén* (1664), traslada a la madera los mismos modelos que había desarrollado en el lienzo. Esta identidad de temas entre su pintura y su escultura es también una identidad de intereses plásticos, desde la búsqueda de un ideal clásico de belleza a la preocupación por el desnudo que demuestra su *San Juan Bautista* (1634). La pequeña *Inmaculada* de la catedral de Granada (1655) es

El triunfo de San Agustín, por Claudio Coello, Madrid, Museo del Prado.

una de las obras maestras del género y un claro exponente de cómo esa mezcla entre sus ideales clasicistas y la gracia propia de la escultura sevillana encaminaron a **Cano** hacia la representación de una religiosidad amable tanto con el cincel como con los pinceles.

Las esculturas de **Cano** son imágenes libres, y a diferencia del resto de sus colegas de la escuela andaluza, no hizo pasos procesionales ni esculturas para retablos, aunque sí diseñó arquitecturas para éstos. Y su forma de concebir el retablo tiene un interés especial, pues supone un fuerte cambio de orientación que rompe decididamente con toda la tradición anterior. La primera vez que ocurre esto es en el *Retablo de Lebrija* (1629), cuya estructura arquitectónica resulta completamente innovadora, pues al utilizar un orden gigante que unifica toda su superficie termina definitivamente con la organización habitual de ésta a base de pisos superpuestos.

En sus retablos posteriores da un paso más, volviendo a alterar la tradición, al dar mayor importancia al marco arquitectónico que a las escenas esculpidas o pintadas en él.

El arte del retablo se encontraba muy próximo al de la arquitectura, y el mismo carácter revolucionario asume la actividad arquitectónica de **Alonso Cano**, que altera por completo el código clásico tradicional. Eso es lo que hace, por ejemplo, en la catedral de Granada (1667) donde deshace el tipo habitual de fachada para organizar una radicalmente diferente, de gran plasticidad, cobijada bajo un potente arco triunfal.

La arquitectura española a mediados del siglo XVII

Durante el primer tercio del siglo la arquitectura española había estado buscando distintas alternativas al problema de la herencia de **Herrera** y, en general, al del clasicismo, que incluían una seria reflexión sobre los grandes tratados del Renacimiento alguno de los cuales, como el de Viñola o el de Palladio, se tradujeron por aquellos años. La traducción que hizo **Francisco de Praves** de Palladio (1625) sólo abarcaba al primero de sus libros, que, significativamente, trata sobre los órdenes. Y es que este problema, el de los órdenes, es el que más va a preocupar a los arquitectos españoles, tanto desde el terreno de la práctica como del de la teoría.

Carlos II, por Juan Carreño de Miranda, Madrid, Museo del Prado.

En el primero de ellos, en el de la práctica, nos podemos encontrar con propuestas que van desde la invención de un orden nuevo —una personal combinación de dórico y corintio— que introduce el hermano **Francisco Bautista** (1594-1679) en la iglesia del *Colegio Imperial* (1633) cuando se hace cargo de las obras, hasta el uso heterodoxo que hace de los órdenes **Alonso Cano**, sustituyendo los capiteles por cartelas, utilizando pilastras sin moldurar, curvando los entablamentos para que se adapten al contorno de los arcos, etc..., creando al mismo tiempo un nuevo repertorio decorativo de placas recortadas, recuadros y resaltes de gran pureza geométrica que constituyen un nuevo código, tal y como puede apreciarse en su proyecto para la *fachada* de la catedral de Granada (1667) y en la *Iglesia de la Magdalena* (1677) de la misma ciudad, construida por **Juan Luis Ortega** (1618-1677) siguiendo sus pasos. Fuera de Madrid y de Andalucía, merece una mención especial las obras que estaban llevando a cabo en Santiago de Compostela los arquitectos gallegos **José Vega y Verdugo**, **José Peña del Toro** (†1676) y **Domingo Andrade** (1639-1711) —autor de la *Torre del Reloj* de la catedral (1676)—, que llevan a cabo un desarrollo y transformación en clave decorativa del lenguaje heredado, partiendo de unas posiciones teóricas que aún son clásicas en sus orígenes.

Y lo mismo sucede desde el campo de la teoría, en donde este problema constituyó también el punto central de los tratados de arquitectura, especialmente *La pintura sabia* (1659-1662) de fray **Juan Rizzi** (1600-1681) y la *Arquitectura civil recta y oblicua* (1667-1668) de **Juan de Caramuel** (1606-1682). **Rizzi** identificaba cada uno de los cinco órdenes con una determinada virtud cristiana, pero lo importante es que a ellos les añade otros dos, el "salomónico" —consistente en trasmitir el carácter ondulado de este tipo de columna a todos los demás elementos del orden— y el "compuesto perfecto" —formado con elementos de los otros seis. A **Caramuel** le interesaban especialmente los problemas que planteaban los órdenes cuando se tenían que aplicar sobre superficies que no eran rectas, por ejemplo en las escaleras o en los ángulos de los muros, para lo que propone la posibilidad de utilizar un orden "oblicuo" en el que todos sus elementos estuvieran sometidos a una inclinación similar. Es una utilización muy particular del orden, que se aplicó con relativa frecuencia a la construcción real en la zona levantina, alcanzando su influencia hasta el sur de Italia.

Los casos que acabamos de comentar nos indican que en nuestro país se produjo un verdadero debate teórico, y que la arquitectura española tuvo un alcance mayor de la que muchas veces se le ha querido conceder. En muchos casos, y desde luego en la corte, la arquitectura barroca española fue una arquitectura pobre que, no pudiendo realizar obras costosas, se vio obligada a utilizar con frecuencia materiales humildes, como el ladrillo y el estuco, y a recurrir a soluciones imaginativas, como las de las *cúpulas encamonadas* (falsas cúpulas montadas sobre estructuras de madera) para dotar a los edificios religiosos de unos interiores majestuosos que de otra manera no hubieran resultado posibles. Y si a esta condición, inevitablemente modesta por la situación económica de su tiempo, se une el hecho de que con frecuencia se ha considerado que la arquitectura del siglo XVII era fundamentalmente una arquitectura de fachadas, independientes de unos espacios interiores que no despertaban excesivo interés, se puede entender la imagen peyorativa, de artesana, que tan a menudo ha pesado sobre ella, sobre todo cuando se la ha comparado con las mucho más ricas arquitecturas italiana y francesa.

Es cierto que en muchas ocasiones los arquitectos españoles investigaron sobre las posibilidades compositivas y decorativas de las fachadas, desde los ejemplos propuestos por fray **Lorenzo de San Nicolás** (1595-1679) en su tan difundido tratado del *Arte y uso de arquitectura* (1633-1664) hasta las elaboradísimas composiciones de la *Catedral de Jaén* (1665), de **Eufrasio López Rojas**, o la *Cartuja de Jerez* (1667), pero, como pusimos de manifiesto al hablar de **Cano**, había en ello un alto grado de reflexión y experimentación que lo alejan de lo puramente artesanal.

Una reflexión y un experimentalismo que, aunque con menos frecuencia, se dirige también hacia la creación de espacios, como había sucedido en el ya mencionado *ochavo* de la catedral de Toledo y como sucede a mediados de siglo en la *Capilla de los Desamparados* (1647) en Valencia y en la *Capilla de San Isidro* (1642) levantada en Madrid por **Pedro de la Torre** (†1677). Un edificio singular, tanto por la cuidada estructura de los volúmenes exteriores —una gran cúpula encamonada sobre un cuerpo cúbico, totalmente liso, enmarcado por unas grandes pilastras corintias de orden gigante—, como por la excepcional preocupación que manifiesta por la creación de un ambiente interior complejo, formado por varios espacios centralizados diferentes pero relacionados entre sí. Unos espacios cuyo efecto se realza por una utilización dirigida de la luz y una abundancia decorativa con adornos vegetales de carácter naturalista que hacen «vibrar» toda la superficie de los muros interiores creando en el espectador una especie de emoción que va creciendo intensamente.

Ambas capillas tuvieron una importancia enorme en el desarrollo del *camarín*, una forma arquitectónica específicamente española en la que la complicación de los espacios, la cuidadosa utilización de la luz y la exuberancia de la decoración producen un resultado escenográfico espectacular que busca crear un espacio propio para la materialización del milagro.

Eugenia Martínez Vallejo, "la Monstrua", desnuda, por Juan Carreño de Miranda, Madrid, Museo del Prado.

Como acabamos de ver la arquitectura española recurrió a fórmulas propias y a planteamientos muy personales, pero en algunos casos también se pueden encontrar obras que desarrollan determinadas propuestas arquitectónicas venidas de fuera. Y entre ellas destacan la *Torre de la Catedral de Zaragoza* (1683) y, sobre todo, la *Basílica de Loyola* (1681), cuyos planos se encargaron, en ambos casos, a dos arquitectos romanos discípulos de **Bernini**.

La pintura madrileña después de Velázquez

Velázquez monopolizó durante casi cuarenta años toda la actividad pictórica de la corte, por lo que, no pudiendo alcanzar los encargos procedentes de palacio, los demás pintores de la ciudad se vieron obligados a trabajar casi en exclusiva para la Iglesia y para algunos particulares. Entre estos pintores merecen una mención especial fray **Juan Rizzi**, autor de un tratado de pintura, *La pintura sabia*, y **Antonio de Pereda** (1611-1678).

Pereda unió las enseñanzas de **Carducho** con el estudio de la pintura veneciana, que lleva su pintura por un camino diferente del de **Velázquez**. Aunque por las razones antes expuestas, la mayor parte de la pintura de **Pereda** es de tema religioso, lo mejor y más interesante de su producción se encuentra en sus primeras obras, pintadas para el *Salón de Reinos* antes de que la muerte de su protector le obligara a buscarse otros clientes, y sus *vanitas*, auténticos bodegones a lo divino, algunos de ellos también con personas, en los que los objetos cotidianos se cargan de significados trascendentes para recordar al espectador lo fugaz de la vida y lo vano de las glorias y riquezas terrenales.

La infanta Margarita, por Juan Bautista Martínez del Mazo, Madrid, Museo del Prado.

Velázquez fue un pintor completamente singular dentro de la Historia del Arte español, que no dejó otros discípulos verdaderos más que su criado **Juan de Pareja** (hacia 1606-1670) y su yerno **Juan Bautista Martínez del Mazo** (hacia 1615-1677) que cultivó también una pintura casi exclusivamente profana en la que abundan los paisajes, las vistas de ciudades y sobre todo los retratos, algunos de los cuales son increíblemente próximos a los de su maestro.

También se puede encontrar una fuerte influencia de **Velázquez** en los retratos de *Carlos II* y *Mariana de Austria* de **Juan Carreño de Miranda** (1614-1685) que mantienen los esquemas velazqueños pero cambiando sus fondos neutros por los de determinadas salas concretas del Alcázar. Pero, a pesar de esto y de que **Velázquez** fue un punto de referencia inevitable, después de su muerte la pintura madrileña con **Carreño**, **Francisco Rizzi** (1614-1685) y **Francisco Herrera el Mozo** (1622-1685) tomó un rumbo distinto al suyo, mucho más decorativo y en el que se daba gran importancia al carácter teatral y a los fondos arquitectónicos de efectos escenográficos. Y es que tanto **Rizzi** como **Herrera** pintaron decorados para las funciones teatrales del Buen Retiro. Y esto no sólo en la pintura de caballete sino en las grandes decoraciones al fresco que, tras el paréntesis de una generación, vuelven a practicar los artistas madrileños, que habían aprendido su oficio junto a **Mitelli** y **Colonna**, los dos fresquistas italianos traídos por Velázquez. Entre las primeras podrían señalarse la *Fundación de la Orden Trinitaria* (1666) de **Carreño,** o la *Apoteosis de San Hermenegildo* (1654) y el *Triunfo del Sacramento* (1655) de

Inmaculada Concepción "Soult", por Bartolomé Esteban Murillo, Madrid, Museo del Prado.

Herrera el Mozo, y entre las segundas las decoraciones al fresco de la *Capilla del Milagro* (1678) en el monasterio de las Descalzas, de **Carreño** y **Rizzi**.

El punto de partida de esta pintura, colorista y luminosa, se encuentra tanto en la de **Tiziano** como en la de **Rubens y Van Dyck** y en la del barroco decorativo italiano que **Herrera** conoció durante su estancia en Roma.

La siguiente generación, formada por **José Antolínez** (1635-1675), **Mateo Cerezo** y **Claudio Coello** (1642-1693), siguió por el mismo camino, como lo demuestran dos de las principales pinturas de este último, el *Triunfo de San Agustín* (1664) y sobre todo la *Sagrada Forma* (1685) en la sacristía de El Escorial. Esta obra, que prolongaba el espacio real con uno ficticio en el que revolotean los ángeles y queda implicado el espectador como testigo del acontecimiento, constituye uno de los conjuntos más escenográficos de todo el barroco español, pues es posible «ocultar» la pintura para dejar ver el camarín del relicario que se esconde tras él.

Murillo y la pintura sevillana

Como hemos visto, a principios del siglo eran varias las ciudades españolas que contaban con una escuela pictórica importante; pero algún tiempo después se habían agotado ya las de Toledo y Valencia y tan sólo mantenían su pujanza las de Madrid y Sevilla, de donde procedían —no lo olvidemos— **Velázquez** y **Alonso Cano** y donde **Zurbarán** era la figura indiscutible.

San Jerónimo, por Juan Valdés Leal, Madrid, Museo del Prado.

Sin embargo, a mediados de siglo, el estilo de **Zurbarán** ya comenzaba a parecer anticuado ante las nuevas propuestas de **Bartolomé Esteban Murillo** (1617-1682) cuya pintura dulce y amable estaba más en consonancia con las nuevas formas de devoción popular. Sus imágenes más características son, por ejemplo, las de *Cristo y San Juan,* niños, las de la *Sagrada Familia* y, sobre todo, las de la *Inmaculada*, que aunque no es una creación suya, sino de **Ribera**, es con él con quien alcanza la máxima popularidad.

Como era lógico, sus primeras obras —entre ellas *La cocina de los Ángeles* (1645) y *San Diego dando de comer a los pobres* (1645), pintadas para el convento de San Francisco— se mantienen dentro de la tradición del naturalismo tenebrista. Pero a partir de los años cincuenta, sobre todo después de viajar a Madrid y visitar las colecciones de la corte, su pintura abandona el claroscuro inicial y las formas de iluminación artificial que permitían la creación de fuertes efectos de volumen para irse interesando cada vez más por los efectos luminosos, que utilizaba al representar la gloria y las apariciones celestiales, realizados con una pincelada muy suelta y una enorme riqueza de color. Esta nueva tendencia se puede apreciar ya en las pinturas para la iglesia de Santa María la Blanca, de las que forma parte *El sueño del patricio* (1665), y alcanzará sus cotas más altas en sus *Inmaculadas*.

Aunque se le considere el pintor religioso por excelencia, **Murillo** fue también un espléndido retratista y, además, cosa inusual entre los artistas españoles, se sintió profundamente atraído por el género. En unos casos este tipo de escenas quedan incluidas en sus composiciones de carácter religioso, como sucede en los mendigos que aparecen en su *Santa Isabel de Hungría curando a los tiñosos* (1674), y en otras constituyen cuadros independientes, como en *El piojoso* (hacia 1645) y en otros lienzos protagonizados por pequeños pilluelos de la calle, que fueron muy apreciados por los miembros de la colonia de comerciantes flamencos establecida en Sevilla con la que el pintor mantuvo unas relaciones muy estrechas. Este tipo de pintura muestra una sensibilidad hacia el mundo de la infancia muy similar a la que demostró en aquella otra pintura devocional que tenía como tema la infancia de Cristo o de San Juan Bautista, cuyas imágenes más conocidas son las del *Niño de la Concha* o el *Niño con el cordero*.

Uno de sus trabajos más importantes es el ciclo de las *obras de misericordia* (1670-1674) que le encargó su amigo, don Miguel de Mañara, para la iglesia del Hospital de la Caridad. Sus cuadros constituyen una exaltación de la caridad cristiana, cuyo mensaje se completa

Cristo con la cruz a cuestas, por Juan Valdés Leal, Madrid, Museo del Prado.

con el de las *Postrimerías* (1671-1672) de **Valdés Leal** (1622-1690) que cuelgan a los pies de la nave de aquella misma iglesia.

Las *Postrimerías* suponen una perfecta traducción del *Discurso de la verdad*, escrito por Mañara, en imágenes de un macabro realismo en las que los esqueletos y los insectos más inmundos invitan al espectador para que medite sobre la fugacidad de la vida y la poca importancia que se debe conceder a las riquezas y las glorias mundanas que, representadas en los múltiples objetos pintados con la minuciosa exactitud de un bodegón, aparecen sobre ambos lienzos. En uno de ellos un esqueleto apaga la luz de la vela, a cuyo alrededor pueden leerse las palabras "in ictu oculi"; en el otro, "finis gloriae mundi", puede verse los cadáveres descompuestos de un obispo y un caballero, y sobre ellos se pesan diversos objetos en una balanza en cuyos platillos aparece escrito "ni más, ni menos". En ambos cuadros las imágenes y los textos inscritos sobre ellas son complementarios en su mensaje y constituyen uno de los ejemplos más notorios de la importancia que tenía la cultura jeroglífica en la España barroca. Las *Postrimerías* son también un ejemplo —quizá el más espectacular pero no el único—, de lo peligroso y erróneo que es juzgar la pintura española del siglo XVII desde unas consideraciones exclusivamente realistas, de fiel reproductora de la realidad visible, olvidando que estaba intencionalmente concebida para emitir unos mensajes muy concretos y recibir distintos tipos de lecturas.

La escultura andaluza a finales del siglo XVII

El programa iconográfico diseñado por los cuadros de **Murillo** y **Valdés Leal** se completaba con el grupo del *Entierro de Cristo* (1670), una de las obras de misericordia y la tarea más importante encomendada por Mañara a su fundación, esculpido por **Pedro Roldán** (1624-1699) sobre el altar mayor incluido dentro de un retablo diseñado por **Bernardo Simón Pineda**. Este retablo, en realidad un baldaquino sustentado por columnas salomónicas que cobija a un único grupo escultórico, formado por figuras exentas de tamaño monumental, supone un momento importante tanto dentro de la evolución del retablo como de la propia escultura española pues es una de las primeras ocasiones en que ésta —también lo hará en levante con **Nicolás de Busi** (hacia 1650-1706)— conecta con las tendencias modernas del arte italiano, concretamente con la concepción de **Bernini** de la unidad de las artes visuales. Con ellos la escultura española, que —a diferencia de la arquitectura y, sobre todo, de la pintura, que se encontraban más al tanto de los debates internacionales— hasta el momento se había mostrado mucho más cerrada dentro de sus propias tradiciones, empieza a abrirse a nuevas soluciones.

En Granada, donde transcurren los años finales de **Alonso Cano**, nos encontramos con otro importante centro artístico en el que **Pedro de Mena** (1628-1688) desarrolla un tipo de esculturas —todas ellas imágenes aisladas, ninguna incluida en retablos—, cuyo estilo se aparta radicalmente de los ideales de gracia y belleza propuestos por las Inmaculadas y Vírgenes de **Cano**. A **Mena** le interesan más los santos penitentes y ascetas, como *San Francisco* (1663) o la *Magdalena* (1664), representados con un fuerte naturalismo y cuyos rostros expresan una intensa espiritualidad.

La escuela granadina se prolonga hasta el siglo XVIII en las obras de una auténtica dinastía de escultores, los **Mora** (1614-1684; 1642-1724; 1658-1729).

EL SIGLO XVIII

Felipe V, por Miguel Jacinto Meléndez, Madrid, Museo del Prado.

Si el comienzo del siglo XVII no supuso ninguna ruptura con las tradiciones artísticas precedentes en el terreno de las artes, no puede decirse lo mismo de lo que ocurrió a su final, al menos en lo que se refiere al arte de la corte. Tras la muerte de Carlos II en 1699, se produjo un cambio tan brusco a nivel político como artístico. Los nuevos monarcas de la casa de Borbón, educados en el gusto de Versalles, no sintieron ningún tipo de aprecio especial por el arte de los Austrias e hicieron venir de Francia y de Italia a artistas extranjeros para que construyeran y decoraran sus palacios, pintaran sus retratos y compusieran la música que iban a escuchar. No resulta difícil darse cuenta de que estos cambios estaban destinados a tener una enorme trascendencia, primero, porque con ellos el arte español adquirió un carácter cosmopolita, integrándose por completo dentro de las corrientes internacionales. Y segundo, porque las formas artísticas tradicionales, aunque desaparecieron de la corte, fuera de ella convivieron con los nuevos lenguajes, creando un panorama tan rico como complejo en el que no siempre resultan fáciles de clasificar las distintas manifestaciones que se producen del barroco —el *castizo* y el internacional—, el rococó y el temprano racionalismo y funcionalismo que aportan los ingenieros militares (de los cuales hablaremos más adelante) a la arquitectura.

Por otra parte, la notable mejoría económica que se produjo, unida a un espectacular aumento de la eficacia de la administración, permitió que, a lo largo del siglo y en todos los terrenos, se pudieran llevar a cabo empresas artísticas de gran envergadura. Así, si en el campo del urbanismo se asiste a la aparición de unas ciudades nuevas, creadas de nueva planta, y a la reforma total de muchas de las ya existentes, en el de la pintura y la escultura a grandes campañas decorativas, y en el de las artes aplicadas al surgimiento de las reales fábricas donde se producían todos aquellos objetos de carácter suntuario cuya demanda experimentó un espectacular aumento.

Una generación de arquitectos entre dos siglos

Durante los últimos años del reinado de Carlos II y buena parte del de su sucesor, Felipe V, la arquitectura española sufre un proceso de exuberancia decorativa que va a enmascarar (se ha utilizado el concepto de "máscara" para definirlo) las estructuras tradicionales y que va a disimular tras la abundancia de los ornatos el empobrecimiento de la arquitectura que, en vez de experimentar con la creación de nuevos espacios, se conforma con adornar los ya consolidados.

Normalmente esta exuberancia decorativa se concentra en las fachadas de los edificios en torno a la puerta y las ventanas, como sucede en el *Palacio del Marqués de Dos Aguas* (1740) de **Hipólito Rovira** (1740) o en las obras de **Pedro de Ribera** (hacia 1683-1742) en donde sus fantásticas portadas se superponen a edificios cuya estructura puede ser casi herreriana. El carácter superpuesto, de máscara, de este tipo de arquitectura ornamental queda patente si tenemos en cuenta cómo, cuando la Real Academia de Bellas Artes de San Fernando se instaló en un palacio construido por **José Benito Churriguera** (1665-1725), éste se pudo transformar completamente en un edificio clásico tan sólo desmontando su primitiva fachada y colocando en su lugar otra mucho más sobria diseñada por **Diego de Villanueva** (1715-1774).

La razón de esta tendencia ornamental de la arquitectura tradicional española se puede encontrar en que muchos de los que se estaban dedicando a ella no se habían formado como arquitectos sino como entalladores de retablos, o incluso pintores como el ya citado **Rovira**.

Sin embargo, junto a estos entalladores de retablo metidos a constructores, a lo largo del último cuarto del siglo XVII también había aparecido una brillante generación de arquitectos que levantaron algunas de las obras más espectaculares de la arquitectura barroca española, buena parte de las cuales datan ya del reinado de Felipe V; estos arquitectos son **Leonardo de Figueroa** (hacia 1650-1730) en Sevilla, **Francisco Hurtado** (1669-1725) en Granada y los hermanos **José Benito** y **Joaquín Churriguera** (1665-1725; 1674-1724) en Salamanca y Madrid.

El adorno arquitectónico tiene una gran importancia en todos ellos —alguno de los cuales, como **José Benito Churriguera**, habían recibido una formación de retablistas—, pero sus construcciones se encuentran a otro nivel, en el que se plantean y resuelven problemas de índole verdaderamente arquitectónicos. Por ejemplo, **Leonardo Figueroa**, desde su primera obra en el *Hospital de los Venerables* (1687) de Sevilla, le había dado una gran importancia a las posibilidades decorativas del ladrillo, al contrastar su color rojo con el blanco de los muros. Y en la *Iglesia de San Luis* (1699), provista de unas sorprendentes columnas salomónicas, su reflexión sobre las posibilidades de las plantas centralizadas le coloca en paralelo con experimentos similares de la arquitectura barroca romana. Algo similar se podría decir de los complejos juegos espaciales planteados por **Francisco Hurtado** en la *Sacristía de la Cartuja de Granada* (1702) y en la cabecera de la *Cartuja del Paular* (1718), cuyo efecto se encuentra realzado por una sabia utilización de la luz, no sólo en lo que respecta a su procedencia desde distintos focos, sino también a sus efectos, al reflejarse y quebrarse en la multitud de placas y resaltes de la decoración que cubre por completo sus paredes.

José Benito Churriguera trabajó más como entallador de retablos que como arquitecto, pero sin embargo a él se debe una de las realizaciones urbanísticas más importantes de su tiempo, el *Nuevo Baztán* (1709) en las cercanías de la corte. Se trataba de una ciudad de nueva planta, diseñada para el industrial navarro don Juan de Goyeneche que dispuso alrededor de su palacio un verdadero complejo industrial que incluía iglesia, talleres y viviendas para los obreros organizadas mediante tres plazas relacionadas entre sí. Después de esta obra, levantó varias iglesias en Madrid, cuya arquitectura, aún manteniéndose dentro del marco del barroco castizo, se va aproximando hacia unas formas más cercanas a las del barroco internacional.

La siguiente generación de arquitectos, la formada por **Pedro de Ribera** (hacia 1683-1742), **Narciso Tomé** (activo en 1715-1742) y **Fernando Casas Novoa** (†1749) siguieron manteniendo vivo el espí-

Detalle de la fachada principal del *Museo del Prado*, por Juan de Villanueva.

ritu de la arquitectura castiza, que encontró en sus obras algunas de sus manifestaciones más características. Por ejemplo, la *Iglesia de San Martín Pinario* (1741) y la *Fachada del Obradoiro* de la catedral de Santiago de **Fernando Casas Novoa** o el *Puente de Toledo* (1719) y la fachada del *Hospicio* (1722), de **Pedro de Ribera**, cuya riqueza ornamental las aproximan al rococó europeo. Muy interesantes son también los experimentos que llevó a cabo **Narciso Tomé** en el *Transparente* de la catedral de Toledo (1721), cubierto de una decoración rococó y en donde busca una síntesis completa de pintura, escultura y arquitectura dentro de una obra de arte total de carácter marcadamente escenográfico y teatral para visualizar en el interior del templo un verdadero espacio del milagro.

La arquitectura de los ingenieros militares y otras experiencias arquitectónicas

Todas estas obras que acabamos de citar constituyen otras tantas piezas fundamentales de la arquitectura española y ponen de manifiesto que no es cierto que la única arquitectura importante del siglo XVIII fuera la que estaban desarrollando en los Sitios Reales los arquitectos extranjeros mandados llamar por el rey. Muy al contrario; el panorama arquitectónico del momento era muy rico, y, en algunos lugares de la periferia, se estaban llevando a cabo otro tipo de experiencias verdaderamente interesantes. Por ejemplo las de **Vicente Acero** (activo en 1714-1738) en la *Catedral de Cádiz* (1720) —una reflexión seria sobre las catedrales diseñadas por Silóe—, **Jaime Bort** (†1754) en la *Catedral de Murcia* (1741), **Conrad Rudolf** (en España entre 1701 y 1707), un arquitecto austríaco venido en el séquito del Archiduque Carlos, que rompe con la tradición española de fachadas planas al proyectar en una amplia curva la de la *Catedral de Valencia* (1703), o su discípulo **Pedro Costa** (1699-1761) en la *escalinata* monumental que da acceso a la *Catedral de Gerona.*

Mención especial merece la actividad de los ingenieros militares, un cuerpo nuevo creado por Felipe V a imitación del que ya existía en Francia. En un primer momento lo formaban casi exclusivamente ingenieros franceses y flamencos que fueron dando paso a una nueva generación de ingenieros españoles a medida que salieron las primeras promociones de las nuevas Academias creadas para su formación.

Otra fachada del *Museo del Prado*, antiguo gabinete de Historia Natural.

Inicialmente sus competencias se limitaban a la construcción de puentes, fortificaciones, arsenales y cuarteles que muchas veces llegaban a formar conjuntos de dimensiones urbanas, como sucede con la *Barceloneta* (1749), proyectada por **Pedro Martín Cermeño** (†1792), o con la *base naval de El Ferrol* (1751). Los edificios construidos por estos ingenieros demostraban un concepto básicamente racional y funcional de la arquitectura —y por ello radicalmente opuesto a cualquier tipo de exceso ornamental— que pronto se trasladó también a la arquitectura civil en el momento en que, por su sólida preparación, empezaron a recibir encargos para otro tipo de edificios que ni siquiera eran siempre de carácter industrial. Típicos ejemplos de esta arquitectura serían la *Universidad de Cervera* (1718), del francés **Francisco Montaigu**, la *Fábrica de Tabacos* de Sevilla (1731), proyectada por el flamenco **Sebastián van de Beer**, o la *Catedral nueva de Lérida*, trazada por el ingeniero español **Pedro Martín Cermeño**.

La actividad de los ingenieros militares fue especialmente importante en Cataluña. Su Academia se encontraba establecida en Barcelona, y fueron ellos —más que la Academia de Bellas Artes— quienes marcaron el desarrollo de la arquitectura catalana.

La arquitectura en la corte de Felipe V

A Felipe V no le gustaron ninguno de los palacios heredados de los Austrias y, cuando se instaló en Madrid, decidió remodelar al menos los de la capital. Tampoco le gustaba esa arquitectura castiza de los

Palacio Real de Madrid, por Juan Bautista Sacchetti.

arquitectos españoles, y como era lógico, hizo llamar a un arquitecto francés, **Robert de Cotte**, que transformó los interiores del *Alcázar* adaptándolos al gusto imperante en la corte vecina, con espejos y decoraciones de *boisseries*, y que elaboró unos grandiosos proyectos para construir un nuevo palacio en los terrenos del Buen Retiro. Sin embargo, los tiempos no eran propicios para empresas de esta importancia, y hubo que esperar a que terminase la Guerra de Sucesión para que se desplegara en la corte una gran actividad arquitectónica.

No le gustaban los palacios de la capital, pero aún le gustaba menos el de El Escorial, que era un símbolo demasiado evidente del esplendor de la dinastía anterior y que carecía, además, de algo tan necesario para un monarca de origen francés como eran unos grandes jardines. Y, para procurárselos inició en 1721 la fábrica del *Palacio de La Granja*, en la sierra de Segovia. El proceso de construcción es sumamente interesante, porque el núcleo inicial del edificio, levantado por **Teodoro Ardemans** dentro de la tradición de los alcázares

Detalle de una puerta de acceso a los *Jardines del Buen Retiro*, Madrid.

torreados, se transforma inmediatamente siguiendo los proyectos de dos arquitectos italianos, **Andrea Procaccini** (en España desde 1720-1734) y **Sempronio Subisati** (en España desde 1721-1758) y se le añade después una impresionante fachada (1736) sobre los jardines, realizada por **Juan Bautista Sacchetti** (en España desde 1736) siguiendo el diseño de uno de los más célebres arquitectos italianos de su tiempo, **Filipo Juvarra** (†1735). Las formas redondeadas del *Patio de la Herradura* y el potente orden gigante de las fachada del jardín son completamente ajenos a la tradición española, lo mismo que la fachada de la gran *Colegiata* —donde dispuso su propio enterramiento, voluntariamente fuera del panteón de El Escorial—, que se inspira tanto en los ábsides de la basílica de San Pedro como en algunos modelos del austríaco **Fischer von Erlach**.

Si a esto añadimos que **René Carlier** (†1722), el arquitecto francés que vino para ejecutar los proyectos de **Cotte**, diseñó un gran parque a la francesa lleno de esculturas y fuentes con complicados juegos de agua, podemos darnos cuenta de cómo la corte había abandonado por completo la arquitectura tradicional española, buscando nuevas soluciones en medio de un amplio abanico de modelos todos ellos dentro del estilo del barroco cosmopolita.

Y lo mismo sucederá cuando, tras el incendio del Alcázar de Madrid en 1734, se elige para su reconstrucción el proyecto (1735) presentado por **Filipo Juvarra**, donde se mezclan las influencias del *Louvre* de **Bernini** y de su propio *Palacio Madama*. **Juvarra** murió antes de que se pudieran comenzar las obras, y la dirección de la construcción recayó sobre **Sacchetti** que la llevó a cabo según un nuevo proyecto en el que, también conviven, las soluciones de **Bernini** para el *Louvre* con ideas de **Juvarra**, convirtiéndose en uno de los edificios más representativos del barroco clasicista internacional.

Fernando VI mantuvo la misma política que su padre, patrocinando a arquitectos, como **Francisco Carlier** constructor del *Monasterio de las Salesas Reales* (1750) —cuyo interior, adornado con mármoles y pinturas en vez de con retablos de madera dorada, se aparta decididamente de la tradición española— o **Giacomo Bonavia** que levanta en *Aranjuez* (1750) una nueva ciudad de trazado regular alrededor del palacio, incluyendo algunos episodios verdaderamente escenográficos, como el que constituye el entorno de la *Iglesia de San Antonio* (1748).

La pintura y la escultura

Por una serie de desdichadas casualidades, a la llegada de Felipe V habían desaparecido ya todos los grandes pintores que trabajaron en tiempos de Felipe IV: toda la espléndida generación a la que pertenecía **Claudio Coello** murió en plena juventud y **Lucas Jordán** (en España entre 1692 y 1702), el gran artista napolitano llamado por el rey, no sintió un especial interés en ver cómo se resolvía el complicado problema de la sucesión española y prefirió volverse rápidamente a su tierra. Pero había otra razón, más importante todavía, para que los nuevos monarcas hicieran venir a otros pintores, especialmente retratistas, del otro lado de los Pirineos: el retrato cortesano español,

Puerta de Alcalá, por Francisco Sabatini, Madrid.

tan sobrio, no podía satisfacer en absoluto a Felipe V que deseaba verse a sí mismo representado en unos retratos semejantes a los que estaban realizando los pintores franceses para su abuelo Luis XIV. A pesar de sus esfuerzos no pudo atraer a ninguno de los grandes retratistas parisinos teniendo que conformarse con el trabajo de artistas de menor talla como **Michel-Ange Houasse** (en España entre 1715 y 1728) —que además fue un espléndido pintor de escenas costumbristas y vistas de los Sitios Reales—, **Jean Ranc** (en España entre 1722 y 1732) o **Louis Michel Van Loo** (en España entre 1737 y 1752). Ellos configuraron en la corte un retrato de estilo netamente francés que fue desarrollado también por algunos pintores españoles como **Miguel Jacinto Meléndez** (hacia 1679-1734).

Como había sucedido en el terreno de la arquitectura, tras su segundo matrimonio con Isabel Farnesio, una princesa italiana procedente de una gran familia de coleccionistas y mecenas, el punto de atención del rey se dirigió hacia Italia de donde hizo venir a algunos pintores como **Andrea Procaccini** (1671-1734) y **Sempronio Subisati** (1690-1758) para la decoración del palacio de La Granja. Su hijo, Fernando VI, seguiría una política similar haciendo venir a otros pintores italianos, **Giacomo Amigoni** (en España en 1747-1752), introductor de las delicadezas rococó en algunos temas y **Corrado Giaquinto** (en España de 1752 a 1762), cuya pintura se encuentra a medio camino entre el clasicismo romano y el rococó. Durante los años que duró su estancia en la corte, **Giaquinto** —como más tarde haría **Mengs**—, se convirtió en el centro de todas las actividades pictóricas tanto por su intervención como fresquista en las bóvedas del nuevo *Palacio Real* de Madrid, como por su actividad al frente de la Real Academia de Bellas Artes de San Fernando y de la Fábrica de Tapices, y por su influencia sobre pintores españoles que desarrollaron su actividad en la segunda mitad del siglo, entre ellos **Antonio González Velázquez** (1723-1794) o **José del Castillo** (1737-1793).

Feliciana Bayeu, por Francisco Bayeu, Madrid, Museo del Prado.

Sin embargo el resto de las ciudades españolas siguieron manteniendo la misma independencia que había existido en el siglo anterior con respecto al arte de la capital y, fuera del ámbito cortesano, se siguió practicando una pintura que enlazaba directamente con la tradición barroca española. Dentro de esta corriente habría que mencionar a **Antonio Acisclo Palomino** (1655-1726), buen fresquista y autor de uno de los grandes tratados artísticos españoles, *El museo pictórico y escala óptica* (1714-1721), y al sevillano **Lucas Valdés** (1661-1725), hijo y discípulo de **Valdés Leal**. En Cataluña la presencia de **Fernando Galli Bibienna**, el escenógrafo boloñés traído por el archiduque Carlos a su efímera corte, dejó su influencia en la pintura de **Antonio Viladomat** (1678-1755), mientras que en Andalucía la huella de **Murillo** —descubierto por la reina durante la estancia de la corte en Andalucía— seguía siendo visible en pintores locales como **Miquel Tobar** (1678-1758) y **Domingo Martínez** (†1750).

Exactamente lo mismo sucede en el terreno de la escultura, pues si fueron artistas franceses a quienes se encomendó la decoración de las fuentes de la Granja de acuerdo con los patrones de los jardines franceses, en el resto de España se mantuvo viva la tradición de la imaginería barroca, en un momento en el que muchas iglesias y conventos decidieron sustituir sus viejos retablos por otros nuevos. Quienes mantuvieron vivo este espíritu fueron **José Risueño** (1665-1732) en Granada y **Pedro Duque Cornejo** (1678-1757) en Sevilla.

La fundación de la Academia y el control de la arquitectura

El rey quería renovar la arquitectura española y todas sus empresas constructivas estaban dirigidas a encaminarla hacia un estilo cosmopolita e internacional; sin embargo, antes de mediados de siglo, esta nueva arquitectura prácticamente no llegó a trascender fuera de los límites de la corte pues tanto la Iglesia como la vieja aristocracia, e incluso el muy poderoso Consejo de Castilla, seguían manifestando sus preferencias por las fórmulas del barroco castizo. Ni siquiera esto fue

Elevación de un globo Montgolfier en los jardines de Aranjuez, por Antonio Carnicero, Madrid, Museo del Prado.

posible en Madrid, la ciudad donde se encontraba asentada la corte, pues el propio ayuntamiento se había orientado a favor de la tradición, nombrando como arquitecto municipal a **Pedro de Ribera**.

El problema fundamental se basaba en que, antes de que se fundara la Real Academia de Bellas Artes de San Fernando (1752) no existía ningún mecanismo de control legal sobre la producción arquitectónica que pudiera imponer la nueva arquitectura. La solución vino cuando se hizo obligatorio el que, tanto los organismos oficiales como la Iglesia y los particulares, antes de iniciar cualquier tipo de obra, estaban obligados a someter sus proyectos a la aprobación de la Academia que podía introducir las modificaciones que considerara oportunas.

Además, al regular y centralizar la enseñanza de la arquitectura en ella, la Academia daba un paso fundamental para establecer las bases de la nueva arquitectura pues se sustituía la formación artesana tradicional (que, como señalamos, muchas veces se producía en el ámbito de la retablística) por otra de carácter científico en contacto con la arquitectura europea, cuyo gran banco de pruebas fue la construcción del *Palacio Real* de Madrid.

El objetivo fundamental era olvidarse de la arquitectura castiza y sustituirla por la considerada mucho más conveniente del barroco clasicista, pero raramente, por lo menos hasta los últimos años del siglo, se llegaron a aceptar los planteamientos más radicales de la teoría arquitectónica europea. El único en hacerlo en esta primera etapa fue, en realidad, **Diego Villanueva** (1739-1811), autor de los *Papeles críticos de la arquitectura* (1760), cuya crítica al barroco clasicista predominante en el interior de la propia Academia le hizo complicada su posición dentro de ella.

Quien mejor encarna esta fase de la arquitectura española es **Ventura Rodríguez** (1717-1785) un arquitecto, discípulo de **Bonavia**, que sin haber salido nunca de España llegó a asimilar perfectamente las tendencias del barroco romano, como se pone de manifiesto en una de sus primeras obras, la *Iglesia de San Marcos* (1749), cuya fachada cóncava y cuya planta formada a base de varias elipses interpenetradas recuerda tanto a **Bernini** como a **Borromini**.

Ventura Rodríguez fue un arquitecto muy prolífico que evolucionó desde el barroco de corte italiano y francés de su primera etapa —cuando gozaba de los favores de la corona antes de que disminuyera su influencia primero tras la llegada de **Jaime Marquet** (†1782) y luego de **Francisco Sabatini** (en España desde 1760-1797)— hasta una arquitectura mucho más clásica y severa, basada en la de **Herrera** y **Vignola**, en su etapa posterior —cuando era el arquitecto principal del Consejo de Castilla—. En su evolución llegó, incluso, a planteamientos casi de corte romántico en su proyecto para la *Basílica de Covadonga* (1779). Al final de su vida se especializó en obras de carácter funcional en las que llega a prescindir casi por completo del adorno.

Rodríguez no fue el único arquitecto académico de la corte, y junto a él hay que señalar al padre **Francisco Cabezas**, a quien se confió la construcción de la iglesia más importante de la corte, la *Basílica de San Francisco el Grande* (1761), en relación muy estrecha con la arquitectura barroca romana y especialmente con la de **Carlo Fontana**; y, sobre todo, a **Francisco Sabatini**, el autor de la *Aduana*, el *Hospital General* y la *Puerta de Alcalá*.

Carlos III y las ciudades de la Ilustración

Sabatini había sido el hombre elegido por Carlos III para renovar Madrid y darle a la ciudad un aspecto en consonancia con su dignidad de capital de la monarquía. Siendo muy difícil modificar radicalmente su interior, la actuación del soberano se dirigió, sobre todo, a reformar sus fachadas exteriores, rodeándolas de cómodos paseos arbolados y construyendo nuevas puertas monumentales. El mejor ejemplo de esta política urbanística se encuentra en la remodelación de la zona de los Prados que se convierten en el conjunto monumental más importante de la ciudad donde, además de la *Puerta de Alcalá* y varias fuentes monumentales se construyeron (ya en el reinado siguiente) edificios consagrados a la Ciencia —el *Gabinete de Ciencias Naturales*, el *Observatorio Astronómico* y el *Jardín Botánico*— junto a otros dedicados a la industria —la *Platería Martínez*—. La realización de tal tipo de edificios precisamente en un lugar como éste, y concebidos además como su principal ornato, venía a satisfacer algunas de las necesidades más imperiosas de la Ilustración, uniendo a la belleza una clara función de carácter didáctico.

Además de esta intervención sobre su corte, Carlos III impulsó un ambicioso programa urbanístico en Sierra Morena al ordenar la construcción de un conjunto de ciudades de nueva planta, las *Nuevas Poblaciones* —la principal de todas, *La Carolina*—, destinadas a acoger a los emigrantes atraídos hasta aquí para repoblar aquellos territorios. En todos los casos los principios constructivos que se siguieron fueron siempre los mismos: trazados rectilíneos formando plazas y calles anchas y arboladas, construcciones funcionales, buenas comunicaciones entre ellas y un racionalismo general en todo el proyecto que sitúan esta experiencia entre las más interesantes de cuantas se llevaron a cabo en Europa durante aquel período.

La Academia y la pintura

Aunque los hombres del siglo XVIII se mostraron enemigos de la arquitectura barroca, no sólo no renegaron de la tradición naturalista de la pintura española de aquel siglo sino que la defendieron ardientemente en sus discursos y oraciones académicas. Tan sólo protestaron contra el ilusionismo y decorativismo que la había invadido por la, según ellos, nefasta influencia de **Lucas Jordán**, que unida a una preparación cada vez más deficiente tanto desde el punto de vista de la teoría como del de la práctica, eran las responsables de la precaria situación en que se encontraba la pintura española a mediados del siglo. Si la causa, o al menos una de las causas más importantes, se encontraba en la mala formación, aún mayoritariamente artesanal, de los pintores, el remedio se encontraba, lógicamente, en una

Fuente de Cibeles, por Francisco Gutiérrez, Madrid.

educación adecuada que sería garantizada desde una institución dedicada a ello, como era la Academia.

Es cierto que ya en el siglo XVII se tendió a completar la enseñanza de los talleres con la de las múltiples academias que proliferaron en la corte y en otras ciudades de España (**Murillo** y **Valdés Leal**, por ejemplo, habían fundado una en Sevilla), pero no fue hasta mediados del siglo XVIII cuando esta tendencia cristalizó de manera definitiva con la fundación de la Real Academia de Bellas de San Fernando. En ella se pretendía dar al pintor una formación científica, basada en el dibujo, la copia de estatuas y de modelos del natural, y en una adecuada preparación en geometría y anatomía, creándose unos premios para que los alumnos más aventajados pudieran completar sus estudios en Roma. La posibilidad de conseguir uno de estos premios, y con ellos la de viajar a Italia —unido a la fuerte oferta de trabajo que supuso la decoración del *Palacio Real*— supuso un importante aliciente para que muchos jóvenes de provincias se dirigieran a la capital. Y si además tenemos en cuenta que durante las primeras décadas de su existencia la Academia estuvo regida por extranjeros (**Van Loo, Giaquinto, Mengs**) resulta fácil comprender que esta internacionalización de la pintura española se produjera de manera muy rápida y que afectara a todos los lugares de la Península. Además, los premios, las pensiones; además, el obligado viaje a Italia de los alumnos más dotados

El pintor bohemio **Antón Rafael Mengs** (en España de 1761 a 1769 y de 1774 a 1776) fue el verdadero rector de la Academia desde que le llamara a su servicio Carlos III. **Mengs**, a quien había conocido el rey en Nápoles, era el prototipo del pintor-filósofo, y fue con él con quien se abrió paso definitivamente en España una pintura culta y cosmopolita, que se encontraba inspirada en sus propias teorías y en las de su amigo Winckelmann.

Pero curiosamente, al mismo tiempo que llegaba **Mengs** a la corte, llegaba también, atendiendo a la llamada del rey para decorar las bóvedas del *Palacio Real*, otro artista, **Giambattista Tiépolo** (en España en 1762-1770), que representaba un tipo de pintura radicalmente opuesto. Pues si el primero era fiel representante del más rígido neoclasicismo, en el segundo se encontraban todos los refinamientos cromáticos y luminosos de la pintura veneciana al servicio de unas impresionantes composiciones —por ejemplo, la *Alegoría de la Monarquía Hispana* en el Salón del Trono— en las que se podían ver los últimos chispazos del barroco.

María de las Nieves Micaela Fourdinier, por Luis Paret, Madrid, Museo del Prado.

La actividad de ambos artistas se desarrolló con una gran rivalidad, de la que salió siempre vencedor **Mengs**, que, desde sus posiciones al frente de la Academia y de la Fábrica de Tapices, ejerció una auténtica dictadura sobre la pintura española. Sus aspectos decorativos fueron importantes para **Mariano Salvador Maella** (1739-1819) y sus retratos lo fueron para **Francisco Goya** (1846-1828) mientras que su discípulo más directo, **Francisco Bayeu** (1734-1795), mantuvo el espíritu de sus grandes composiciones en los ciclos decorativos en los que intervino en la catedral de Toledo y la basílica del Pilar y, siguiendo sus orientaciones, desarrolló una labor importante realizando cartones de tema costumbrista para los tapices de la Real Fábrica. Al margen de esta institución, **Lorenzo Tiépolo** (en España en 1762-1776) desarrolló también una pintura en la que mostraba una visión amable, muy cercana a la sensibilidad rococó, del mundo de lo popular.

Dentro del panorama de la pintura española de la segunda mitad del siglo XVIII se encuentran otros dos artistas importantes, **Luis Meléndez** (1716-1780) y **Luis Paret** (1741-1795), ambos muy influidos por lo francés en un momento en que el arte español ya miraba en otras direcciones. Ambos desarrollaron su actividad al margen de los círculos oficiales y, por ello, pudieron gozar de una mayor libertad. El primero, un excelente retratista, como demuestra su *autorretrato* (1746), se distinguió sobre todo por sus abundantes *bodegones* realizados con una enorme dosis de preciosismo y minuciosidad. El segundo, a quien Carlos III marginó de la corte por sus relaciones con el infante Don Luis, autor de escenas de la vida cotidiana y vistas de los puertos españoles —los únicos encargos oficiales que consiguió—, es el típico representante en España de una pintura verdaderamente rococó cuyo estilo adquirió a través de la estrecha relación que mantuvo con uno de los discípulos de **François Boucher**. Entre sus pinturas más conocidas, todas ellas de pequeño formato, destacan *Las parejas*

Carlos III comiendo ante su Corte, por Luis Paret, Madrid, Museo del Prado.

reales (1773), *Carlos III comiendo...*, una imagen intimista de la vida cortesana, y, sobre todo, *La tienda*, que se ha emparentado muchas veces con obras semejantes de **Antoine Watteau**, y muy especialmente con *La enseña de Gersaint*. Otros dos pintores, que cultivaron el género costumbrista fueron **Manuel de la Cruz** y **Antonio Carnicero** 1748-1814), cuya pintura más conocida representa *Elevación de un globo Montgolfier en los jardines de Aranjuez*.

Una vez más, la escultura siguió los mismos pasos que la pintura, y también se trató de reorientarla hacia las corrientes internacionales a través de la regulación de su enseñanza en la Real Academia de Bellas Artes. **Domingo Olivieri** y **Felipe de Castro** (1711-1775) fueron los impulsores de una escultura clasicista que trabaja con materiales nobles y desarrolla temas que, como los de la mitología, la historia y el retrato, resultaban ajenos a la tradición española y que fue cultivada por **Luis Salvador Carmona** (1709-1767), **Juan Pascual de Mena** (1707-1784) y **Roberto Michel** (1720-1786). Por el contrario, la tradición de la imaginería barroca del siglo anterior, siguió perviviendo fuera de la corte con **Ignacio Vergara** (1715-1776) y **Francisco Salzillo** (1707-1783) que continuó realizando pasos procesionales aunque de un dramatismo menor.

Juan de Villanueva y la arquitectura de la razón

La enseñanza de la Academia, unida a la que se estaba dando en las Escuelas de Ingenieros militares y al cada vez mejor conocimiento de la moderna teoría arquitectónica procedente de Francia e Italia, fue creando el ambiente adecuado para que a finales del siglo la arquitectura española se acercara cada vez más a los principios del racionalismo. **Ventura Rodríguez** y **Francisco Sabatini** eran los representantes de un barroco clasicista, riguroso y ortodoxo, que se había convertido en el lenguaje oficial de la Academia, pero junto a ellos va a ir apareciendo una generación más joven de arquitectos —la de **Pedro Arnal** (1735-1785), **José de Hermosilla** (†1776) y **Juan de Villanueva** (1739-1811)— que conducirán a la arquitectura española por una nueva dirección. Su punto de partida estaba en la crítica racionalista de **Diego de Villanueva**, en el estudio de la ruinas antiguas llevado a cabo durante sus estancias como pensionados en Roma y, también, en una reflexión profunda sobre la propia arquitectura nacional, y muy especialmente sobre **Juan de Herrera** y *El Escorial*, que se convirtieron en símbolo de la buena arquitectura. Pero también estudiaron el gótico nacional y la arquitectura árabe, siendo muy significativo que los tres arquitectos antes mencionados participaran juntos en una de las empresas arquitectónicas más importantes de su momento, un viaje arqueológico a Andalucía para dibujar las antigüedades árabes de Córdoba y Granada.

El principal de todos ellos fue, sin duda, **Juan de Villanueva**, un hombre que ocupó todos los cargos más importantes a los que podía aspirar un arquitecto y que desde su posición privilegiada pudo proyectar y construir un conjunto de obras comparables a las de los mejores arquitectos europeos de su tiempo. Su proyecto más importante estuvo vinculado al *Salón del Prado*, reorganizado por Carlos III, donde se levantaron el *Museo del Prado* (1785), concebido como *Gabinete de Ciencias Naturales*, el *Observatorio Astronómico* (1790), de fuerte influencia palladiana, y el *Jardín Botánico*, unos edificios dedicados a la Ciencia que, dentro del más puro espíritu ilustrado, se convirtieron —y esto es importante señalarlo— en el principal ornato de la ciudad. En ambos edificios **Villanueva** desarrolló una arquitectura basada en una utilización rigurosa de los órdenes, el contraste de volúmenes puros —cubos y cilindros— y en un juego de luces y sombras muy fuertes que ha llevado a definir su obra como "arquitectura de las sombras", a lo que habría que añadir una perfecta utilización de los materiales (ladrillo y piedra).

La infanta Carlota Joaquina, por Mariano Salvador Maella, Madrid, Museo del Prado.

La última generación de arquitectos racionalistas, la formada por **Silvestre Pérez** (1767-1825), **Ignacio Haan** (1758-1810), **Isidro González Velázquez** (1765-1840), **Antonio López Aguado** (1764-1831) y **Antonio Cellés** (†1835), no pudo desarrollarse plenamente a causa de los acontecimientos del tiempo en que les había tocado vivir, entre ellos la Guerra de la Independencia. Era una generación que se encontraba familiarizada con los proyectos utópicos de los arquitectos revolucionarios franceses, **Etienne-Louis Boullée** y **Claude Nicolas Ledoux**, y que, como ellos, no consideraba la arquitectura sólo como el arte de construir, sino el de concebir e imaginar el proyecto. Por eso, ellos eligieron también el camino de la utopía y concibieron todo un conjunto de edificios —hospitales, cárceles, cementerios, escuelas o bibliotecas...— en los que se abandonan los viejos temas de la arquitectura anterior —los de la iglesia y el palacio— para plantear unos diferentes a través de los cuales se pudieran proyectar al conjunto de la sociedad las nuevas ideas reformistas de la Ilustración. En este sentido es significativo que sus proyectos más interesantes no llegaran nunca a construirse como sucede con el proyecto de **Silvestre Pérez** para unir el Palacio Real con San Francisco el Grande convertido en Senado o con el del *Colegio de Cirugía* (1831) de **González Velázquez**.

ACTIVIDADES

Sugerencias

Puedes visitar el Museo del Prado en Madrid, el Museo de Bellas Artes de Sevilla, el Museo Nacional de Escultura de Valladolid o la Casa del Greco en Toledo; en ellos se encuentran las mejores colecciones de pintura y escultura de arte español de la Edad Moderna.

Hay una serie de excursiones interesantes que, según donde te encuentres, puedes hacer para conocer en directo algunas de las ciudades y monumentos de los que se habla en este libro. Entre estas excursiones, la más importante es al Monasterio de El Escorial, cerca de Madrid, que constituye uno de los monumentos principales del arte español. Otros destinos recomendados son: 1) un recorrido por Úbeda y Baeza (en la provincia de Jaén), dos ciudades renacentistas que constituyen uno de los mejores ejemplos de la arquitectura andaluza del siglo XVI; 2) una visita a Valladolid y Salamanca, dos ciudades castellanas que conservan notables edificios renacentistas y barrocos; 3) Santiago de Compostela, donde se encuentran las mejores muestras de la arquitectura y el urbanismo barrocos en Galicia; 4) una excursión a Lerma (Burgos), una pequeña ciudad fundada por el duque de Lerma a principios del siglo XVII que aún sigue conservando su aspecto original; 5) un recorrido por los Sitios Reales de Aranjuez (Madrid) y La Granja (Segovia), con sus palacios del siglo XVIII y dos de los jardines más interesantes de España.

El cardenal infante don Fernando de Austria, cazador, por Velázquez.

Cronología

1450: Nace Pedro Berruguete.
1503: Muere Pedro Berruguete.
1507: Últimas noticias sobre Fernando Gallego.
1520: Muere Bartolomé Ordóñez.
1530: Nace Juan de Herrera.
1541: Nace el Greco.
1561: Muere Alonso Berruguete.
1563: Primera piedra del Monasterio de El Escorial.
1570: Muere Alonso Covarrubias.
1586: Muere Luis de Morales.
1591: Nace Ribera.
1597: Muere Juan de Herrera.
1598: Nace Zurbarán.
1599: Nace Velázquez.
1614: Muere el Greco.
1652: Muere Ribera.
1656: Velázquez pinta Las Meninas.
1660: Muere Velázquez.
1664: Muere Zurbarán.
1667: Muere Cano.
1692: Muere Claudio Coello.
1725: Muere José Benito Churriguera.

Bibliografía

Brown, J.: Velázquez, pintor y cortesano, *Alianza, Madrid, 1986.*
Marías, F.: El siglo XV. Gótico y Renacimiento, *Sílex, Madrid, 1992.*
M. S. García Felguera: Viajeros, eruditos y artistas. Los extranjeros frente a la pintura española del Siglo de Oro, *Madrid, 1991.*

ARTE CONTEMPORÁNEO

Goya

El siglo XIX

El Arte español entre dos siglos

El Arte español y la vanguardia

GOYA

Gaspar Melchor de Jovellanos, por Francisco de Goya, Madrid, Museo del Prado.

Francisco de Goya (1746-1828), contemporáneo estricto del francés **Jacques Louis David**, es uno de los artistas más importantes de cuantos trabajaron en toda Europa entre los dos siglos, y a través de su pintura se puede seguir perfectamente la manera en que la Ilustración va dando paso al Romanticismo.

Su formación fue absolutamente tradicional: tras pasar varios años en el taller de un modesto pintor local, **Goya**, como tantos otros jóvenes artistas de su momento, intentó completar su aprendizaje en la Academia de Bellas Artes de San Fernando —donde no consiguió ingresar a pesar de haberlo intentado en dos ocasiones—. Y, después, en Italia, donde obtuvo algunos éxitos que le sirvieron para permitirle regresar con un cierto renombre y conseguir, a su vuelta a Zaragoza, algunos encargos de cierta importancia en las decoraciones al fresco de la basílica del Pilar (1772) y de la Cartuja del Aula Dei (1774).

En Zaragoza se casó con la hermana del discípulo preferido de **Mengs, Francisco Bayeu**, y, a partir de este momento, su cuñado le proporcionó toda su protección y apoyo para irse introduciendo en la corte. Gracias a él, en 1775, empezó a pintar *cartones* para los tapices que, tejidos en la Real Fábrica de Santa Bárbara, iban a servir para la decoración de los palacios reales. Unos cartones para los que, siguiendo la moda venida de Francia, se preferían los temas populares, pero con una visión muy concreta de lo popular, que no era, en absoluto, la del pueblo sino la de la aristocracia: una visión falsamente idílica que seleccionaba sólo sus aspectos amables y pintorescos —el de sus diversiones y juegos— pero que ocultaba su verdadera realidad. Y es exactamente este mundo de lo popular el que va a recoger **Goya,** en sus primeras series de cartones, cuyos títulos son por sí mismos sumamente significativos: *Baile a orillas del Manzanares* (1777), *La novillada* (1780)... Se trataba, en definitiva, de escenas grandes que se diferenciaban muy poco de los cartones pintados por **Francisco Bayeu** o **José Castillo**.

Goya, que hasta este momento se había movido entre la pintura de historia y la religiosa, había descubierto en lo popular un nuevo tema, que para él sería fundamental. A finales de la década de los ochenta pinta dos obras muy representativas de este peculiar interés aristocrático por lo castizo: un pequeño cuadro de caballete, *La pradera de San Isidro* (1788), y un gran cartón para tapices, *La gallina ciega* (1788). En el primero vemos juntos, en medio de una romería tradicional, a los miembros de la aristocracia y a gente del pueblo; en el segundo, quienes practican un juego tan popular no son sino nobles disfrazados de majos, algo que, por otra parte, resultaba habitual como demuestran los famosos retratos que, vestidas de maja, hizo **Goya** a la duquesa de Alba (1797) y a la reina María Luisa (1799).

Pero no era ésta la única mirada posible hacia el pueblo. Había otra, la de tantos y tantos geógrafos y economistas ilustrados, que, abandonando cualquier clase de pintoresquismo superficial, quería captar la verdadera esencia de la realidad española. Y **Goya**, que se movía en los círculos ilustrados de la corte y que era amigo de hombres como Jovellanos o

Moratín, también hizo suya esta visión. Es la que le llevó, en su serie de *Los trabajos y los días* (1786-1787) a representar a esta gente del pueblo ya no divirtiéndose sino ocupada en sus labores cotidianas —*La era*, *La vendimia*...— o mostrando también en ocasiones —*El albañil herido* o *La nevada*— las durísimas condiciones en medio de las cuales se desarrollaba una existencia que no era tan feliz como se pretendía.

Goya era un hombre ambicioso, que difícilmente se habría podido conformar con una posición tan modesta como la de pintor de tapices. Él quería triunfar en la corte y lo va a intentar de las dos únicas maneras a su alcance: como pintor religioso y como retratista.

En la España de finales del siglo XVIII y fuera del círculo cortesano, la Iglesia seguía siendo aún el principal cliente para los artistas. Así que, de la misma manera que antes de instalarse en Madrid había trabajado en la basílica del Pilar y en la Cartuja del Aula Dei, no puede extrañarnos que, una vez en la corte, trate de dar a conocer su nombre. Para ello aprovecha la oportunidad que le ofrece la decoración de la basílica de San Francisco el Grande, donde pinta el altar de *San Bernardino de Siena* (1783), y para su ingreso en la Academia presenta un *Cristo crucificado* (1780). Por razones obvias, y más en los primeros tiempos de su carrera, **Goya** se vio obligado a realizar pintura religiosa. Una pintura religiosa, como la de su cuñado **Bayeu**, llena de arquitecturas monumentales, pórticos y escaleras que revela el conocimiento del arte italiano, en especial el de **Carlo Maratta** y **Tiépolo**, que poco a poco irá dando paso a una imagen muy diferente. Y si en el *San Bernardino de Siena* la predicación aún se desarrolla dentro de un contexto muy elaborado, en los frescos de *San Antonio de la Florida* (1788) ofrece una interpretación antiheroica del milagro que ya no se produce en medio de grandes rompientes de luz ni de ángeles revoloteando, sino a ras de suelo y en medio de la gente del pueblo, de la que ofrece ahora una imagen completamente diferente. En la última parte de su carrera cada vez se hace más escasa su pintura religiosa. Apenas se pueden señalar otras obras que *San Francisco expulsando a los demonios* (1788), cuyos monstruos le aproximan al mundo de los *Caprichos*, *El prendimiento* (1798), *La oración en el Huerto* (1819) y *La última comunión de San José de Calasanz* (1819), sus obras más emotivas en las que se deja sentir la fuerte influencia que ejerció Rembrandt sobre su pintura.

Si la pintura religiosa no le dio el triunfo que esperaba, éste vino de la mano de sus retratos. Aunque su primer gran intento, el que hizo del *Conde de Floridablanca* (1783), fue un absoluto fracaso porque no logró atraer la atención del poderoso ministro, sí consiguió despertar el interés del Infante Don Luis. Para éste hizo una serie de maravillosos retratos, de la duquesa de Osuna y de la de Alba, que le convirtieron en el retratista de moda de la corte mucho antes de que consiguiera introducirse definitivamente en palacio, algo que no ocurriría hasta 1789 cuando Carlos IV le nombre su pintor de cámara.

Cuando llega este momento, **Goya** tiene ya cerca de cuarenta años, y su estilo, ya completamente maduro, ha abandonado cualquier tipo de influencia académica bajo el impacto de **Velázquez**, cuyas obras había estudiado cuidadosamente, grabando varias de ellas. **Goya** reconocía tan sólo tres maestros, "**Velázquez**, **Rembrandt** y la naturaleza", y la influencia de Velázquez es fundamental en toda su pintura, pero especialmente en sus retratos. Esta influencia puede apreciarse en obras como *Carlos III cazador* (1783), *La Tirana* (1784) o la *Condesa de Chinchón* (1800) siguiendo el ejemplo del *Pablillos de*

Valladolid hasta la utilización que hace de *Las Meninas* en *La familia de Carlos IV* (1800), sin olvidar cómo toma de él la preocupación por la luz o el toque suelto de la pincelada. Pero **Goya** es un retratista muy complejo, que no olvidó nunca la lección de los retratos de **Mengs** y que fue muy sensible también al retrato sentimental inglés, como puso de manifiesto en *La familia del Infante don Luis* (1783) y, sobre todo, en el de *La familia de los duques de Osuna* (1788).

En estos últimos retratos **Goya**, que se encontraba muy vinculado a sus modelos, consigue un tipo de retrato íntimo y cálido —radicalmente distinto del que ofrece cuando retrataba simplemente por encargo— que acentuará más aún en la numerosa serie de retratos que hace de sus amigos ilustrados, casi todos ellos escritores. Un tipo de retrato —sin precedente alguno en la pintura española—, sencillo y penetrante, en donde se sacrifica el traje y el decorado para resaltar el carácter anímico del personaje. Buena prueba de ello son los de *Moratín* (1799), *Bayeu* (1795) o *Villanueva* (1800) y, sobre todo, el de *Jovellanos* (1798) que, aunque sentado ante su mesa de ministro, se muestra como un hombre melancólico profundamente preocupado por los problemas propios de su cargo. **Goya** fue un retratista dotado de una honda profundidad psicológica que, de la misma manera que sabe traducir el afecto que siente por sus amigos, es capaz de ofrecer una imagen despiadada de aquellos por los que no siente ninguna simpatía, aunque estos personajes sean los propios reyes o el todopo-

La familia de Carlos IV, por Francisco de Goya (arriba). *Saturno*, por Francisco de Goya (abajo). Ambas obras están en el Museo del Prado de Madrid.

Los fusilamientos del 3 de mayo en la Moncloa, detalle, por Francisco de Goya (página izquierda). *La carga de los mamelucos en la Puerta del Sol*, por Francisco de Goya (izquierda).

deroso Godoy. Con ellos se muestra profundamente crítico, y ésta es otra faceta crucial dentro de la vida y la obra del pintor.

En los salones de las duquesas de Osuna y de Alba, donde se reunía lo más selecto de todo Madrid, **Goya** tuvo la oportunidad de entrar en contacto con la Ilustración. Allí conoció a hombres que, como Jovellanos, Moratín o Meléndez, se convertirían en grandes amigos suyos y que harían dar un cambio radical a su vida. Fueron ellos quienes le transmitieron las ideas ilustradas y le llevaron a intentar realizar con sus pinceles la misma crítica de las costumbres y usos de la sociedad de su tiempo que ellos estaban haciendo con la pluma. Así, si en el cartón de *La boda* (1791) se puede establecer un paralelismo con *El sí de las niñas* de Moratín, también se puede encontrar lo mismo entre las páginas de Jovellanos, Isla o Feijoo y sus *Caprichos* (1797-1798). En el texto en que se anunciaba esta serie de grabados podía leerse que su propósito era "la censura de los errores y vicios humanos" y en las láminas iba pasando revista a la ignorancia, el poder de la Inquisición, la ociosidad de los frailes y de las clases aristocráticas, la corrupción de las costumbres... temas todos ellos que eran los comunes de una crítica que creía en la posibilidad de reformar las costumbres con la sola fuerza de la razón.

Fernando VII en un campamento, por Francisco de Goya, Madrid, Museo del Prado.

La década de los ochenta, fue una época feliz para **Goya**: había triunfado como artista y su pintura era alegre y optimista, Sin embargo, todo esto cambió bruscamente cuando, en 1792, una grave enfermedad le llevó a las puertas de la muerte y le dejó completamente sordo. Este fue un momento crucial para la vida y el arte de **Goya**, pues los delirios de la enfermedad dieron entrada en su arte a un mundo visionario al que dio rienda suelta en los "cuadros de capricho" que pintó durante aquellos angustiosos momentos; unos cuadros pintados para sí mismo en los que representa un mundo onírico, de pesadillas (similares a las que por entonces estaba pintando **Füssli**), en las que los protagonistas son una colección de monstruos, brujas y demonios que anuncian ya la aparición del Romanticismo. Al mismo tiempo, el aislamiento al que le condenó su sordera produjo, una exageración de su capacidad crítica: a partir de ahora es cuando pinta sus escenas de locos y de Inquisición, cuando graba sus *Caprichos* y cuando cambia radicalmente su visión del mundo popular, ahora romántica y atormentada, tal y como lo presenta en *El entierro de la sardina* o en *La corrida de toros en un pueblo* (1793). Así, los individuos que protagonizaban sus cuadros anteriores de diversiones populares han desaparecido en el interior de una muchedumbre hosca y violenta.

Otro acontecimiento capital, también para su vida y para su arte, se produjo cuando en 1808 se inició la Guerra de la Independencia, tema de algunas de sus obras más famosas: *El dos de mayo de 1808* (1814), *Los fusilamientos del tres de mayo de 1808* (1814) y *El coloso* (1810-1818), además de bastantes cuadros de pequeño tamaño con escenas de la guerrilla y su serie de grabados sobre *Los desastres de la guerra* (1810-1820). Independientemente de su tamaño o su técnica todos ellos tienen una cosa en común: la imagen antiheroica y terriblemente cruel de la guerra que presentan. Una imagen de la que, salvo los grabados de **Jacques Callot,** apenas había precedentes pero que se iba a convertir en la imagen habitual que dieron de ella los pintores románticos: una guerra en la que no hay héroes, o si los hay son tan anónimos como los madrileños que aguantan la carga de los mamelucos o que van a ser fusilados por unos soldados sin rostro en la montaña de Príncipe Pío. "No hay remedio" dice la leyenda de uno de los *Desastres* que representa una escena de fusilamiento, "Son fieras" se lee en otro donde un grupo de mujeres ataca a varios soldados franceses, y "Se aprovechan" pone sobre un tercero en el que están despojando a varios muertos de sus pocas pertenencias. Unos títulos como éstos son, quizá, lo que resuma mejor cuál es el espíritu que puede encontrarse detrás de estas pinturas de **Goya**. Eran una meditación sobre los acontecimientos concretos de la guerra, pero también sobre la propia condición humana; por ello la imagen fundamentalmente cruel y desesperanzada que ofrecen encuentra su paralelo en la crudeza de los grabados de la *Tauromaquia* (1815-1816) o en la angustia de la cabeza de *El perro* de sus *Pinturas Negras* que parece estar hundiéndose en unas arenas movedizas.

El mundo de **Goya** se va haciendo cada vez más oscuro: en el plano político vio cómo la reacción absolutista de Fernando VII frustraba cualquier esperanza progresista y en el personal vio cómo **Vicente López** (1772-1850) le sustituía como pintor de cámara y retratista oficial, lo que le hizo aislarse cada vez más, sobre todo a raíz de su enfermedad de 1819. Fruto de esta época especialmente oscura de su vida son la serie de *Los Proverbios* (1815-1824), en donde vuelve a incidir sobre los temas que le habían inspirado *Los Caprichos* pero desde una óptica mucho más sarcástica y pesimista, y las *Pinturas Negras* que adornaban las paredes de su casa (1820-1823) con escenas tan oscuras moral como cromáticamente. Como se ha señalado, *Los Proverbios* y las *Pinturas Negras* tienen un punto común: la sensación de desolación que producen, pero también la de "disparate" (así se llaman también *Los Proverbios*), de mundo al revés en el que domina el absurdo (los hombres vuelan, las fiestas son siniestras...).

El fin del trienio liberal y la inseguridad que rodeaba a su persona le hicieron tomar la decisión de expatriarse a Francia, donde vivió los últimos cuatro años de su vida en medio de una calma desconocida por él desde hacía mucho tiempo. Una situación nueva que se tradujo en una pintura otra vez luminosa y optimista de la que son buena prueba *La lechera de Burdeos* (1825-1827), la serie de litografías conocida como *Los toros de Burdeos* (1825) y una colección de retratos de sus amigos españoles, compañeros en el exilio.

EL SIGLO XIX

Entre la tradición y el neoclasicismo

Marginado de los círculos cortesanos y académicos, primero, y exiliado en Francia, después, **Goya** quedó al margen del arte oficial y su papel lo ocuparon **Vicente López** (1772-1850) y **José de Madrazo** (1781-1839), dos artistas anclados todavía en el siglo anterior.

Vicente López representaba la continuidad del academicismo dieciochesco, heredando a través de su maestro, **Maella,** el espíritu de **Mengs** cuya técnica estudió en profundidad. Pintor de cámara, director de la Academia y del recién inaugurado Museo del Prado, gozó de los favores de Fernando VII y se convirtió en el retratista de toda una generación de aristócratas y funcionarios palaciegos. **José de Madrazo**, gozó de los mismos honores que **Vicente López** —pintor de cámara, director de la Academia y del Museo del Prado— aunque representaba una opción artística muy diferente. **José de Madrazo**, había estudiado en París, donde llegó a ser discípulo de **David**, y Roma, por eso, aprendió las teorías del neoclasicismo. Su cuadro más conocido, *La muerte de Viriato*, con su colorido artificioso y la importancia concedida a un dibujo que da calidad de estatuas a las figuras, es un buen ejemplo de este estilo, bastante ajeno a la tradición española y que nunca llegó a gozar de excesiva fortuna entre nosotros. **José Aparicio**, contemporáneo suyo y como él discípulo de **David**, siguió el mismo camino aplicándolo a una pintura de historia contemporánea —*El hambre en Madrid*— en lugar de inspirarse en temas antiguos. En escultura, la figura es la del catalán **Damián Campeny** (1771-1885), que cultivó temas procedentes de la historia clásica y conectó con el neoclasicismo internacional a través de **Canova**.

Francisco de Goya, por Vicente López, Madrid, Museo del Prado.

En el terreno de la arquitectura fue donde la tentación neoclásica pervivió durante más tiempo. Después de terminada la Guerra de la Independencia aún siguieron trabajando muchos arquitectos que como **Isidro González Velázquez, Antonio López Aguado** y **Silvestre Pérez** ya se encontraban activos en los últimos años del siglo XVIII; pero junto a ellos los miembros de la nueva generación siguieron anclados en un clasicismo que encontraría uno de sus edificios más representativos en el *Palacio de las Cortes* (1850) de **Narciso Pascual y Colomer** (1801-1870).

El costumbrismo de veta brava

Si el arte oficial permaneció ajeno a **Goya**, no sucedió lo mismo en otros campos y el aragonés se convirtió en el punto de referencia inevitable para toda una generación de *goyescos*, los *costumbristas de veta brava*, que, con **Leonardo Alenza** (1807-1845) y **Eugenio Lucas Padilla** (1824-1870) a la cabeza, desarrollaron una pintura tan próxima a la suya que en muchas ocasiones se ha llegado a confundir con la del maestro.

Son ellos, con el sevillano **Valeriano Bécquer**, los primeros pintores españoles verdaderamente románticos españoles, que desarrollan su arte al margen de cualquier tipo de institución oficial y de honores, que muchas veces viven en condiciones precarias y que en ocasiones tienen un final trágico, muertos en plena juventud.

Junto a **Alenza**, que fue también un magnífico retratista, y **Lucas**, tan interesado en **Goya** como en **Velázquez**, habría que mencionar a **Francisco Lameyer** (1825-1877) y a **José Elbo** (1804-1844), especializado en pequeños paisajes con escenas de toros, además del conjunto de ilustradores cuyo número empieza a multiplicarse al calor de la nueva prensa ilustrada y las revistas satíricas que se convirtieron en un magnífico campo para el desarrollo de esta visión costumbrista que en muchas ocasiones está cercana a lo caricaturesco.

María Cristina de Borbón, por Vicente López (izquierda). *Señora de Delicado Imaz*, por Vicente López (derecha). Ambas en el Museo del Prado de Madrid.

La imagen romántica de España y el costumbrismo sevillano

El costumbrismo de estos artistas madrileños había heredado sus temas y su visión del mundo popular directamente de **Goya**, que había sido el precursor de una imagen romántica de España —la de los toreros, contrabandistas, guerrilleros y majos— que cargarán de exotismo los múltiples viajeros y artistas extranjeros que, al terminar la Guerra de la Independencia, empezaron a llegar nuestro país.

España, llena de color local y vencedora de Napoleón, se puso de moda. El atraso general del país, lo pintoresco de muchas de sus costumbres —desterradas ya de la Europa industrializada— y los numerosos vestigios que aún quedaban de su pasado musulmán la convirtieron en un oriente próximo y accesible y en la meta de todo viaje romántico. Los artistas ingleses y franceses, como **David Roberts** y **John Lewis** o como **Adrian Dauzats** y **Alfred Dehodenq**, encontraron especialmente en Andalucía un mundo fascinante de temas que popularizaron en sus países de procedencia, dando origen a una importante moda españolista que llegará hasta **Manet**, y que descubrieron a los propios artistas españoles.

Unos, como **Jenaro Pérez Villaamil** (1807-1854) cultivaron un paisaje romántico de España, aprendido del escocés **David Roberts**; un paisaje, a veces real y a veces reconstruido a base de unir en una escena elementos procedentes de otros lugares, pero siempre lleno de elementos literarios, edificios árabes o medievales y ensoñaciones fantásticas levemente misteriosas. Otros se especializaron en una pintura costumbrista y pintoresca que —como las *veduttas* venecianas

La procesión del Corpus en Sevilla, por Manuel Cabral Bejarano, Madrid, Museo del Prado.

en el siglo anterior— estaba destinada sobre todo a los viajeros extranjeros que la compraban para llevar a sus países como recuerdo. De acuerdo con su destino, se trataba de una pintura de pequeño tamaño, fácilmente transportable, y llena de toreros, gitanas y escenas de la vida andaluza que encontró a sus mejores intérpretes en **Juan Rodríguez Jiménez, el Panadero** (1765-1830), en **Manuel Rodríguez Guzmán** (1818-1867) y en los primos **José** y **Joaquín Domínguez Bécquer** (1805-1842; 1817-1879).

El costumbrismo siguió vivo en la siguiente generación de pintores sevillanos, pero cambió de tono. Perdió pintoresquismo en la misma medida en que ya no buscaba sus clientes entre los viajeros extranjeros y representó una imagen más veraz de la auténtica realidad española: la que ofrece **Manuel Cabral Bejarano** (1827-1891) en su *Procesión del Corpus en Sevilla* (1857), cuyo verdadero protagonista ya no son gitanas y toreros sino la burguesía sevillana; y, sobre todo, la que ofrece **Valeriano Bécquer** (1833-1870) en los cuadros pintados durante un viaje que hizo, con una beca del gobierno, para recoger las costumbres y tipos populares de Castilla, Aragón y Vascongadas. Ya no son tipos andaluces —y esto es significativo— ni su móvil se encuentra en el pintoresquismo sino en un interés documental y serio de las indumentarias y costumbres de los habitantes de estas regiones a los que va a representar con una nueva monumentalidad, imposible de encontrar entre los costumbristas sevillanos precedentes.

La Condesa del Vilches, por Federico de Madrazo, Madrid, Museo del Prado.

La tradición de Murillo

En Andalucía no había desaparecido la tradición de la pintura de **Murillo**, y se hizo más intensa en el siglo XIX por la enorme popularidad internacional que alcanzó en este momento, cuando llegó a considerársele el pintor más importante de toda la historia. A mediados del siglo **Murillo** se convierte en un punto de referencia para una generación de artistas sevillanos que buscan en él el camino para desarrollar una pintura al margen por completo de cualquier elemento de origen extranjero. Este es el caso de **José Gutiérrez de la Vega** (1805-1865), autor de una abundante pintura religiosa y de algunos retratos, y de **Antonio Esquivel** (1806-1857), que aunque se hizo extraordinariamente famoso como retratista —su obra más célebre representa a *Zorrilla leyendo unos versos en el estudio del pintor* (1846) y en ella aparecen retratados todos los románticos españoles— cultivó todos los géneros, desde la pintura religiosa, de calidad muy desigual, a la de historia, y del desnudo a las escenas de tipo costumbrista que, a veces, están cercanas a la sensiblería.

El romanticismo oficial

Todos estos pintores, a los que nos acabamos de referir, ocupan un lugar en la clasificación del romanticismo español. Representan la creación más libre y espontánea, y también la más atenta a lo español, que había buscado en la vida cotidiana del país sus temas de inspiración y en sus tradiciones artísticas —más próximas, **Goya**, o más lejanas, **Velázquez** y **Murillo**— sus modelos artísticos. Pero también la creación que fue desdeñada por la crítica y las instituciones oficiales decimonónicas que dirigieron sus preferencias hacia aquella otra que, partiendo de la herencia neoclásica de **José de Madrazo**, se inclinó más hacia el dibujo y la pureza de la línea que hacia el color y que trató de identificarse con las modas procedentes del norte, orientándose hacia una pintura de historia que, lógicamente, buscaba sus temas en el mundo medieval.

La figura más importante de éste, que podríamos llamar, romanticismo "oficial" fue **Federico de Madrazo** (1815-1894), que, enviado por su padre a estudiar a París y a Roma, había entrado en contacto con **Ingres** y con el grupo de pintores alemanes conocidos como los **Nazarenos**. **Madrazo** cultivó en Roma una pintura de historia, pero desde su regreso a España en 1842 se dedicó casi en exclusiva a la pintura de retratos por la que se hizo absolutamente célebre, alcan-

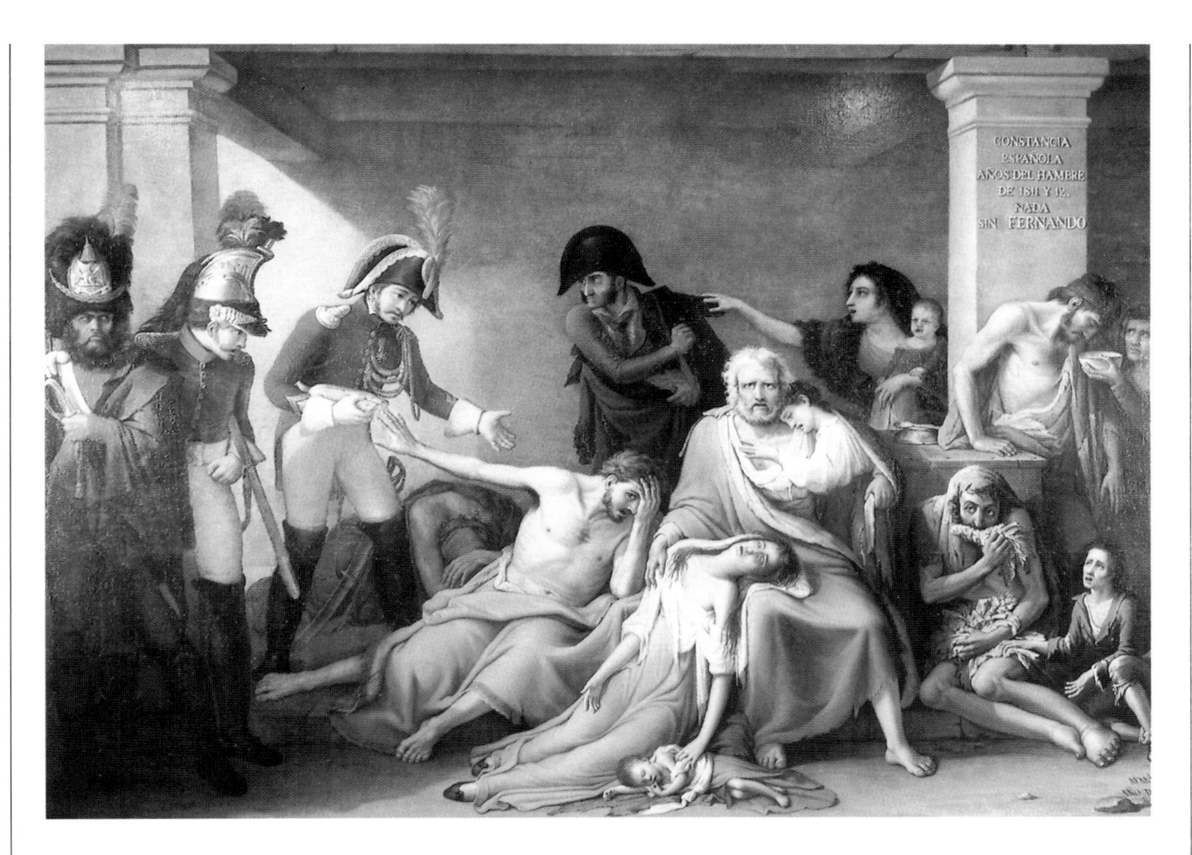

El hambre en Madrid, por José Aparicio, Madrid, Museo del Prado.

zando, como su padre, todos los honores a que podía aspirar y convirtiéndose durante medio siglo en el verdadero dictador del arte español. **Madrazo** fue un artista extraordinariamente dotado y, sin duda, el mejor retratista español de su tiempo. En su obra se aprecia una evolución de acuerdo con los tiempos en que le tocó vivir. Esta evolución va del pleno romanticismo hasta el realismo y desde una preocupación obsesiva por la línea que manifiestan sus primeros retratos hasta una realización mucho más suelta y reducida de los últimos en los que se trasluce la enorme influencia ejercida en él por el estudio de la pintura velazqueña. Junto a **Madrazo** el otro gran pintor representativo de este momento es **Carlos Luis de Ribera**, hijo de otro pintor neoclásico, **Juan Antonio Ribera**; formado como él en París y Roma realizó un tipo de pintura muy similar, en la que se alternan los retratos con la pintura de historia y con la realización de grandes empresas decorativas como la del *Salón de Sesiones del Congreso* (1850).

La pintura de los **Nazarenos** no fue importante sólo para **Madrazo** y **Ribera**; lo fue también para un grupo de pintores catalanes, pensionados en Roma, que marcaron la renovación de la pintura en Barcelona —**Mariano Fortuny** (1838-1874) fue discípulo de alguno de ellos—, donde apenas había tenido una pequeña incidencia el neoclasicismo propugnado desde la Escuela de Dibujo de la Junta de Comercio por el francés **Joseph Flaugier**, alumno de **David**. El grupo estaba integrado por **Pablo Milá y Fontanals** y **Claudio Lorenzale**, que a su regreso practicaron una pintura histórica de exaltación catalanista, y por **Joaquín Espalter** que se instaló en Madrid, donde desarrolló la parte más importante de su carrera.

La rendición de Bailén, por José Casado del Alisal, Madrid, Museo del Prado.

La pintura de historia

La pintura de historia no era nueva en España, y en tiempos aún recientes había encontrado en *El dos de Mayo* y en *Los fusilamientos del tres de mayo* (1814) de Goya uno de sus momentos culminantes. Lo que sí va a ser nuevo es el auge extraordinario que va a alcanzar este género de pintura a partir de los años centrales del siglo. La explicación hay que buscarla tanto en el hecho de que la historia es una preocupación fundamental para la burguesía como en el de la nueva situación en que se encontraba el artista frente al mercado. Desaparecidos definitivamente el mecenazgo y los sistemas de encargo que habían funcionado durante los siglos anteriores, triunfar en las Exposiciones oficiales de la Academia de Bellas Artes se había convertido en el único camino posible para que un nuevo artista se diera a conocer y pudiera iniciar una próspera carrera. Y a ello dedicaron todos sus esfuerzos, realizando una pintura en la que tanto los temas —unas escenas históricas impactantes, en un momento en que se situaba a la pintura de historia en el lugar más encumbrado— como los grandes formatos y los recursos expresivos estaban perfectamente calculados para llamar la atención del público y del jurado y, así, tratar de conseguir una de tan ansiadas medallas.

Y esto es lo que une entre sí a unos pintores que —como **José Casado del Alisal** (1832-1886), **Vicente Palmaroli** (1834-1896) o **Antonio Gisbert** (1835-1902)— no formaron un grupo homogéneo ni tuvieron siquiera las mismas inquietudes artísticas —alguno de ellos estaba bordeando estilísticamente el realismo— ni tampoco políticas. En este sentido es significativo el hecho de que **Casado del Alisal**, un hombre conservador, eligiera sus temas entre los grandes hechos heroicos de la historia patria, como *La rendición de*

El fusilamiento de Torrijos y sus compañeros, por Antonio Gisbert, Madrid, Museo del Prado.

Bailén mientras que **Gisbert** lo hiciera entre aquellos otros más liberales, *El fusilamiento de Torrijos* o *Los comuneros de Castilla* (1860).

Rosales y Fortuny

Eduardo Rosales (1836-1873) y **Mariano Fortuny** (1838-1874) representan la renovación frente al arte oficial y la pintura de historia, que ellos mismos cultivaron en un momento inicial de su carrera, pero a la que dieron una dimensión radicalmente nueva para olvidarse luego de ella. **Rosales** realizó *El testamento de Isabel la Católica* (1864), y **Fortuny** *La Batalla de Tetuán* y sus cuadros de la campaña de Marruecos, en los que se unen la precisión y objetividad del reportero de guerra con el pintor orientalista. Y en la carrera de ambos, contemporáneos, se pueden encontrar tantos elementos de aproximación como de alejamiento: los dos desarrollan la parte más importante de su carrera fuera de España y los dos mueren prematuramente jóvenes, pero mientras que **Fortuny** alcanzó fama y riquezas, **Rosales** fue el prototipo del artista marcado por la desgracia que muere justo cuando se le empiezan a abrir las puertas del reconocimiento.

Distintos eran también los intereses artísticos de cada uno, aunque ambos contribuyeron por igual a liquidar cualquier resto de prejuicio estilístico romántico. **Rosales** practicó una pintura monumental en su *Desnudo* (1868) sorprendentemente próximo a la pintura de **Manet** y que, sin duda, de no haberse visto sorprendido por la muerte, hubiera llevado rápidamente a la pintura española por un camino de la modernidad muy próximo al impresionismo. **Fortuny**, por el contrario,

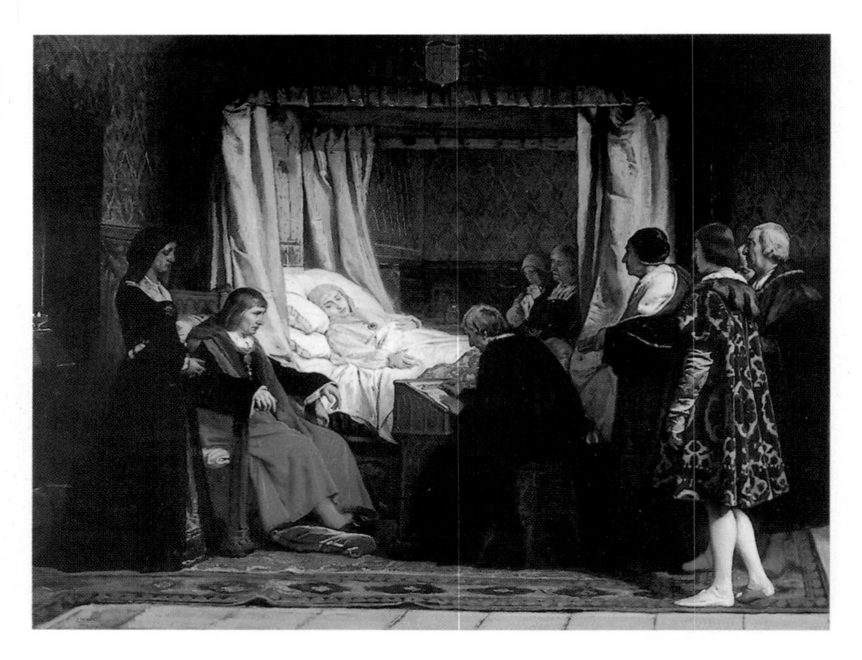

El testamento de Isabel la Católica, por Eduardo Rosales (derecha). *La hilandera*, por Valeriano Domínguez Bécquer (abajo).

practicó una pintura minuciosa y detallista, interesada por la luz y el color y en la que pesa mucho el estudio de los grandes españoles del siglo XVII, especialmente **Velázquez** y **Ribera**.

La primera etapa de su carrera está marcada por la fascinación que le produce el mundo y la luz del norte de África, que refleja en acuarelas y óleos, de fuerte sabor orientalista, que en algunas ocasiones —por ejemplo en su *Odalisca* (1860)— le aproxima a **Delacroix**. Tras esta época, y después del éxito de *La vicaría* (1867) comienza a practicar un tipo de pintura muy dependiente de los grandes maestros holandeses del XVII, pero también de **Goya** y de algunos pintores franceses contemporáneos —como **Meissonier**—; una pintura de pequeño formato y ejecución minuciosa que le lanza a la fama internacional. Y, en los últimos años de su vida, se deja seducir de nuevo por el orientalismo redescubierto en su estancia granadina y por la luz mediterránea de sus últimos paisajes pintados en Portici.

Ni la pintura de **Rosales** ni tampoco la de **Fortuny** tuvieron continuación: pues si el primero no dejó discípulos, los múltiples seguidores, como **José Jiménez de Aranda** (1837-1903), del segundo se quedaron sólo en el aspecto más superficial de su pintura.

El naturalismo y el realismo social

El catalán **Ramón Martí Alsina** (1826-1894) es uno de los pintores más interesantes de la segunda mitad del siglo, que introdujo en España un realismo cuyas raíces se encuentran muy próximas a **Courbet**, a quien había conocido durante su estancia en París. Como el francés, se sentía políticamente identificado con la revolución, hasta el punto de que, cuando pensó que se habían traicionado los ideales de 1868, se negó a recibir cualquier tipo de recompensa o reconocimiento oficial. Como **Courbet,** también él unió el arte con

Concierto, por Vicente Palmaroli (izquierda). *Retrato de niña*, por Valeriano Domínquez Bécquer (abajo).

la vida y en su pintura puso de manifiesto cuál era la realidad de la baja burguesía y las clases trabajadoras y campesinas, con una mirada rigurosamente naturalista sin ningún tipo de concesiones al costumbrismo y lo pintoresco. Si la visión que ofrecía de sí misma —por ejemplo en un cuadro como *La siesta*, tan próximo a **Manet**— a la burguesía catalana podía resultarle dura de asimilar, sus desnudos femeninos, privados de cualquier idealismo, le resultaban francamente escandalosos. Otra parcela importante que cultivó fue la de la pintura de paisaje con sus vistas urbanas de Barcelona. **Martí Alsina** ocupó un lugar fundamental en la pintura de finales del siglo, pues si el tipo de temas elegidos por él acabaron derivando en el *tremendismo*, la técnica de su pintura abría las puertas al impresionismo*.

Este realismo social, que en **Nonell** y en el primer **Picasso** llegará a los umbrales mismos del expresionismo*, tuvo también su versión académica y oficial, totalmente pasada de moda —el *tremendismo*—, cuando este género en su vertiente más lacrimógena y sensiblera pasara a ocupar el lugar dejado por el agotamiento definitivo de la pintura de historia.

Rosales y Fortuny habían sentenciado la pintura de historia, que todavía encontró a uno de sus más dotados representantes en **Francisco Pradilla** (1846-1921). Como sucediera antes, al no haber variado la situación de los artistas frente al mercado, aquellos pintores que quisieran hacerse un nombre debían intentar conseguir atraer al público de las exposiciones con unas enormes máquinas, semejantes a las anteriores, pero que ahora lograran enternecer sus corazones. Por ello fueron pocos los artistas capaces de sustraerse a este tipo de pintura, tan cargada de retórica como falta de sinceridad, que encuentra uno de sus ejemplos más significativos en un cuadro de **Joaquín Sorolla** (1863-1923), destinado inevitablemente a conseguir una medalla: su título era *¡Aún dicen que el pescado es caro!* (1895) y en él se veía a dos pescadores ante el cuerpo sin vida de un compañero ahogado en la mar.

El último día de Numancia, por Ramón Martí Alsina, Madrid, Museo del Prado.

El paisaje

El paisaje nunca fue un género por el que los pintores españoles sintieran una predilección especial, y antes de **Pérez Villaamil** no había habido un solo artista especializado en tal tipo de pintura. Pero, como ya vimos, los paisajes de **Villaamil** más que lugares reales representaban lugares imaginarios o, al menos, muy reelaborados por la fantasía del artista. Su concepto de paisaje, como tal, no consiguió muchos seguidores, pero su importancia reside en haberlo consolidado como género.

A la hora de plantear un concepto moderno del paisaje tuvo mucha más importancia su alumno, **Martín Rico** (1833-1908). Él fue uno de los primeros en recorrer la sierra del Guadarrama —cuyos paisajes pintó ya al aire libre— y entrar en contacto con los pintores de Fontainebleau. Pero no fue él —que vivió la mayor parte de su vida en Francia y en Italia— sino un belga afincado en España, **Carlos Haes** (1826-1898) quien introdujo en España el paisaje realista y quien lo difundió a través de su labor durante más de treinta años al frente de la cátedra de paisaje de la Academia de Bellas Artes de San Fernando, orientando a sus alumnos hacia el estudio del natural. Él fue quien enseñó a mirar directamente el paisaje español y representarlo de manera totalmente objetiva con una fidelidad absoluta a la naturaleza y a la luz.

Simultáneamente a lo que sucedía en Madrid, Cataluña se estaba abriendo también a la pintura de paisaje gracias a **Ramón Martí Alsina**, próximo a la estética de Barbizon pero que en sus vistas urbanas de Barcelona se mueve dentro de un ámbito preimpresionista. Él, como veremos, cultivó todos los géneros, pero fue el maestro de toda la generación siguiente de paisajistas catalanes: **Modest Urgell** (1839-

Los poetas contemporáneos, por Antonio María Esquivel (arriba). *El Tajo*, por Aureliano de Beruete (abajo). Ambas en el Museo del Prado de Madrid.

1919), **Josep Masriera** (1841-1912) y **Joaquín Vayreda** (1843-1894), fundador de la *Escuela de Olot*, que como su precedente inmediato, la francesa de Barbizon, se convirtió en una verdadera colonia de paisajistas.

A partir de mediados del siglo, la pintura de paisaje se había extendido ya por toda la Península —recordemos a **Casimiro Sáinz** y **Agustín Riancho** (1841-1929) que serán, de todos los pintores españoles de su tiempo, los que tengan más conocimiento de lo que se hace en el resto de Europa y los que primero asimilen las novedades que se irán produciendo sucesivamente más allá de nuestras fronteras, desde el realismo de **Martín Rico** y **Haes**, hasta el impresionismo de **Vayreda**, **Pinazo** (1849-1916) y **Beruete** (1825-1912) un poco después.

Aureliano de Beruete fue un pintor excepcional, en muchos sentidos, dentro del panorama español: un hombre perfectamente enterado de cuanto se hacía fuera de España, que había viajado por toda Europa y al que su buena situación económica le permitía pintar con absoluta libertad. Fue discípulo de **Haes**, con quien recorrió la sierra madrileña, y también de **Martín Rico**, pero hacia finales de siglo sus cuadros se hacen cada vez más luminosos y su pintura traslada el impresionismo francés a los paisajes de los alrededores de Madrid, que fueron siempre su fuente de inspiración preferida. Un paisaje que él, un hombre muy próximo al pensamiento de los intelectuales renovadores, entendía como un reflejo de la verdadera alma española con la que se identificaron todos los miembros de la llamada Generación del 98: el paisaje austero castellano privado de cualquier tipo de idealización y entendido como un valor positivo.

Autorretrato, por Antonio María Esquivel, Madrid, Museo del Prado.

Aunque **Beruete** fue el que entendió de manera más profunda lo que significaba el impresionismo frente a las tendencias simplemente luministas de tantos otros pintores españoles, no fue el único en dejarse convencer por el arte de los impresionistas. Como él lo hicieron **Eliseo Meifrén** (1859-1940), **Francisco Gimeno** y **Joaquín Mir** (1873-1940), un impresionista intuitivo que nunca viajó a París ni llegó a ver tampoco obras de los grandes maestros franceses. A finales de siglo **Mir** se traslada a Mallorca en compañía de **Joaquín Rusiñol** y allí su concepto del paisaje cambia por completo: en *Le roc de l'estany* (1903) ha desaparecido la anécdota y el luminismo de sus paisajes anteriores deja paso a una visión exaltada de la naturaleza conseguida a través de un uso del color tan variado como extremo.

EL ARTE ESPAÑOL ENTRE DOS SIGLOS

Las artes de fin de siglo: entre el modernismo y el simbolismo

Aureliano de Beruete, por Joaquín Sorolla, Madrid, Museo del Prado.

A finales del siglo XIX, Barcelona era una ciudad absolutamente cosmopolita y Cataluña la región más vital y rica de España; por eso no es extraño que sea allí donde tengan lugar algunos de los fenómenos más interesantes, cultural y artísticamente, de todo el país: el modernismo*, primero, y el noucentismo*, después.

Uno de los principales animadores, si no el principal, del movimiento modernista fue **Santiago Rusiñol** (1861-1931). Pintor y escritor, **Rusiñol** consiguió reunir a su alrededor a un grupo de literatos y artistas, bohemios, que charlaban en *Els Quatre Gats* y buscaban en el cultivo del arte por el arte una alternativa al excesivo materialismo de su sociedad. En un contexto como éste, algo decadente, resultaba fácil que se sintieran fuertemente atraídos por el simbolismo* de **Puvis de Chavannes** y el prerrafaelismo* de **Burne Jones**, perfectamente conocidos en la Barcelona de fin de siglo. Además, el ambiente francés les resultaba sumamente familiar, pues París se convertiría en punto de destino habitual para muchos artistas catalanes —**Rusiñol**, **Ramón Casas** (1866-1932), **Miguel Utrillo**, el escultor **Enric Clarassó** (1857-1941)...— que se movieron al margen del mundo oficial de los salones y se integraron en el profundamente antiburgués de la bohemia.

En París trabajaron juntos **Rusiñol** y **Casas**, muy atraídos por la pintura de **Manet** y **Whistler**; y de París trajeron la pincelada suelta, el color y la luz de los impresionistas, el cartelismo de **Toulouse Lautrec**, y también los bulevares y la vida cotidiana. A **Casas** le interesó el mundo despreocupado de los cafés parisinos —*Plein Air* (1890)—, pero también la compleja vida interior de quienes los frecuentaban —la *Madeleine* (1892)— sin que ello le hiciera olvidarse de una pintura social que encuentra sus mejores exponentes en *La carga* (1899) y en *El garrote vil* (1894); una pintura que se encuentra tan lejos de la falsa sensiblería de **Sorolla** como de la imagen emocional de **Nonell** o **Picasso**.

Los pintores que integraban el *Coll del Safrá* —entre ellos **Joaquín Mir** (1873-1940) e **Isidro Nonell** (1873-1911)—, que buscaban sus temas en los suburbios de la capital, fueron los herederos directos del naturalismo de **Martí Alsina**. Si **Mir**, antes de dedicarse por entero al paisajismo, había representado en *La catedral de los pobres* (1898) a un grupo de mendigos entre las obras de la *Sagrada Familia* en plena construcción, **Nonell** ofrecía con su serie de los *Cretinos del Boi* (1896) una imagen negra de Cataluña que encontraría continuación con el universo de gentes marginales, especialmente gitanos, que fueron el tema constante de su pintura. Una imagen de una profunda tristeza moral en la que los propios volúmenes de las figuras y sus colores sombríos expresan una intensa sensación de pobreza, soledad y

La carga de la Guardia Civil, por Ramón Casas, Museo de Olot, Gerona.

miedo. Sentimientos semejantes a los que nos encontramos en los cuadros de la época azul de **Pablo Picasso** (1881-1973) cuyos temas y personajes —la *Celestina*, el *Músico ciego*— proceden también de los estratos más bajos de la sociedad. Pero en ambos casos, aunque el interés de ambos pintores por el mundo marginal proceda del naturalismo, hay un factor nuevo importante: su representación, que está profundamente cargada de los sentimientos y emociones que provoca en el propio artista; una actitud que permite establecer, al menos, un puente de unión entre ellos y **Darío de Regoyos**, aquel otro pintor que también se sintió atraído por esta cara oscura de la realidad española de su tiempo.

El joven **Picasso** se unió a esta visión pesimista de la realidad española que para él comprendía un mundo de seres solitarios y desgarrados, de miembros excesivamente alargados, donde podía reconocerse el modelo de **El Greco**, y de los que emana una profunda sensación de tristeza, acentuada por la obsesiva presencia del azul. Pero al mismo tiempo, y en la misma gama de color, realizó varias pinturas que, como *Evocación, El entierro de Casagemas* (1901) o *La vida* (1903), constituyen complejas alegorías sobre la muerte, la vida y el amor. Con ellas **Picasso** se mueve dentro de las corrientes simbolistas (el propio color azul está lleno de resonancias de este tipo) que afectaron de manera muy poderosa al arte barcelonés de fin de siglo: **Rusiñol**, en *La morfina* (1904), se había acercado a este estilo, y también lo hizo **Hermen Anglada Camarasa** (1871-1959), otro pintor catalán muy fuertemente relacionado con el arte europeo de su momento, pues estudió en la célebre Academia Julien de París, participó en las exposiciones de la *Sezession* de Viena, Bruselas y Munich y le influyeron poderosamente **Toulouse Lautrec** y **Gustav Klimt**.

Pero el simbolismo no afectó sólo a los pintores, también marcó la obra de los tres grandes escultores catalanes del momento: **Josep Llimona** (1864-1913), **Miquel Blay** (1866-1936) y **Enric Clarassó**

Niños en la playa, por Joaquín Sorolla, Madrid, Museo del Prado.

(1857-1941) que tuvieron una trascendencia importante, por ejemplo, en el arte funerario, al crear una nueva iconografía en la que las imágenes tradicionales fueron sustituidas por un femenino ángel de la muerte profundamente estiticista: una mujer desnuda, de larga cabellera y embebida de tristeza como la que aparece en el famoso *Desconsol* (1907) de **Llimona**, o en la *Eva* (1904) de **Clarassó**.

La arquitectura modernista

Rusiñol, **Casas**, **Nonell**, **Picasso**... participaron todos de la bohemia barcelonesa y encontraron en su marginalidad una manera de oponerse y denunciar los valores y los gustos de la sociedad burguesa. Pero, sin embargo, la burguesía catalana, rica y cosmopolita, encontró también en el modernismo un lenguaje capaz de satisfacer sus necesidades artísticas y de ofrecer una imagen del mundo, profundamente esteticista, que ocultara las fuertes tensiones sociales —aquellas mismas que estaban sacando a la luz **Nonell**, **Picasso** o **Casas**— sobre el que estaba construido. Más que los pintores serán los arquitectos, los diseñadores de muebles, ceramistas y joyeros quienes se conviertan en los intérpretes de estas aspiraciones que encuentran en la vivienda y su entorno su manifestación más característica. En este sentido resulta muy significativa la manera que tiene el escultor **Miguel Blay** (1866-1936) de representar al mundo de los trabajadores desde una óptica burguesa: tipismo, fuerza, empuje... y en donde no cabe la miseria en ninguna de sus manifestaciones, ni física ni moral.

Una de las grandes preocupaciones del mundo catalán, entonces en busca de su propia identidad como nación, era el intentar conseguir un difícil punto de equilibrio entre lo cosmopolita y lo internacional. Y por eso la sociedad catalana, que conoce perfectamente los movimientos artísticos contemporáneos, desde el prerrafaelismo de **Burne Jones** y el simbolismo de **Puvis de Chavannes** a las diferentes tendencias del Art Nouveau, a diferencia de éste, no reniega de la historia y dirige una mirada muy atenta hacia su propio pasado medieval, reivindicado ya en las obras de **Elías Rogent** (1821-1897) —entre ellas la propia *Universidad Central* de Barcelona—. Esto es algo que resulta especialmente evidente en la obra de los arquitectos catalanes de este momento, que apuestan por mantener viva la tradición autóctona del ladrillo sin que ello les impida combinarla con una modernísima utilización del hierro. Así pueden convivir sin ningún tipo de problema las formas historicistas, especialmente góticas, con los adornos lineales propios del Art Nouveau y las tecnologías más modernas como sucede en el caso de **Luis Domenech y Montaner** (1848-1923), un arquitecto que en 1878 había publicado un libro con el expresivo título de *En busca d'una arquitectura nacional*. En el edificio de la *Editorial Montaner* (1879) **Domenech** había ofrecido uno de los ejemplos más tempranos de este estilo que luego continuaría en el *Café-Restaurante de la Exposición Internacional* (1888) y el *Hospital de San Pablo* (1902), en donde demostró una intensa preocupación funcionalista, y, finalmente, en el *Palau de la Música Catalana* (1905), que fue el primer edificio no industrial en el que se utilizaron estructuras metálicas y muros cortinas de vidrio.

Patio interior de *Casa Milá*, por Antonio Gaudí, Barcelona.

Antonio Gaudí (1852-1926), el arquitecto más personal y a la vez más representativo del modernismo, plantea una concepción mucho más compleja de la arquitectura en la que desde el historicismo neomudéjar de sus primeras obras, la *Casa Vicens* (1883) y el *Capricho* (1883), la va alterando cada vez más con su propia fantasía creadora —el *Palacio Güell* (1886)— hasta llegar, a partir del *Parque Güell* (1900), a un tipo de edificios planteados como organismos vivos dentro de la propia naturaleza. El más representativo de todos es la *Casa Milá* (1906), pensada como una roca erosionada que debía sustentar una gran imagen de la *Virgen del Rosario* —que jamás se llegó a colocar—, a la que la modernísima tecnología que aplica le permite crear un tipo de plantas que se pueden variar con total libertad. Si en **Domenech** conviven la decoración modernista y la estructura espacial y constructiva, pero no llegan nunca a constituir una unidad, ésta se convierte en un elemento definidor de la arquitectura de **Gaudí** que concibe el edificio como un todo único en el que cada uno de sus elementos —la estructura, el espacio, la decoración...— se encuentra en relación con los demás hasta llegar a la pérdida absoluta de sus límites, como sucede en la *Casa Milá* y en la *Sagrada Familia* (1883), un edificio en el que trabaja durante más de cuarenta años y en el que deja traslucir una personal fe religiosa sin la que difícilmente podrían explicarse ni su vida ni su obra.

La arquitectura modernista se encuentra íntimamente ligada a Cataluña, donde encontró representantes de la talla de **Josep Puig i Cadafalch** (1867-1956) y su *Casa Amatller* (1898) o **Josep María Pujol**. Pero también encontró un fuerte arraigo en levante.

El noucentisme

Entrado el nuevo siglo, el espíritu de la modernidad y del nacionalismo se unirá en Cataluña alrededor del *noucentisme*, un movimiento no excesivamente homogéneo cuyo soporte ideológico se encontraba en **Eugenio d'Ors** y su concepción de un clasicismo catalán y mediterráneo, como constante de valor histórico frente a lo que él llamaba el sentimiento trágico de los pueblos del norte. Se trataba de un concepto progresista del clasicismo frente a la tradición y entendido como una de las posibles vías de lo moderno —**Picasso** mismo desarrollará una época clásica caracterizada por el mediterraneismo—, que quizá encuentre una de sus manifestaciones más representativas en una escultura de **Aristide Maillol** que se titula, precisa y significativamente, *Mediterrània* (1902).

Y este clasicismo de **Maillol** tuvo una gran influencia sobre todos los noucentistas orientados hacia un arte profundamente alegórico cuyas imágenes, procedentes de la iconografía clásica, no tienen nada que ver con la Cataluña industrial en donde nacieron. Así sucede con **Joaquín Torres García**, defensor de un arte catalán no provinciano apoyado justamente en una tradición que él identifica con el clasicismo y que se puede encontrar en su *Cataluña eterna* (1913) o *La filosofía introducida en el Parnaso* (1911) que, por otra parte, se encuentra tan próxima también al simbolismo. La tradición clasicista, entendida en términos similares, la encontramos también en **Josep Clará** (1878-1958) y **Enric Casanovas** (1882-1948), cuyas esculturas recuerdan explícitamente al arte griego. Sin embargo, **Casanovas** en una *Eva* (1915), figura de aspecto más primitivo, introduce un elemento nuevo que será fundamental en **Manolo Hugué** (1872-1907): el de que lo mediterráneo no tenía por qué identificarse con lo clásico, que la naturaleza y la vida no tenían por qué sujetarse a los principios del clasicismo d'orsiano.

Pero la figura más relevante del noucentisme es, sin duda, la de **Joaquín Sunyer** (1874-1956), un pintor cuyo mediterraneismo se encuentra también alejado del de **D'Ors**, y que aunque encuentra muchas de sus fuentes en las tradiciones catalanas no se siente ligado a ellas sino que su mirada se puede dirigir hacia otros objetivos, por ejemplo hacia el rigor formal de **Cézanne** y el decorativismo lineal de **Matisse** que él logra hacer compatibles. A partir de *Mediterránea* (1910) y *Pastoral* (1910-1911) su pintura se vuelve completamente alegórica; su gran protagonista es la mujer inmersa en un paisaje mediterráneo con el que se siente completamente unida e identificada, y cuya sensación de calma y plenitud recuerda necesariamente *La joie de vivre* de **Matisse**.

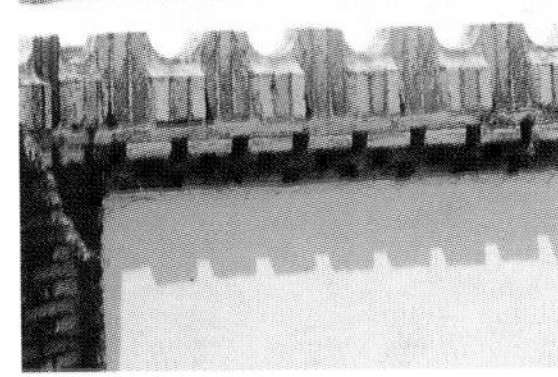

Parque Güell, detalle del Pabellón de entrada, por Antonio Gaudí.

El regionalismo

En buena medida, el modernismo había encontrado su esencia y su razón de ser en la condición específica de Cataluña y en la búsqueda de su identidad nacional. Sin embargo, la situación especial que, dentro del contexto español, tienen tanto Barcelona como la propia burguesía catalana, permite al modernismo trascender los valores puramente regionalistas e introducirse en un marco general dominado por el cosmopolitismo.

No es este el caso del resto de las regiones españolas —con la única excepción del País Vasco— donde, en vez de una burguesía industrial y emprendedora, predomina otra, mucho más vinculada a la propiedad de la tierra, que, artísticamente, se siente atraída por los valores locales y tradicionales.

Una burguesía que se siente atraída por la arquitectura montañesa de **Leonardo Rucabado** (1876-1918), por la exaltación levantina de un hombre como **Sorolla**, por el folklorismo de connotaciones simbolistas de las gitanas provocativas de **Julio Romero de Torres** (1880-1930) o por los vascos de gestos sobrios, duros y angulosos de los hermanos **Valentín** y **Ramón de Zubiaurre** (1879-1963; 1882-1969) cuya pintura constituye una exaltación de los valores más tradicionales, tanto desde el punto de vista económico (sus héroes son campesinos y pescadores) como del de las instituciones.

Tanto las gitanas de **Romero de Torres** como los marineros de **Zubiaurre** descansaban sobre tópicos y estereotipos que aún tenían mucho de imagen romántica. Pero no era éste el único aspecto hacia el que podía derivar el regionalismo que en **Alfonso Castelao** (1886-1950), **Evaristo Valle** (1873-1951) y **Aurelio Arteta** (1885-1943) se convierte en una auténtica pintura realista cargada de crítica social.

La España negra y la España blanca

Al mismo tiempo que los artistas regionalistas buscaban lo más esencial de sus comarcas, otro grupo de pintores se estaba planteando un problema que, aunque parezca diferente, era en el fondo similar: el de encontrar unas tradiciones y esencias que, en este caso, son las nacionales. Una búsqueda en la que coincidían los artistas y los intelectuales de la generación del 98 que se plantearon a España como problema.

Un problema al que se le podían dar soluciones distintas, e incluso contradictorias: la de **Beruete**, pero también las de **Darío de Regoyos** (1857-1918) y **Joaquín Sorolla**.

Regoyos, fue un artista muy ligado a la vanguardia europea, en alguno de cuyos movimientos —en el de **Les XX**— participó activamente. Junto con el belga **Emilio Verhaeren** en 1888 hizo un viaje por España que cristalizaría después en un libro, *La España negra*, —él decía que había descubierto "una España moralmente negra"— cuyas ilustraciones (publicadas en una de las revistas modernistas más importantes de Barcelona), marcadas ya por el expresionismo, se encuentran en el origen de una visión muy particular de la realidad española, tétrica y negativa, que no resulta especialmente extraña en unos momentos tan difíciles para el país como fueron los de los últimos años de siglo.

La visión de **Regoyos**, de la que es buen ejemplo su *Catedral de Burgos* (1906), puso fin a la imagen de una España de charanga y pandereta de los últimos costumbristas, como **José Villegas** (1848-1921) o **Joaquín Turina Areal** (1844-1903), y encontró su continuación, ya en nuestro siglo, en **José Gutiérrez Solana** (1886-1945) e **Ignacio Zuloaga** (1870-1945), que, como tantos miembros de la Generación del 98, identifica con el alma de España la imagen de Castilla. Una Castilla rural y atrasada que por su aislamiento puede conservar intactas las esencias tradicionales. Una Castilla formada por ciudades muertas que, como Segovia o Toledo pintadas por él, viven de la nostalgia de un pasado más glorioso y están habitadas por personajes del tipo de *El enano Gregorio el Botero* (1907) a quienes pinta, monumentales, recortándose los campos yermos y las ciudades fantasmagóricas. Retratista muy apreciado por la burguesía, sus valores siguen siendo los de los toros y el folklore.

Samaritana, por Julio Romero de Torres, Córdoba, Museo Romero de Torres.

Frente a ellos —pero también frente a **Beruete**—, se encuentra la visión radicalmente opuesta de la *España blanca* pintada por **Joaquín Sorolla** (1863-1923). Una vez superado definitivamente aquel realismo sentimentaloide de sus primeras obras con pretensiones de denuncia social, su pintura se dirige hacia otros objetivos. Los niños bañándose, las mujeres paseando por la playa, o los pescadores sacando sus barcas —privados ya de cualquier interés costumbrista o social— no son sino meras excusas para pintar lo que verdaderamente le interesa: el mar, el sol y la luz del Mediterráneo, que de ahora en adelante serán los auténticos protagonistas de unos cuadros en los que se acepta parcialmente el impresionismo. Toma de los franceses la paleta clara y la pasión por la luz, pero no la pincelada menuda ni los toques sueltos de color. En este sentido, **Sorolla** no constituyó en absoluto una excepción, pues la aceptación fragmentaria de los descubrimientos impresionistas fue algo habitual, no sólo en España, sino en otros lugares de Europa donde tanto el alemán **Max Lieberman** como el sueco **Zorn** efectuaron una operación similar a la suya.

El notable éxito internacional que consiguió con este tipo de pinturas y con sus retratos le valió el encargo de un gran ciclo de pinturas para la *Hispanic Society* de Nueva York (1911-1920) en donde se reflejaran las distintas regiones de España. A él dedicó **Sorolla** una buena parte de sus últimos años, viajando por España y dibujando a sus gentes, de las que dio una imagen monumental, alegre y colorista en la que dominan los elementos populares, radicalmente opuesta a la de **Regoyos**, **Solana** o **Zuloaga**.

Al margen de la vanguardia

La mayoría de los regionalistas, incluso aquellos que como **Zuloaga** habían tenido la ocasión de formarse fuera de España, se movieron siempre al margen de la vanguardia europea. Pero no fueron los únicos en hacerlo, y completamente al margen de ella trabajaron otros artistas españoles, que durante las primeras décadas del siglo siguieron completamente ajenos a las nuevas corrientes del arte europeo: por ejemplo **Antonio Palacios**, partidario de una arquitectura monumentalista que encuentra su mejor exponente en el *Palacio de Telecomunicaciones* (1903), **José María Sert** (1874-1945), cuyos grandes murales alcanzaron fama internacional, o el escultor **Mariano Benlliure** (1862-1947) que siguió cultivando durante toda su vida una escultura académica.

EL ARTE ESPAÑOL Y LA VANGUARDIA

Mientras que, como acabamos de ver, los artistas más renombrados en la España de aquel momento mantenían un concepto del arte ajeno al de los movimientos renovadores del arte europeo, París se fue convirtiendo —y en mayor medida según iba avanzando el nuevo siglo— en el punto de destino de aquellos otros artistas que se iban a ir integrando dentro de las filas de la vanguardia: **Picasso**, **Pablo Gargallo**, **Juan Gris**, **María Blanchard**, **Joan Miró**, **Óscar Domínguez** o **Julio González** están entre los más importantes. Un grupo de artistas muy poco homogéneo —entre ellos había cubistas, expresionistas, surrealistas...— cuya influencia fue relativamente escasa para la evolución del arte español durante las primeras décadas del siglo; pues si el cubismo* de **Picasso** se pudo difundir más temprano, del arte de **Julio González** o del de **Miró**, por ejemplo, apenas se tuvo conocimiento aquí antes de los años cuarenta o cincuenta.

Autorretrato con paleta, por Pablo Picasso, Filadelfia, Estados Unidos, Museo de Arte.

Pablo Picasso

Picasso había desarrollado su época azul viviendo tanto en Barcelona como en París, pero a partir de 1904 esta última ciudad se convirtió en su residencia definitiva y él se integró de lleno en los ambientes donde se estaba gestando la vanguardia: Max Jacob, André Salmon y Guillaume Apollinaire, Matisse y Derain, los coleccionistas americanos Leo y Gertrude Stein... fueron sus amigos.

En París su pintura fue pasando del azul al rosa en medio de una evolución bastante suave. Sus personajes dejaron de ser mendigos para convertirse en artistas de circo, pero siguieron siendo seres marginales que con sus actitudes hieráticas y herméticas —por ejemplo los de la *Familia de saltimbanquis* (1905), completamente ignorantes los unos de los otros—, aún seguían manteniendo una fuerte dosis de simbolismo. Sin embargo, poco a poco —fueron años felices para **Picasso** que entonces vivía con Fernande Olivier—, el sentido de su pintura empezó a cambiar hacia temas mucho más amables —por ejemplo en *La toilette* (1906), de fuerte carga erótica y sensual— y a centrar sus mayores preocupaciones sobre el cuerpo de la mujer; una preocupación que, a partir de este momento, no le abandonó jamás. Al mismo tiempo, su pintura se fue desprendiendo de la preocupación por la línea y la estilización de las figuras (que aún mantenían las primeras obras de la época rosa) para interesarse por el volumen; algo que se puede ver en *Los dos hermanos* (1906) y sobre todo en las *Dos mujeres desnudas* (1906) cuyos cuerpos, repitiendo en sentido inverso la misma pose, han adoptado ya unas proporciones nuevas.

Pero el momento de la gran revolución picassiana fue 1907, el año de *Las señoritas de Avignon*. Un cuadro en el que se ha querido ver el origen del cubismo, pero que, en realidad, apenas fue visto por nadie

—salvo únicamente el círculo de sus amigos— hasta 1916. Se conoce perfectamente su génesis y resulta muy significativo ver cómo el tema original del estudiante y el marinero en el interior de un burdel se fue transformando hasta derivar en un cuadro que carece de cualquier tipo de anécdota y se reduce a la mera *presentación* de las cinco mujeres que enfrentan, una a una, su mirada con la del espectador. La desaparición de la anécdota es importante, pero también lo es la manera en que **Picasso** abordó a un mismo tiempo todos los problemas que estaban tratando de resolver los artistas de la vanguardia: los problemas de la forma, del color y del espacio. Su respuesta pasa por la violencia de la pincelada, los colores planos, la distribución aleatoria de las masas de color, los espacios yuxtapuestos, el descoyuntamiento de las figuras, la materialización del espacio vacío que separa a los cuerpos como algo tangible y sólido y también por el recurso a formas artísticas ajenas a la tradición pictórica: las de la escultura ibérica, las máscaras africanas y oceánicas, el arte egipcio o la pintura románica que, todas ellas, va a ir descubriendo justamente en estos años y que se había materializado por primera vez en el *Retrato de Gertrude Stein* (1906) al convertir el rostro de su modelo en una máscara.

Las señoritas de Avignon es la obra más conocida de este momento, pero no es una pintura aislada. Al mismo tiempo que ella, **Picasso** realizó otros cuadros, también de gran tamaño, en los que se enfrentaba con problemas parecidos aunque, en lugar de acometerlos simultáneamente lo hacía de uno en uno. Son por ejemplo *Los segadores*, o el *Desnudo con paños*, una obra típica de su *época negra*, en donde la figura y el espacio, imposibles de disociar, están reducidos a un conjunto de planos sometidos a unos ritmos similares. El arte africano fue un elemento fundamental en la liberación —y en la geometrización— de la pintura de **Picasso**, pero un elemento más; sin él no podrían explicarse *La dríada* (1908) o las *Tres mujeres* (1908), pero en ellas la construcción de las figuras por planos de luz —fundamental en su pintura inmediatamente posterior— derivaba de Cézanne y de la tradición clasicista.

Autorretrato, por Joan Miró.

Sólo faltaba ya un paso para el cubismo y éste lo dio —de forma casi simultánea a **Bracque**, que estuvo pintando en L'Estaque en 1908— durante su estancia en Horta de Ebro en el verano de 1909. Eran paisajes sin figuras —*Casas en la colina*, *La fábrica*—, y esto le permitió despreocuparse de otros asuntos importantes en sus obras anteriores y concentrar sus esfuerzos en los problemas de la representación. Los planos de color cézannianos —reducidos a una gama muy apagada de ocres, verdes y grises— estaban limitados ahora por líneas rectas y producían una sensación trimensional (de "cubos") muy intensa pero también fuertemente intelectualizada (muy dependiente de la pintura quattrocentista italiana, que había estudiado con gran interés).

El eje central del cubismo es el desarrollo de un nuevo espacio pictórico, donde, reivindicando la condición del plano pictórico —en el que sólo hay horizontales y verticales—, se puedan desarrollar los objetos dentro de un sistema de representación no ilusionista donde no existe un punto de vista ni único ni privilegiado. Es así como construye los retratos de *Ambroise Vollard* (1909-1910) y de *Daniel H. Kahnweiler* (1910) —dos de los marchantes que más le apoyaron—. Los años inmediatamente siguientes, fueron años de un gran experimentalismo (incluso con los formatos, ahora frecuentemente ovalados) y

de una producción muy abundante, en los que aplicó sus nuevos descubrimientos a la figura humana y a un número creciente de bodegones formados por botellas, copas, guitarras y periódicos (el cubismo que había nacido vinculado al paisaje se hace urbano) en los que no dejaba de introducir determinadas referencias figurativas concretas y letras —unas veces formando palabras enteras y otras simples fragmentos de ella— para llegar al *collage* en su *Naturaleza muerta con silla de rejilla* (1912).

Con la utilización de *collages*, en los que el objeto introducido nunca perdía su condición de tal, la pintura daba un salto cualitativo en el que desaparecía su concepción tradicional para dar entrada a una distinta que se acercaba a la de montar o ensamblar objetos, que sería fundamental para el arte posterior de la vanguardia.

Por eso, el desarrollo de las experiencias que había iniciado en el campo de la pintura, llevó a **Picasso** a interesarse por una serie de construcciones tridimensionales realizadas con materiales humildes y elementos encontrados que constituyen el inicio de la escultura cubista y también de la desacralización del arte. Un tema éste muy importante para **Picasso** y para **Bracque** (cuyas obras, significativamente, resultan casi imposibles de distinguir) que sustituyeron la noción del artista inspirado y genial por la del trabajador disciplinado que ambos consideraban ser.

Del cubismo analítico inicial al cubismo sintético final, la pintura de **Picasso** (y también la de **Bracque**), sin perder nunca por completo su carácter figurativo, se había ido acercando paulatinamente a una abstracción a la que nunca le interesó por completo llegar. Y de hecho, a partir de 1914, volvió a una pintura decididamente figurativa que, desde *El pintor y la modelo* (1914) lleva directamente al *Retrato de Olga sentada en un sillón* (1917).

La recuperación decidida de la figuración no supuso en absoluto un abandono del cubismo que siguió estando presente a lo largo de toda

La masía, por Joan Miró, Washington, National Gallery of Arts (arriba). *Arlequín*, Pablo Picasso.

su vida y sin el que no podrían explicarse muchas de sus obras posteriores más importantes, desde los decorados y figurines (auténticas esculturas cubistas en movimiento) para el ballet *Parade* (1917) hasta las dos versiones de los *Tres músicos* (1921). Sin embargo, su pintura más característica —sin ser la única que practique, pues **Picasso** siempre simultaneó diferentes estilos— de estos años estuvo marcada por la vuelta al orden y un poderoso clasicismo, marcado por **Poussin** e **Ingres**. Las *Bañistas* (1918), *La siesta* (1919), *Tres mujeres en la fuente* (1921), *Dos mujeres corriendo por la playa* (1922) o *La flauta de Pan* (1923) son obras significativas de esta época definida por la sensación de optimismo y plenitud que produce una estrecha relación del hombre con una naturaleza exuberante —dominada por el mar, el cielo brillante y una luz intensa—, por la antigüedad concebida como época dorada y por la representación frecuente de su mujer Olga, su hijo Pablo y sus amigos más cercanos.

En el mismo momento en que se producía esta vuelta suya al orden, los surrealistas encontraron en él —en el **Picasso** de *Las señoritas de Avignon*, cuya importancia fue reivindicada por André Breton— un modelo a seguir. Y aunque **Picasso** nunca se integró dentro de este movimiento, participó en la *Exposition surrealiste* de 1925 y abrió una fase surrealista dentro su pintura durante la que realizó obras tan emblemáticas como *La danza* (1925), *El beso* (1925) o el *Gran desnudo de sillón rojo* (1925); unas pinturas lúdicas, cuyas figuras se deforman y descoyuntan y que se prolongan todavía en la década siguiente en la *Bañista sentada* (1930) y las *Figuras a orillas del mar* (1931). La figura humana ha terminado por convertirse en un verdadero monstruo en estas dos obras y en los grabados —una actividad a la que, junto con la escultura, se va a dedicar intensamente— que comienza a realizar durante estos años.

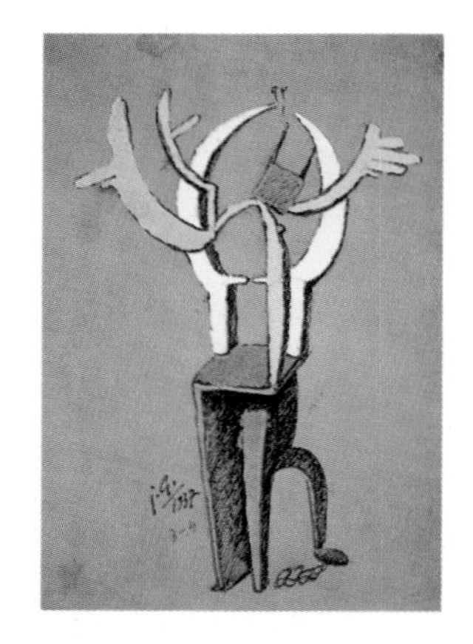

Personaje implorante, por Julio González.

Aparecen ahora nuevos temas, los relacionados con el Minotauro —tras el que encubre la relación entre el arte y el artista o entre el hombre y la mujer—, que desarrolló en su *Suite Vollard* y los de la crueldad, un mundo que empezó a explorar a partir de sus reflexiones sobre la *Crucifixión* de **Grünewald** (1930). También los cuadros de corridas, que lejos de cualquier interpretación pintoresca insisten sobre el tema de la muerte, sea ésta la del torero o, más frecuentemente, la terrible de los caballos embestidos por el toro. Este mundo oscuro, dominado por la muerte, encuentra su momento culminante en el *Guernica* (1937), inspirado en uno de los más terribles sucesos de la Guerra Civil española.

El *Guernica* respondía a un encargo concreto de la República para su pabellón de la Exposición Internacional de París. De acuerdo con la naturaleza del encargo, debía tratarse de una obra propagandística y por ello **Picasso** utilizó una imagen muy directa, cuyo sentido dramático quedaría acentuado por la reducción del color a blancos, negros y grises de índole claramente expresionista. Una imagen directa, apoyada en símbolos universales y evidentes —el guerrero caído, la madre con el hijo muerto, el grito y el caballo despanzurrado— pero al mismo tiempo de fuertes resonancias españolas gracias a la presencia del toro. Unos símbolos, además, que formaban una parte importante de la iconografía picassiana de los años inmediatamente anteriores a los que se va a dotar ahora de un nuevo sentido moral e histórico.

El *Guernica* no fue una obra aislada dentro de la obra del pintor. **Picasso** era un partidario decidido de la causa republicana y su pintura de estos años se iba a encontrar marcada por el drama que estaba viviendo España. Antes del *Guernica* había denunciado el alzamiento militar en sus grabados del *Sueño y mentira de Franco* (1937) y la gestación del gran mural estuvo acompañada de continuas reflexiones sobre el tema del grito o de la mujer llorando. Un tipo de asuntos que se continuarían durante los años siguientes cuando fue Europa entera quien se vio sacudida por la Segunda Guerra Mundial; a esta época pertenecen su homenaje *A los españoles muertos por Francia* (1945) o *El osario* (1945).

Los últimos veinte años de la vida de **Picasso**, considerado ya en vida como el gran genio de la pintura, están ocupados por dos grandes temas: los de las series dedicadas a *El pintor y la modelo* y las dedicadas a *reflexionar* sobre algunas de las grandes obras maestras de la Historia del Arte: las *Mujeres de Argel* (1955) de **Delacroix**, de *Las Meninas* (1957) de **Velázquez**, del *Almuerzo campestre* (1957-1961) de **Manet** y de *El rapto de las sabinas* de **David.**

La Montserrat, por Julio González, Amsterdam, Stedelijk Museum (arriba). *Ventana abierta*, por Juan Gris, París (abajo).

La vanguardia española en París

Picasso fue, sin duda, el artista español más significativo dentro de la vanguardia europea, pero no fue el único. Su lección, además, fue de gran importancia para otros artistas españoles que, como él se habían instalado en París. Es el caso de otros dos grandes cubistas españoles, **Juan Gris** (1887-1927) y **María Blanchard** (1881-1932), que se encontraban muy próximos a **Picasso** en los momentos en que se estaba gestando el cubismo. **María Blanchard** no llegó a renunciar nunca a una representación tridimensional del espacio, pero, en cambio, **Juan Gris**, obsesionado por el rigor de la geometría, llevó hasta sus límites más radicales los principios cubistas haciéndolos evolucionar en una dirección que le aproximaba a los constructivistas, reduciendo la composición a un mero conjunto de planos y volúmenes

Junto a ellos hubo también otro grupo de pintores que trabajaron en París durante los años veinte y treinta en posiciones próximas al cubismo de **Gris** y de **Ozenfant** o **Gleizes**, son los miembros de la llamada **Escuela de París**, cuyos artistas más destacados fueron **Manuel Ángeles Ortiz** (1895), **Francisco Bores** (1898-1972) y **Joaquín Peinado** (1898-1975). Aparte de ellos habría que mencionar también a **Luis Fernández** (1900-1973) un hombre próximo a **Picasso** en varios momentos de su carrera y cuyas mayores preocupaciones se centraban en los problemas técnicos de la pintura y en los de la construcción de la imagen.

No sólo los pintores. También los escultores se integraron en París dentro de la corriente de la modernidad, y entre ellos hay que señalar la importancia especial que tienen **Manolo** (1872-1945), **Pablo Gargallo** (1881-1934) y **Julio González** (1876-1942). Aunque por caminos distintos, los tres van a reivindicar aquello que constituye la esencia misma de la escultura, su condición de volumen. Frente a las esculturas etéreas y evanescentes de, por ejemplo, **Llimona**, las suyas tienen un peso efectivo y no pretenden traducir los valores de la pintura a un espacio de tres dimensiones.

Manolo optó por un mundo de figuras macizas cuyos volúmenes marcan con fuerza la estructura corporal y para las que se preveían diferentes puntos de vista; un mundo de figuras en las que el espíritu de lo mediterráneo se identificaba con las imágenes fuertes y poderosas de lo primitivo más que con la delicadeza clásica.

Leda atómica, por Salvador Dalí, Nueva York, Museo de Arte Moderno.

Gargallo, en cambio, optó por lo contrario: por subrayar el vacío que dejan entre sí las láminas de hierro que a partir de 1911 se convierten en el material por excelencia de su escultura. Lo que estaba haciendo **Gargallo** era plantearse el problema mismo de la escultura en términos de volumen, dejando definitivamente atrás el linealismo modernista de sus orígenes, y la creación de un nuevo lenguaje a base de espacios llenos y huecos en el que, por primera vez, se tenían en cuenta la realidad misma del vacío —que es el creador del volumen— y de sus posibilidades tanto constructivas como expresivas. Este planteamiento logró alcanzar en *El profeta* (1933) uno de sus mejores ejemplos. En este sentido, el arte de **Gargallo** se encontraba íntimamente relacionado con las investigaciones de los cubistas y de los constructivistas, especialmente **Naum Gabo** y **Tatlin** con quienes coincidió en París.

Julio González fue orfebre y pintor antes de que, a partir de 1927, se dedicara casi en exclusiva a realizar esculturas en hierro forjado. Sus mayores preocupaciones se basaban en el planteamiento de las relaciones entre sólidos y huecos para la representación del volumen y en la consecución de un fuerte expresionismo que se muestra por igual en sus obras abstractas —o casi abstractas— como su serie de los *Hombres cactus* (1939) o alguna de sus *Cabezas* como en las plenamente figurativas como *La Montserrat* (1937), la más famosa de todas sus esculturas que se expuso en el Pabellón Español de París en 1937 junto al *Guernica* de **Picasso**.

Tanto los cubistas como **Gargallo** o **González** habían centrado sus investigaciones en la manera de representar los cuerpos en el espacio. Pero no era ésta la única dirección posible del arte de vanguardia ni tampoco la única que iba a interesar a todos los artistas españoles instalados en París, varios de los cuales, entre ellos **Joan Miró** (1893-1983) y **Óscar Domínguez** (1906-1957) —que nunca perdieron el contacto con España— se integrarían dentro del movimiento surrealista.

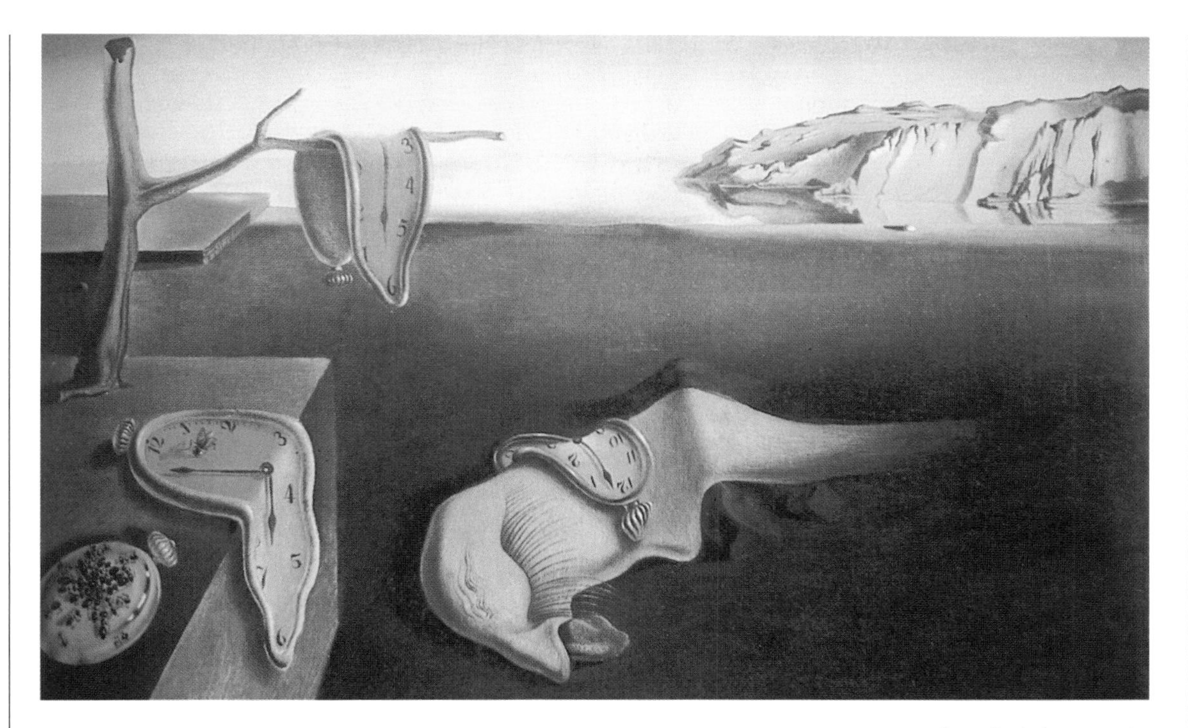

La persistencia de la memoria, por Salvador Dalí, Nueva York, Museo de Arte Moderno.

Antes de ello, la pintura de **Miró** había recorrido un largo camino en el que, desarrolló diversas tendencias que se encuentran, todas juntas, en *La mesa* (1920) y, sobre todo, en *La masía* (1922). En esta pintura, una de las obras más representativas de su primera época, la mirada *naïf* de **Miró** se mueve libre en diferentes puntos de vista y altera las formas y la disposición habitual de los objetos dentro de una atmósfera que ya se puede considerar completamente onírica. Con sus dos grandes lienzos siguientes, *Tierra labrada* (1923) y el *Carnaval de arlequín* (1924), **Miró** se acerca ya de manera definitiva a los surrealistas, participando en su gran exposición de 1925, aunque siempre mantuvo una posición peculiar dentro del movimiento.

Mientras que **Óscar Domínguez** con el surrealismo fuertemente literario y sexual de la *Máquina de coser electrosexual* (1935) o *El calculador* (1943) se encontraba mucho más próximo a las posiciones oficiales de **Max Ernst** y de **Magritte**, **Miró** desarrolló un universo figurativo extremadamente peculiar. Es cierto que practicó las metamorfosis de los objetos —*La reina Luisa de Prusia* (1929)—, que integró palabras y frases sobre el lienzo —*Le corps de ma brune* (1925)—, que buscó evocaciones poéticas en los títulos que propone para sus pinturas —*Perro ladrando a la luna* (1926)— y que la sexualidad tuvo una importancia fundamental en toda su pintura, pero con su mundo hecho de signos, ritmos y colores, en el que han desaparecido por completo las figuras, pretende, como en algunas ocasiones se ha señalado, "descubrir el mundo" con una nueva forma de mirarlo cuyo único paralelo se podría encontrar en **Paul Klee**.

Un mundo en ocasiones amable —como en *Une étoile caresse le sein d'une negresse* (1938)— pero que con mucha frecuencia muestra también un componente terrible que se muestra en los monstruos que aparecen a finales de la década de los treinta —así lo expresa *Mujer y perro frente a la luna* (1936), *Mujer desnuda subiendo una escalera* (1937)—. Quizá, como sucede en el caso de otros surrealistas españoles del momento, esto se deba a las circunstancias de la Guerra Civil española, a la que no se sintió en absoluto ajeno y que le inspiraron dos obras fuertemente expresivas, *El segador catalán* (1937) y *Aidez l'Espagne* (1937).

Después de la Guerra en la serie *Constelaciones* (1936) vuelve a insistir en uno de sus temas más obsesivos, el de la mujer y el pájaro que no desaparecerá jamás de su pintura ni de sus grabados (una actividad a la que, como la escultura y la cerámica da cada vez una mayor importancia). Unas figuras fuertemente sexuadas que en su pintura aparecen reducidas muchas veces a signos y que en su escultura adquieren un valor *totémico.*

La vanguardia interior

Con la única excepción de los catalanes y de algunos vascos —entre ellos **Francisco Iturrino** (1864-1924) y **Paco Durrio** (1868-1940)— la mayor parte de los artistas españoles trabajaron sin tener en cuenta los movimientos de la vanguardia. Es más, en España, en realidad, nunca existió una verdadera vanguardia sino tan sólo vanguardistas aislados que, quizá salvo los surrealistas, no llegaron a integrarse en movimientos organizados. Dentro de este contexto, los elementos más importantes para la renovación del arte español se produjeron en Barcelona con las exposiciones organizadas por las **Galerías Dalmau,** donde podía verse arte de vanguardia europeo, y con la presencia en esta ciudad de personajes como **Francis Picabia, Max Jacob** o del uruguayo **Rafael Barradas**; fuera de esto tan sólo se podría hablar del *ultraísmo* madrileño —un movimiento literario en el que participaron algunos pintores— y de la revista *Alfar* (1923), que fue el camino a través del cual muchos artistas entraron en contacto con la modernidad.

Plano oscuro, por Eduardo Chillida.

El acontecimiento artístico más importante de este primer tercio del siglo lo constituyó la exposición organizada por la Sociedad de Artistas Ibéricos en 1925. Esta exposición fue el verdadero punto de partida de una vanguardia nacional que, muy pronto, se vería truncada por las consecuencias del estallido de la Guerra Civil y en la que participó un grupo heterogéneo de artistas, cuyo único denominador común estaba en su voluntad más o menos renovadora frente al arte tradicional de las exposiciones oficiales, y en el que entraban unos a los que únicamente se podría considerar renovadores —**Daniel Vázquez Díaz** (1882-1969) con su particular interpretación del cubismo, **Pancho Cossío** (1898-1970) o **Victorio Macho** (1887-1966)— junto a otros claramente vanguardistas, como **Salvador Dalí, José Moreno Villa** (1887-1955) o **Benjamín Palencia** (1908-1978) entre los pintores y **Alberto Sánchez** (1895-1962) entre los escultores.

Benjamín Palencia y **Alberto Sánchez**, los fundadores de la *Escuela de Vallecas*, fueron dos artistas que, voluntariamente, en vez de viajar a París, aunque fuera temporalmente como hicieron la mayoría de los vanguardistas españoles, se quedaron en España con el propósito decidido de crear una pintura moderna, una interpretación puramente española de la vanguardia, que encontraba en el paisaje de los alrededores de Madrid su tema más frecuente y que, ideológicamente, aún seguía hundiendo sus raíces en el pensamiento regeneracionista.

Dalí y el surrealismo español

Salvador Dalí es el más importante de los surrealistas españoles. **Dalí** se sintió atraído desde el principio por la vanguardia, sobre todo a raíz de su paso por la *Residencia de Estudiantes* de Madrid —quizá uno de los lugares intelectualmente más activos de los años veinte— donde se encontraron algunos de los intelectuales más inquietos de la época. Allí conoció a **Federico García Lorca** (1898-1936) y a **Luis Buñuel**, cuyo retrato (1924) es una de las obras más importantes de este momento. Su pintura se mueve en direcciones distintas: la tentación de la metafísica de su *Naturaleza muerta* (1924), una fuerte inclinación clásica, deudora de **Picasso** y, por supuesto, el cubismo, del que, bajo la influencia de los dibujos de **García Lorca**, va a hacer una interpretación muy personal que acaba derivando hacia un evidente surrealismo, como en *Arlequín* (1926).

En 1928 va a París e inmediatamente se integra de lleno en los círculos surrealistas como uno de sus miembros más radicales, que, además, hará una aportación muy significativa con la aplicación de su método paranoico-crítico. En los años inmediatamente posteriores pinta sus obras más importantes en las que desarrolla su peculiar iconografía extraída directamente de sus obsesiones: el sexo y los aspectos blandos y putrefactos de la materia —*El gran masturbador* (1929), *El enigma del deseo* (1929), *Guillermo Tell* (1930) o *La persistencia de la memoria* (1931)— *El Ángelus* de **Millet** —*Atavismo del crepúsculo* (1933), *El "Ángelus" arquitectónico de Millet* (1933), *El Ángelus de Gala* (1935)— que muchas veces se producen en medio del paisaje mineralizado de Cadaqués —otra de sus obsesiones constantes—. La Guerra Civil española le servirá también como tema de inspiración para *Construcción blanda con judías hervidas. Premonición de la Guerra Civil* (1936), *Canibalismo de Otoño* (1936), unas obras que responden menos a una toma de partido del artista que a la fascinación que le producía la situación de barbarie colectiva que ésta suponía.

Escultura de Julio López Hernández, Madrid, colección del artista.

La pintura de estos años es, sin duda, la más interesante de toda la producción daliniana. En ella adquieren una expresión original los tópicos surrealistas al mismo tiempo en que se manifiestan con un impudor tan grande que —junto con su desmedida afición al dinero— llegó a escandalizar tanto a los propios surrealistas que acabaron expulsándole formalmente del grupo.

Cuando estalla la Segunda Guerra Mundial, **Dalí** se traslada a los Estados Unidos y se convierte en un auténtico fénomeno y una fuente continua de escándalos, que resultan perfectamente asimilables por el sistema y muy rentables para él. Plenamente metido en esta dinámica, la obra de **Dalí** va perdiendo interés paulatinamente aunque aún produzca obras importantes como *Galarina* (1944), el *Sueño causado por el vuelo de una abeja alrededor de una manzana granada, un segundo antes de despertar* (1944), *Las tentaciones de San Antonio* (1946) y algunas de la serie "mística nuclear".

De todos los movimientos de vanguardia, el surrealismo fue el que tuvo una mayor incidencia dentro de España, especialmente en Cataluña donde se vio alentado en fechas tempranas por la presencia de **Picabia** y **Artur Cravan** en Barcelona. Pero también hubo otros focos activos en Madrid —**Maruja Mallo** (1901), Zaragoza y, sobre todo, en Canarias que mantuvo unas relaciones muy estrechas con el surrealismo internacional gracias a **Óscar Domínguez** y a la revista *Gaceta de Arte* de **Eduardo Westerdhal**.

La Segunda República despertó en los artistas más vanguardistas grandes esperanzas de un cambio en las instituciones oficiales pensando que, por fin, se iban a poder sentar las bases para una renovación completa de las artes y con este propósito firmaron manifiestos y se organizaron en asociaciones como **ADLAN** (1932). Artísticamente el debate se centró en la polémica entre la opción surrealista —que adquiere ahora su mayor desarrollo— y la de un realismo fuertemente politizado que fue ganando en importancia a medida que se complicaba la situación del país, hasta llegar a un arte claramente de propaganda durante los años de la contienda en el que hay que destacar muy especialmente los fotomontajes y carteles de **Josep Renau** (1907-1982) y el *Pabellón Español de París* donde se expusieron, como ya hemos visto, el *Guernica* de **Picasso**, *La Montserrat* de **Julio González**, *El segador catalán* de **Miró** y *El pueblo español tiene un camino que conduce a una estrella* de Alberto Sánchez.

La arquitectura racionalista

Viento, por Martín Chirino, Madrid, colección Juan March.

Frente a la arquitectura tradicional, **Antonio Flórez** (1877-1941) se inclinó hacia una arquitectura en absoluto grandilocuente, por ejemplo, la *Residencia de Estudiantes* (1911), hecha a base de materiales modestos como el ladrillo, pero fue **Teodoro Anasagasti** el hombre clave —tanto a través de sus obras como de sus escritos— para la difusión del pensamiento vanguardista en la arquitectura española de los años veinte al sacarlo del estrecho marco localista en que se movía y ponerlo en contacto con el pensamiento europeo desde el futurismo de **Sant'Elia** a los problemas constructivos de **Garnier** y **Perret**. A partir de este momento aparece una generación de arquitectos españoles que tienen en común el rechazo del regionalismo y la voluntad de enlazar con la arquitectura europea: **Secundino Zuazo** (1887-1970), **Casto Fernández Shaw** (1896), **Luis Gutiérrez Soto** (1900), **Luis Lacasa, Rafael Bergamín** —autor de la colonia *El Viso* de Madrid— o **Fernando García Mercadal** (1896) que se moverán entre su vinculación a los movimientos de vanguardia europeos y una reflexión sobre la arquitectura española, especialmente la de **Juan de Villanueva**. De forma paralela a lo que sucede en Madrid, el resto de España se empieza a abrir hacia una arquitectura moderna claramente racionalista que encontrará su manifestación más importante en el **GATEPAC** (1937), entre cuyos miembros se encontraban el catalán **José Luis Sert** (1902) y el vasco **José Manuel Aizpurúa** (1904-1936).

La vanguardia española después de la Guerra Civil

El triunfo del ejército de Franco supuso un tremendo retroceso cultural para España muchos de cuyos artistas más vanguardistas murieron durante la contienda o se vieron obligados a exiliarse a su término. Por eso, hombres como **Baltasar Lobo** (1910), **José María**

Ucelay (1903-1979) o **Alberto Sánchez** concluyeron sus carreras en el exilio, mientras que en el interior se apoyaba oficialmente la arquitectura neoescurialense del *Ministerio del Aire* (1943) de **Luis Gutiérrez Soto** o el arte de aquellos pintores y escultores que representaban las corrientes más tradicionalistas «teñidas» de un profundo folklorismo, que se impusieron incluso sobre los que, como el falangista **Sáenz de Tejada** (1897-1958), estaban empeñados en la tarea de crear un nuevo arte imperial de claras connotaciones fascistas. En este contexto, todos aquellos movimientos que de alguna u otra manera conectaban con la vanguardia internacional se vieron condenados necesariamente a la marginalidad hasta fechas muy tardías.

La **Academia Breve de Crítica de Arte** (1942) y el **Salón de los Once** (1943), que agrupaban a artistas, galeristas y críticos bajo los dictados estéticos de **Eugenio D'Ors**, más que un movimiento artístico definido, supuso una apertura hacia la modernidad que cumplió un papel importante en la década de los cuarenta al presentar a través de sus exposiciones las nuevas corrientes por las que iba discurriendo el arte contemporáneo.

La normalización

Pero éste, el arte contemporáneo y la recuperación del espíritu vanguardista previo a la Guerra Civil, no empezaría a abrirse camino hasta los últimos años de la década de los cuarenta cuando se produce la aparición del **Grupo Pórtico** (1947) —cuyos miembros llegarían a una abstracción (por ejemplo los *Tres Reyes Magos* (1948) de **Santiago Lagunas** (1912), de **Dau al Set** (1948) —formado por **Joan Ponç** (1927-1984), **Joan-Josep Tharrats** (1918), **Modest Cuixart** (1925), **Antoni Tàpies** (1923) y el poeta **Joan Brossa** (1919), que se inclinaban hacia un surrealismo mágico— y la **Escuela de Altamira** (1949) —nombre con el que se conocen una serie de encuentros entre artistas propiciados por **Mathias Goeritz** (1915) y **Ángel Ferrant** (1890-1961) en cuyas conclusiones apoyaban un arte abstracto y rechazaban el arte social.

Vestido bajando la escalera, por Eduardo Arroyo.

En este camino hacia la normalidad tuvieron una importancia decisiva dos circunstancias. Por un lado, la nueva actitud tolerante adoptada por el gobierno, que, favoreció la celebración de la *Primera Bienal Hispanoamericana de Arte* (1951). Por otro, el mejor conocimiento que se empezó a tener de cuanto se estaba realizando fuera de nuestras fronteras tanto por el hecho de que los artistas españoles volvieron a salir al exterior (**Eduardo Chillida** (1924) y **Antonio Saura** (1930) a París, **Tàpies** a Estados Unidos...) como por la celebración de una serie de exposiciones —entre ellas la importantísima *Exposición de arte abstracto de Santander* (1953)— en donde se mostraron las últimas realizaciones del arte internacional, especialmente el informalismo —la opción más vanguardista del momento—, que iba a hacer furor entre los artistas españoles.

Informalista es la pintura de **Tàpies**, que concibe la superficie del lienzo como un *muro* (una mera superficie donde disponer el óleo y los distintos materiales —arena, tela, limaduras...— con los que empieza a trabajar). E informalista es también la pintura que practican los miembros de el grupo **El Paso** (1957), un grupo que aparece, significativamente, el mismo año en que entran en el gobierno los minis-

Fa el 13, por Susana Solano, Barcelona, colección particular.

tros tecnócratas. **El Paso**, promocionado en el exterior por el régimen de Franco que quería capitalizar políticamente la inevitable normalización artística, representaba a la perfección lo moderno, por su vinculación al informalismo, pero también lo español por las continuas referencias hechas a la tradición: el sentido dramático, la expresividad, la España negra, Goya... son referencias que aparecen repetidamente en las obras de **Antonio Saura** —*El perro de Goya*— o **Manolo Millares** (1926-1972) —*Sarcófago de Felipe II*— y permitían enlazar las últimas tendencias artísticas con nuestra historia y con nuestra tradición cultural.

Muy próximo a **Millares** y a la poética del informalismo se encuentra la obra de **Martín Chirino** (1925), un artista canario que trabaja el hierro cuyas esculturas abstractas —las series de *El Viento* o *Afrocán*— pretenden conectar con los valores de su tierra desprovistos de cualquier tipo de casticismo o folklorismo. Una pretensión, ésta, que desde otra óptica se encuentra también en las esculturas del vasco **Eduardo Chillida** (1924) que reivindica el trabajo del hierro (aunque también utiliza la piedra, el cemento y la madera) en lo que tiene de técnica y material tradicionales de su tierra aplicado a una escultura abstracta creada en estrecho contacto con la naturaleza como se pone especialmente de manifiesto en obras como *El peine de los vientos* de San Sebastián.

La abstracción podía tomar, y tomó, caminos diferentes desde el experimental y racionalista al de la protesta violenta del informalismo en la que encontraron su punto de encuentro muchos de los pintores y movimientos de la vanguardia de los cincuenta: la reivindicación de la pintura gestual —desde la agresividad de **Antonio Saura** (1930) a las caligrafías de **Fernando Zóbel** (1924) o las salpicaduras de **Tharrats** (1918)—, la importancia de la materia —en los cuadros de **Tàpies**, en las arpilleras rotas y cosidas de **Millares** (1926-1972) o en las maderas calcinadas de **Lucio Muñoz** (1929), y un fuerte expresionismo. Todos estos son vínculos comunes a los informalistas españoles, pero que no anulan tampoco las diferencias que existen entre ellos; unas diferencias que van desde el carácter de violenta protesta de **Tàpies** y del grupo **El Paso** al lirismo de **Fernando Zóbel** (1924), al equilibrio y limpieza de **Gustavo Torner** (1925) y **Gerardo Rueda**

Bodegón de Miquel Barceló, 1984, técnica mixta.

(1926) —que forman con **Zóbel** el llamado **Grupo de Cuenca**— o la gozosa despreocupación de **José Guerrero** (1914-1991), un pintor instalado en Nueva York y muy influido por los expresionistas abstractos americanos. Sin olvidar tampoco el trabajo de otros artistas que se mueven dentro de la onda informalista como **Manuel Hernández Mompó** (1927-1992), **Josep Guinovart** (1927), **Joan Hernández Pijoan** (1931) o **Albert Ràfols Casamada** (1923).

Por el contrario, la dirección racionalista y experimental de la abstracción la podemos encontrar en **Jorge Oteiza** (1908), que centró toda su escultura en la investigación de los problemas de un espacio que debía ser a la vez real y expresivo. **Oteiza**, que había sufrido la influencia de **Henri Moore**, concedía una importancia fundamental al hueco; un hueco al que se enfrentaba desde posiciones diferentes y aún opuestas: como elemento fuerte de expresividad en su *Apostolado* para el *Santuario de Aranzazu* (1953-1969) y como un vacío activo que se impone sobre el volumen y se convierte en el principal protagonista de su escultura en piezas cuyos meros títulos resultan expresivos por sí mismos: *Poliedro abierto en flotación* (1956), *Respuesta triple de un poliedro al espacio exterior* (1956), *Apertura o desocupación del cilindro* (1957)... desarrollando una auténtica investigación sobre los problemas de la "desocupación del espacio". El carácter experimental y riguroso de la escultura de **Oteiza** tuvo una enorme importancia sobre los miembros del **Equipo 57** (1957) interesados también en el análisis de las relaciones espaciales. Los miembros del **Equipo 57** —en las antípodas del informalismo— pretendían crear una obra de arte colectiva, despersonalizada y sin subjetivismo apoyada sobre una abstracción de carácter normativo que interesó también a los miembros del **Grupo Parpalló** (1960) —entre ellos el escultor **Andreu Alfaro** (1929)—, en las imágenes cinéticas de **Eusebio Sempere** (1923-1985) y en la abstracción analítica de **Pablo Palazuelo** (1916).

Por otro lado, durante los cincuenta se desarrolló también un arte figurativo que fue derivando hacia una pintura de carácter social y políticamente comprometida que encontró en **José Ortega** (1921-1991) y sus cuadros de campesinos a uno de sus representantes más característicos, y que, algo después, sería un elemento fundamental para los artistas que se agruparon en torno a **Estampa Popular**.

La crisis del informalismo, que en España se produjo con un cierto retraso con respecto a otros países, supuso una vuelta a la figuración desde sus diferentes manifestaciones: las de la nueva figuración de **Juan Barjola** (1919); las distintas posibilidades del realismo que representan **Antonio López García** (1936), **Amalia Avia** (1930) o **Carmen Laffón** (1934); las visiones críticas y provocadoras de **Eduardo Arroyo** (1935) y del **Equipo Crónica**, formado por **Rafael Solbes** (1940-1981) y **Manolo Valdés** (1942); o las de la "crónica de la realidad" de **Juan Genovés** (1930) y **Rafael Canogar** (1935), de un marcado dramatismo expresivo y una fuerte carga de denuncia política. Se trataba de un retorno a la figuración, pero de todas ellas, la que tuvo una incidencia mayor en España —que ya era la España del desarrollo y por tanto más urbana que rural— fue la del *pop* y lo que éste suponía de enfriamiento y distancia respecto al hecho pictórico. Si la influencia del *pop* fue importante para todos ellos, lo fue especialmente para **Alfredo Alcaín** (1936) y **Luis Gordillo** (1934) que son quienes probablemente se encuentran más próximos a él.

Gordillo fue, en buena medida, uno de los grandes catalizadores a cuyo alrededor se agrupó un grupo de jovenes pintores —**Guillermo Pérez Villalta** (1948), **Carlos Franco** (1951), **Carlos Alcolea** (1949-1992)— que representarían la nueva figuración madrileña de los ochenta, una pintura apolítica y desenfadada que, ajena a cualquier compromiso, reclamaba simplemente el placer de pintar. Figurativos o abstractos, los pintores de las dos últimas décadas han dado un giro importante a la vanguardia reivindicando, frente al fuerte compromiso social y político que mantenía en tiempos de Franco, el placer de pintar y, frente a su sobriedad cromática, el estallido de los colores sobre lienzos de grandes formatos, entre ellos **Alfonso Albacete** (1950), **Miquel Barceló**, **José María Sicilia** (1955) o **Amaya Bozal** (1972).

ACTIVIDADES

Sugerencias

Las mejores obras de Goya se conservan en el Museo del Prado y, también en Madrid, puedes ver sus frescos en la Ermita de San Antonio de la Florida. Además, puedes visitar el Casón del Buen Retiro o el Museo Romántico en Madrid, donde se conservan las mejores colecciones de arte decimonónico español. Visita también el Museo Reina Sofía en Madrid, el Museo de Arte Abstracto de Cuenca, el IVAM en Valencia, o las Fundaciones Miró y Tàpies en Barcelona, que reúnen los conjuntos más representativos del arte español contemporáneo. Otros museos interesantes, dedicados monográficamente a la obra de un pintor son el Museo Sorolla en Madrid y el Museo de Romero de Torres en Córdoba.

Cine: Es interesante la película El sol del membrillo, *donde Víctor Erice ha filmado el proceso de creación de un cuadro de Antonio López.*

Autorretrato, por Picasso, 1901, París, Museo Picasso.

Cronología

1746: Nace Goya.
1828: Muere Goya.
1852: Nace Gaudí.
1881: Nace Picasso.
1893: Nace Miró.
1904: Nace Dalí.
1907: Picasso pinta Las señoritas de Avignon.
1926: Muere Gaudí.
1937: Picasso pinta el Guernica.
1957: Se crea el grupo El Paso.
1973: Muere Picasso.
1983: Muere Miró.
1989: Muere Dalí.

Bibliografía

Bozal, V.: Pintura y escultura españolas del siglo XX, *Espasa Calpe, Madrid, 1995, 2 vols.*

Calvo Serraller, F.: Pintores españoles entre dos fines de siglo, 1880-1980, *Alianza, Madrid, 1990.*

Glosario

Ábside: Parte de la iglesia situada al final de las naves y ocupada por los altares. Según la época puede tener distinta forma.

Ábsides contrapuestos: Ábsides que están situados en cada uno de los extremos del eje longitudinal de la iglesia.

Adintelado: Dícese de lo que se encuentra rematado por un dintel.

Agujas: Chapiteles altos y estrechos que se colocan como remate de las torres o del crucero de algunas iglesias.

Ajedrezado: Decoración a base de pequeños cuadrados que recuerdan un tablero de ajedrez, muy utilizada en el mundo románico.

Alarife: Albañil, maestro de obras.

Alfarje: Techo plano de madera.

Alfiz: Moldura decorativa que rodea un arco, característica de la arquitectura musulmana.

Alminar: Torre de la mezquita desde la que se llama a los fieles a la oración.

Almohadillado: Paramento de sillería cuyos sillares se encuentran labrados a bisel.

Alta Edad Media: Período histórico comprendido entre los siglos VI y X.

Aparejo: Materiales con que está construido un muro y forma en que se disponen.

Arbotante: Arco que transmite los empujes de las bóvedas a los contrafuertes.

Arco: Estructura que recibe cargas y las transmite a pilares o columnas, salvando un espacio o vano llamado luz.

- **apuntado:** el formado por dos curvas que se cruzan;
- **carpanel:** arco rebajado, normalmente de tres centros;
- **conopial:** el que tiene forma de quilla de barco invertida;
- **de herradura:** el que tiene forma de la herradura con la que se calzan los animales;
- **de medio punto:** el que tiene forma semicircular;
- **diafragma:** cada uno de los que dividen una nave en tramos y sostienen una cubierta de madera;
- **escarzano:** el que está formado sólo por la curva superior de un semicírculo;
- **fajón:** el que divide una bóveda en tramos;
- **ojival:** el que tiene forma apuntada;
- **peraltado:** el que entre el capitel y el arranque del arco tiene un tramo recto que le hace más alto;
- **polilobulado:** el formado por segmentos curvos contrapuestos.

Arquería: Serie de arcos.

Arquitrabe: Parte del entablamento.

Arquivolta: Cada una de las molduras en forma de arco que delimitan una puerta o ventana.

Baja Edad Media: Período histórico comprendido entre los siglos XIII y XV.

Bajoimperial: Dícese del arte romano realizado a partir del siglo IV d.C.

Baldaquino: Pieza sostenida generalmente por cuatro columnas que suele cubrir un altar o una tumba.

Basa: Parte inferior de una columna.

Bastión: Construcción que defiende la puerta de un recinto amurallado.

Bisel: Relieve de corte oblicuo.

Bizantino/bizantinismo: Arte y cultura que se desarrolló en Bizancio (Imperio Romano de Oriente) entre los siglos IV y XV.

Bóveda: Estructura de perfil arqueado destinada a cubrir un espacio comprendido entre muros y pilares.

- **de aristas:** la formada por el cruce de dos bóvedas de cañón;
- **de cañón:** la que tiene forma semicircular;
- **de crucería:** la formada por nervios que se cruzan en el centro;
- **estrellada:** bóveda de crucería cuyos nervios diagonales y terceletes dibujan la forma de una estrella;
- **gallonada:** la formada por yuxtaposición de resaltes curvos con perfil de cuarto de huevo;
- **de ojivas:** bóveda de crucería, con diferencias en la forma y perfil de los nervios;
- **sexpartita:** bóveda de crucería de seis nervios.

Cancel: Elemento vertical que separa, a modo de barrera, el ábside de la nave.

Candelero: Tipo de decoración renacentista.

Capitel: Parte superior de una columna.

- **corintio:** el que está decorado con hojas de acanto.

Carolingio: Arte desarrollado en los territorios del Imperio de Carlomagno y sus sucesores.

Cavea: Lugar destinado a los espectadores en el teatro, anfiteatro y circo romanos.

Cella: Cámara del templo griego y romano donde se guardaba la imagen del dios.

Céltico: Cultura de origen centroeuropeo que caracteriza a los pueblos del interior de la Península en la segunda mitad del I milenio a.C.

Cimborrio: Especie de torre que se levanta sobre el crucero de una iglesia.

Cinquecentistas: Artistas que trabajaron en Italia durante el siglo XVI.

Cinquecento: Período del arte italiano correspondiente al siglo XVI.

Císter: Movimiento de reforma monacal que surge en Francia a finales del siglo XI; por extensión, arte vinculado a sus monasterios.

Claustro: Patio rodeado por galerías de arcos anejo a la iglesia de un monasterio o a una catedral.

Códice: Libro manuscrito.

Columna abalaustrada: Columna cuyo fuste se encuentra formado por sucesivos ensanchamientos y estrechamientos que, generalmente, dibujan líneas curvas.

Contrafuerte: Elemento vertical para el refuerzo exterior de un muro.

Contrarreforma: Movimiento de renovación espiritual surgido en el siglo XVI con el que la Iglesia quiso contrarrestar los efectos de la Reforma.

Contrarreformista: Dícese de cuanto participa del espíritu de la Contrarreforma.

Corintio: Orden clásico que se caracteriza por tener un capitel de hojas de acanto.

Crismón: Símbolo de Cristo formado por las dos primeras letras de su nombre en griego (X y P).

Crucero: Lugar donde se cruzan la nave principal y el transepto de una iglesia.

Cubismo: Movimiento artístico iniciado por Picasso y Bracque a finales de la primera década del siglo XX. En él se subvierten las fórmulas tradicionales de representación del espacio, ofreciendo simultáneamente diversos puntos de vista de los objetos.

Cultura argárica: Cultura prehistórica del II milenio a.C. que se desarrolló en el SE de la Península Ibérica.

Cultura megalítica: Cultura prehistórica que se caracteriza por la existencia de monumentos construidos a base de piedras de gran tamaño.

Chapitel: Elemento terminado en flecha que constituye el remate de una torre; su forma suele ser piramidal, cónica o bulbosa.

Dintel: Parte superior horizontal de una puerta o ventana, que sirve de elemento sustentante.

Díptico: Obra de orfebrería o pintura formada por dos piezas que se cierran sobre sí.

Díptico consular: Díptico de época romana realizado en marfil y encargado por un cónsul para conmemorar su cargo.

Dovela: Cada una de las piezas que forman la rosca de un arco.

Entablamento: Conjunto de elementos y molduras horizontales que se pone encima de las columnas en los órdenes clásicos.
Estructura superior del edificio, formada por friso y arquitrabe, que se apoya sobre las columnas.

Entrelazo: Decoración a base de líneas que se cruzan formando figuras geométricas.

Estatuillas votivas: Pequeñas estatuas entregadas como ofrenda por los fieles a un santuario.

Estela: Monumento conmemorativo o funerario, de forma generalmente rectangular o circular.

Estrigiles: Elemento decorativo en forma de S.

Estuco: Masa formada por cal y polvo de mármol.

Esvástica: Cruz gamada.

Exento: Dícese de algo que no está adosado a otra cosa (por ejemplo, un muro o un edificio). Monumento exento, escultura exenta.

Expresionismo: Movimiento artístico europeo que busca expresar los estados anímicos del artista a través de la forma y el color, que pierden toda dependencia con la naturaleza y la realidad.

Exvoto: Objeto ofrendado a la divinidad en agradecimiento por un favor recibido de ella.

Fíbula: Broche con que se sujetaba la ropa (túnicas...) en el mundo antiguo y medieval.

Figurativo: Bajo este nombre se encuadran todos los estilos y movimientos artísticos que representan objetos identificables. Lo contrario es abstracto.

Filigrana: Decoración utilizada en orfebrería a base de pequeños hilos de plata y oro.

Focense: Habitante de la región griega de Focea, en Asia Menor.

Foro: Plaza pública de época romana.

Fossa Bestiaria: Galerías y estancias situadas bajo tierra en el anfiteatro, donde se encerraban y guardaban los animales, las máquinas, etc.

Friso: Banda horizontal decorativa. Parte del entablamento.

Frontal: Elemento decorativo hecho en tela, madera o metales preciosos que se coloca en el frente de un altar.

Frontón. Elemento triangular que sirve como remate de un edificio o de un vano.

Fuste: Parte de la columna que se encuentra entre la basa y el capitel.

Girola: Pasillo que rodea el altar mayor de una iglesia.

Gótico: Período artístico de Europa occidental comprendido entre los siglos XIII y XV.

Granulado: Decoración utilizada en orfebrería a base de pequeños granos.

Grutesco: Elemento decorativo renacentista de carácter fantástico inspirado en las decoraciones romanas encontradas entre las antiguas ruinas.

Hierático: Inexpresivo./Hieratismo: inexpresividad.

Ibérico: Cultura que se desarrolla en las regiones del sur y este de la Península entre los siglos VI y II a.C.

Iconostasis: Barrera que separa y oculta el altar mayor a la visión de los fieles.

Impresionismo: Estilo artístico surgido en Francia en el último cuarto del siglo XIX que se opuso a la pintura de tradición académica. Entre sus novedades más significativas se encuentran: una pincelada rápida y una técnica muy libre, la nueva utilización del color y de la luz, la ejecución al aire libre y la atención dedicada al paisaje y a la representación de escenas de la vida cotidiana.

Informalismo: Movimiento artístico no figurativo surgido después de la Segunda Guerra Mundial. En él se engloban diversas tendencias abstractas de carácter no geométrico.

Intradós: Parte interior del arco.
Jambas: Cada una de las piezas verticales que forman una puerta o ventana.
Lacería: Ver *entrelazo*.
Lauda sepulcral: Elemento plano que cubre una tumba.
Machones: Pilares de obra, generalmente de sección cuadrada, que sirven para reforzar la estructura de un edificio.
Mampostería: Conjunto de piedras de tamaño irregular utilizadas en la construcción de un muro.
Manierismo: Estilo artístico surgido en Italia que maneja con inusitada libertad las normas de la composición clásica y que se desarrolla durante los tres últimos tercios del siglo XVII.
Manierista: Dícese de todo aquello que participa del manierismo.
Maqsura: Espacio de la mezquita reservado al califa.
Medallón: Elemento decorativo de forma circular.
Ménsula: Elemento saliente del muro que sirve para sostener algo.
Mihrab: Nicho que señala en la mezquita cuál es el muro de la qibla, es decir, aquél que indica hacia dónde hay que mirar para hacer la oración.
Mitreo: Templo dedicado al dios oriental Mitra.
Mocárabe: Elemento decorativo con forma de prisma invertido.
Modernismo: Nombre que se da en España al Art Nouveau, un estilo internacional que surge en Europa a finales del siglo XIX y principios del siglo XX. El modernismo se caracteriza por el predominio de líneas curvas y formas asimétricas, así como por la importancia que adquieren los elementos decorativos de carácter ondulante y procedencia vegetal.
Mozárabe: Nombre dado a los cristianos que vivían en territorio musulmán; durante mucho tiempo se ha utilizado el término para caracterizar el arte de la España cristiana del siglo X, en el que se observan influencias del mundo árabe.
Mudéjar: Nombre dado a los musulmanes que vivían en territorio cristiano; se aplica, por extensión, al arte cristiano español que, a partir de la segunda mitad del siglo XII, utiliza en sus construcciones formas y elementos decorativos propios del arte islámico.
Nervios: Elementos sustentantes que corren a lo largo del intradós de una bóveda.
Nielado: Decoración que utiliza un esmalte hecho a base de plata y plomo.
Noucentismo: Movimiento artístico surgido en Cataluña a principios del siglo XX cuyo principal animador fue Eugenio D'Ors. El noucentismo pretendía alcanzar un estilo clásico y mediterráneo.
Ojiva: Construcción en forma apuntada, característica del gótico.
Paleocristiano: Arte de las primeras comunidades cristianas.
Paramento: Revestimiento exterior de un muro.
Parteluz: Elemento vertical que divide en dos una puerta o ventana.
Pátera: Plato o bandeja no muy hondos.
Perspectiva jerárquica: Recurso usado en las artes figurativas por el que los personajes de mayor importancia o jerarquía son representados más grandes que los demás.
Pilar: Soporte más grueso que la columna y de forma por lo general cuadrada o poligonal.
Pilastra: Pilar adosado a la pared.
Planta: Dibujo de la sección horizontal de un edificio que permite ver cómo se distribuyen sus espacios.
Planta basilical: Planta longitudinal de tres o cinco naves —la central más ancha que las laterales— separadas por columnas o pilares; puede tener transepto.
Planta de cruz griega: La que tiene todos sus brazos de la misma longitud.
Plementería: Conjunto de materiales que, a excepción de los nervios, forman una bóveda de crucería.
En la bóveda de crucería, dícese de las partes del muro que la forman.
Plena Edad Media: Período histórico comprendido entre los siglos XI y XII.
Policromía: Utilización de varios colores en la realización de una obra.
Pórtico: Espacio cubierto y sostenido por pilares o columnas, que está adosado a alguna de las fachadas de un edificio.
Prerromano: Anterior a la llegada de los romanos.
Presbiterio: Lugar de la iglesia donde está el altar mayor.
Protogótico: Período artístico de transición entre el Románico y el Gótico que abarca la segunda mitad del siglo XII y el primer tercio del XIII.
Protohistórico: Período inmediatamente anterior a la llegada de los tiempos históricos; las culturas que se encuentran en este nivel carecen de fuentes documentales propias, pero se tienen datos sobre ellas a través de la tradición oral o de menciones hechas en documentos de otros pueblos.
Quattrocentista: Relativo al Quattrocento.
Quattrocento: Período del Renacimiento italiano que se desarrolló en el siglo XV.
Registro: Nivel.
Retablo: Obra de pintura, escultura o metales preciosos situada detrás de un altar con representaciones de Cristo, la Virgen, santos o sus vidas.
Románica: Relativa al románico.
Románico: Período artístico de la Europa occidental comprendido fundamentalmente entre los siglos XI y XII.
Rosetón: Ventana circular situada en la fachada de una iglesia.
Scriptorium (en plural scriptoria): Dependencia de un monasterio donde se copiaban e ilustraban manuscritos.
Sebka: Elemento decorativo formado por una red de rombos entrecruzados.

Serliana: Tipo especial de vano formado por la combinación de uno de medio punto situado entre otros dos adintelados.
Sillar: Piedra grande y bien trabajada de forma rectangular.
Simbolismo: Movimiento artístico europeo de la segunda mitad del siglo XIX en el que se desarrollaban determinados aspectos del romanticismo, especialmente aquellos que suponían una apelación al ensueño, la fantasia, el erotismo y determinadas formas de espiritualidad.
Sogueado: Adorno en forma de soga o cuerda.
Surrealismo. Movimiento artístico y literario cuyo principal animador fue André Breton. El surrealismo, muy influido por el psicoanálisis de Sigmund Freud, pretendía liberar la mente del artista y hacer aflorar a la luz el mundo de los sueños y del inconsciente.
Tapial (muro de): Pared de tierra.
Tardorromano: Ver *Bajoimperial.*
Tenebrismo: Nombre con el que se conoce el estilo de aquellas pinturas realizadas a base de colores muy oscuros y formas muy violentas de iluminación que provocan unos contrastres muy fuertes entre las luces y las sombras que bañan el cuadro. Se utilizó de una manera especial en los últimos años del siglo XVI y también durante la primera mitad del siglo XVII.
Terceletes: Determinado tipo de nervios de las bóvedas de crucería.
Termas: Baños públicos o privados de época romana.
Tesela: Pequeño cubo de mármol o vidrio utilizado en la realización de los mosaicos.
Tímpano: Superficie comprendida entre las arquivoltas y el dintel de una portada.
Torque: Joya a modo de collar que usaban los pueblos anteriores a los romanos.
Transepto: Nave transversal de una iglesia.
Trascoro: Parte exterior de la barrera o pared que separa al coro de las naves de la iglesia.
Trecentista: Relativo al Trecento.
Trecento: Período artístico que se desarrolló en el siglo XIV en Italia.
Triforio: Galería estrecha situada encima de las naves laterales de una iglesia y abierta a la principal.
Triple cella: Nombre que se da en algunos templos romanos a las tres cámaras de su interior dedicadas a los dioses.
Trisquel: Elemento decorativo muy utilizado en el mundo celta, con tres brazos en forma de *S* dentro de un círculo.
Túmulo: Elevación artificial del terreno levantada encima de una tumba.
Vano: Hueco hecho en un muro.
Yesería: Decoración hecha en yeso.
Zócalo: Parte inferior de una pared.